VIOLENCE À L'ORIGINE

Du même auteur, chez le même éditeur :
- *Il ne faut pas parler dans l'ascenseur*, roman, 2010
- *La chorale du diable*, roman, 2011
- *Je me souviens*, roman, 2012
- *Sous la surface*, roman, 2013

Du même auteur, chez d'autres éditeurs :
- *Il ne faut pas parler dans l'ascenseur*, roman, Les Éditions Coup d'œil, 2013 (réédition) (format poche, 2014)
- *La chorale du diable*, roman, Les Éditions Coup d'œil, 2013 (réédition) (format poche, 2014)
- *Je me souviens*, roman, Les Éditions Coup d'œil, 2014 (réédition)
- *S.A.S.H.A.*, roman, VLB éditeur, 2014
- *Crimes à la librairie* (collectif), Éditions Druide, 2014
- *Des nouvelles du père* (collectif), Éditions Québec Amérique, 2014

Ce roman est une œuvre de fiction. Les noms, les personnages, les lieux, les organisations et les événements sont le fruit de l'imagination de l'auteur ou sont utilisés de manière fictive. Toute ressemblance avec des personnes réelles, vivantes ou mortes, ne serait que pure coïncidence.

Couverture : Kevin Fillion
Conception graphique : Bérénice Junca
Révision, correction : Patricia Juste, Martin Duclos et Élaine Parisien
Portrait de l'auteur : Philippe-Olivier Contant/Agence QMI

www.boutiquegoelette.com
www.michaudmartin.com
www.facebook.com/EditionsGoelette
www.facebook.com/martinmichaudauteur

Dépôt légal : 4e trimestre 2014
Bibliothèque et Archives nationales du Québec
Bibliothèque et Archives Canada

Les Éditions Goélette bénéficient du soutien financier de la SODEC pour son programme d'aide à l'édition et à la promotion.

Nous remercions le gouvernement du Québec de l'aide financière accordée par l'entremise du Programme de crédit d'impôt pour l'édition de livres, administré par la SODEC.

Nous reconnaissons l'aide financière du gouvernement du Canada par l'entremise du Fonds du livre du Canada pour nos activités d'édition.

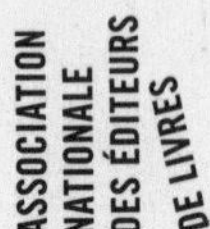

Membre de l'Association nationale des éditeurs de livres

Imprimé au Canada
ISBN : 978-2-89690-578-2

MARTIN MICHAUD

VIOLENCE À L'ORIGINE

UNE ENQUÊTE DE VICTOR LESS4RD

Aux miens, pardon pour toutes ces heures qui m'échappent
et finissent par devenir des mots.

Le pervers cherche et revendique le vrai, au-delà de toutes les formes que peut prendre la tromperie. Il traque la vérité, toujours du côté du réel, de la pulsion et de la jouissance.

– Lucie Cantin

Nous devons accepter notre existence aussi complètement qu'il est possible. Tout, même l'inconcevable, doit y devenir possible.

– Rainer Maria Rilke

Il n'y a qu'un seul monde et il est faux, cruel, contradictoire, séduisant et dépourvu de sens. Un monde ainsi constitué est le monde réel. Nous avons besoin de mensonges pour conquérir cette réalité, cette vérité.

– Friedrich Nietzsche

– L –

La neige tombait dru depuis le milieu de l'après-midi. Marchant sur le trottoir enneigé de la rue Rachel, Maxime Rousseau rentrait chez lui. Il n'avait que deux cents mètres à franchir entre la porte de l'école et celle de la maison. Pour lui faire comprendre qu'il ne fallait jamais parler aux étrangers, sa maman lui avait raconté plusieurs fois une histoire effrayante : celle d'un petit garçon qui avait aperçu le visage du diable en montant dans la voiture d'un inconnu. Pourtant, lorsque l'homme en costume rouge et à la longue barbe blanche l'interpella, l'expression du garçon s'illumina. Le père Noël ! Il saisit la main qui lui était tendue sans se douter un seul instant qu'il venait d'apercevoir le visage du diable. Happées par la bourrasque, les deux silhouettes disparurent au bout du trottoir. On était le 18 décembre 1981. Maxime avait six ans. Sa maman ne le revit jamais.

CHAPITRE 48

Sous terre

Pistolet au poing, Victor Lessard braqua sa lampe de poche dans l'obscurité et se mit à avancer avec prudence dans la canalisation. Devant lui, le faisceau lumineux lécha la paroi de béton couverte de sédiments, puis éclaira l'eau boueuse qui coulait dans le conduit. Une odeur nauséabonde le prit aux narines ; il mordit en grimaçant dans le quartier de citron qu'il tenait coincé entre ses dents. C'était la première fois qu'il descendait dans les égouts et il redoutait d'y croiser des rats.

La voix bourrue de Jacinthe Taillon crépita dans son oreillette.

– Pis ? Vois-tu quelque chose ?

Il entendit le tonnerre gronder en arrière-fond et ne put s'empêcher d'y voir un mauvais présage. Le ciel s'était couvert et un orage se préparait.

Victor recracha le morceau de citron avant de répondre :

– Pas pour l'instant.

Là-haut, Jacinthe supervisait l'opération en attendant l'arrivée des renforts ainsi que des cols bleus chargés de l'entretien des égouts.

– Eille, Lessard… fais attention de pas salir tes *runnings* neufs. Si y avait juste une crotte dans le désert, tu trouverais le moyen de piler dedans.

Le rire crispé de sa coéquipière vrilla dans son oreillette. Pour détendre l'atmosphère, elle faisait allusion à la paire de Converse de cuir rouge qu'il avait reçue en cadeau pour son anniversaire, dix jours plus tôt. Victor n'eut pas besoin de regarder ses chaussures: l'eau souillée lui montait aux chevilles.

Dès le moment où il avait armé son pistolet, son pouls s'était accéléré, une boule avait grossi dans le creux de son estomac. Il éprouvait le même sentiment chaque fois qu'il dégainait son arme. Et il en connaissait la raison. La peur. Une peur qui, combinée à l'adrénaline giclant dans ses veines, risquait de devenir un cocktail explosif. Il éclaira le haut de la paroi: des concrétions calcaires avaient formé des stalactites. Au fur et à mesure qu'il avançait, la même vision défilait dans le halo de lumière: outre le liquide brunâtre qui s'écoulait dans le cylindre de béton, Victor ne voyait que du vide. Il s'arrêta, prit une grande goulée d'air et bloqua sa respiration. Il savait que l'on finit toujours par extraire quelque chose du vide. Et que lorsqu'on ferme les paupières et que les images se mettent à défiler, des ombres peuvent surgir des ténèbres, se matérialiser. Il réalisait surtout que si on leur ouvrait la porte, ces illusions devenaient des gouffres capables de nous avaler.

Toujours en position de tir, il essuya son front couvert de sueur contre la manche de son t-shirt et relâcha l'air emprisonné dans ses poumons.

La voix de sa coéquipière retentit encore:

– Pis, l'as-tu trouvé?

– Non. Et, parle moins fort, Jacinthe. Tu me casses les oreilles.

– Bon, bon. Fais pas ta moumoune!

Victor poursuivait sa progression dans le cloaque quand le faisceau de sa torche se mit à vaciller. Il la cogna deux fois contre son pistolet et songea avec inquiétude qu'il n'avait pas remplacé les piles depuis longtemps. Quinze mètres devant, le conduit bifurquait en coude sur la gauche, l'empêchant de voir plus loin. Il ne lui restait que quelques enjambées à faire pour s'y engager lorsqu'il entendit un clapotis et perçut du mouvement. Il sursauta et laissa échapper un cri.

– Qu'est-ce qui se passe, Lessard? Pourquoi tu cries comme une p'tite fille?

Le cœur du sergent-détective bondissait dans sa poitrine.

– Y a quelque chose qui vient de me passer entre les jambes.

L'index crispé sur la détente, il promenait le faisceau à la surface de l'eau, prêt à faire éclater la bestiole, mais il ne vit rien.

La voix de Jacinthe lui parvint, hachurée:

– C'était quoi?

– Je sais pas. Une saloperie de rat, je pense.

Le souffle court, Victor couvrit en quelques pas la distance qui le séparait du coude. En l'empruntant, il s'arrêta net. À cet endroit, l'odeur se faisait plus insistante: un relent fétide de viande en décomposition et d'excréments le saisit.

Une violente quinte de toux le secoua. Il s'enfouit le nez dans le pli de son coude et réprima un haut-le-cœur. Jacinthe s'époumonait à lui demander ce qui se passait, mais il n'entendait plus le grésillement de la voix de sa coéquipière dans l'oreillette. Tous ses doutes s'étaient dissipés d'un coup. Il savait maintenant avec précision ce qui l'attendait. Et le craignait plus que tout.

Sans réussir à faire taire la voix intérieure qui lui dictait de rebrousser chemin, conscient que chaque pas le rapprochait davantage du monde des ombres, Victor se remit à avancer. Et ce qu'il s'attendait à trouver apparut finalement dans l'œil de sa lampe.

Dix mètres devant lui, la forme humaine était assise sur le sol, adossée contre la paroi de ciment, la partie inférieure du bassin et les fesses baignant dans l'eau. En pleine extension devant le corps, une partie des jambes était immergée et le bout des deux chaussures affleurait à la surface. Victor orienta d'abord le pinceau de la torche sur les pieds du cadavre, puis il suivit tranquillement la ligne des jambes jusqu'au torse. C'est en faisant remonter la lumière vers la poitrine qu'il comprit que quelque chose n'allait pas. Le thorax venait de se soulever et de s'abaisser. La victime respirait encore ! Le sergent-détective recula de quelques pas et faillit tomber à la renverse.

Alors qu'il posait une main sur la paroi pour conserver son équilibre, la torche lui glissa des doigts et bascula dans le vide. Elle s'éteignit au moment où elle toucha l'eau.

Ce fut comme si on venait de glisser un voile opaque devant ses yeux.

– Lessard, veux-tu ben me dire ce que tu fais ? Tu joues avec mes nerfs !

Victor décrocha l'oreillette et la laissa retomber contre son épaule. Il devait à tout prix retrouver sa lampe et n'avait que faire des interrogations de Jacinthe. Coinçant son Glock entre ses reins et la ceinture de ses jeans, il s'agenouilla et plongea les mains dans le liquide poisseux. Et tandis qu'il fouillait à l'aveugle, ses idées s'emballèrent. Pourvu qu'il ne se fasse pas mordre par un rat.

Au bout de quelques secondes, ses doigts rencontrèrent une masse solide. Réussissant à la saisir dans sa paume, il sortit la torche de l'eau et la secoua en priant pour qu'elle fonctionne encore. Il actionna l'interrupteur plusieurs fois, sans résultat. Furieux, il frappa le boîtier métallique contre sa cuisse et s'écria :

– Merde ! Tu vas pas me lâcher maintenant !

Victor poussa un soupir de soulagement lorsque la lampe se ralluma. Il se rapprocha de la victime avec prudence et se rendit compte que, dans l'énervement, il n'avait pas pris conscience des glapissements qui emplissaient pourtant ses oreilles. Il en comprit l'origine quand il se trouva suffisamment près : une colonie de rats recouvrait entièrement le corps telle une seconde peau, ce qui expliquait pourquoi il avait eu l'impression de voir la victime respirer.

Il voulut faire part de sa découverte à sa coéquipière, mais, subjugué par la scène qui s'offrait à lui, il ne parvint pas à prononcer les mots qui cascadaient dans sa tête.

Le cadavre – un homme, de toute évidence – était décapité à la base du cou. Surmontant sa répulsion, Victor cria et cogna sa lampe contre la paroi dans le but de faire fuir les rongeurs qui s'agitaient dans la cavité laissée béante par la mutilation. Peu intimidés, ceux-ci continuaient de grignoter avec voracité la carcasse, arrachant des lambeaux de chair qu'ils avalaient aussitôt.

Tandis que l'oreillette crachait toujours la voix lointaine de Jacinthe, Victor frappa quelques rats avec la crosse de son Glock et réussit à libérer l'épaule droite du mort assez longtemps pour constater qu'il portait un uniforme de cérémonie bardé de décorations. Le sergent-détective remit l'écouteur en place dans son oreille et interrompit la litanie de reproches de sa coéquipière :

– Jacinthe ?

– Qu'est-ce que tu bizounes en bas ? À qui tu parlais ?

Il coupa court :

– C'est le corps du commandant. Il est en train de se faire bouffer par les rats.

Jacinthe marqua une pause avant de répondre.

– T'es sûr que c'est pas le père Noël ?

L'uniforme de cérémonie et le fait que le corps était décapité ne laissaient aucune place au doute. C'est ce qu'il allait lui dire lorsqu'un haut-le-cœur lui tordit de nouveau l'estomac. Cette fois, il fut incapable de se retenir. Se détournant pour éviter de contaminer la scène de crime, il vomit dans l'eau.

Victor cherchait son paquet de cigarettes dans ses poches quand le faisceau de sa lampe glissa sur le mur de béton.

Écarquillant les yeux, il revint éclairer ce qu'il avait cru apercevoir.

– Merde…

– C'est quoi, le problème? Parle-moi, Lessard!

Quelques mètres à la gauche du corps, une immense fresque peinte à la bombe aérosol ornait la paroi de ciment. De forme rectangulaire, le graffiti s'étirait sur deux mètres de largeur. Un squelette aux yeux d'émeraude fixait un homme arborant une longue barbe blanche. Coiffé d'un bonnet de père Noël, l'homme était crucifié sur une croix métallique bordée d'ampoules. Victor demeura bouche bée un instant. Macabre, dérangeante, l'œuvre saisissait. Imperméable aux appels de sa collègue, le policier contempla la murale encore quelques secondes, puis se mit à courir à toute vitesse vers la sortie, soulevant des gerbes d'eau sur son passage.

– Ils sont au mont Royal, Jacinthe!

MALAISE DANS LA CIVILISATION

La question du sort de l'espèce humaine me semble se poser ainsi : le progrès de la civilisation saura-t-il, et dans quelle mesure, dominer les perturbations apportées à la vie en commun par les pulsions humaines d'agression et d'autodestruction ? Les hommes d'aujourd'hui ont poussé si loin la maîtrise des forces de la nature qu'avec leur aide il leur est devenu facile de s'exterminer mutuellement jusqu'au dernier.

– Sigmund Freud

CHAPITRE 49

La pièce noire

– Non ! Je veux l'entendre de votre bouche !

– Il n'y a pas d'émotion plus pure, plus vraie que la peur. On ne peut la confondre avec aucun autre état. L'humain devient ce qu'il y a de plus noble dans la souffrance et dans la douleur. Ça vous satisfait? Vous voulez en parler davantage?

– Non, je ne veux pas en parler davantage.

– À vous de voir. Il faut savoir tourner la page.

– Ce qui signifie?

– Ce qui ne signifie rien.

– Vous pensez que vous valez mieux que moi? Pourquoi êtes-vous devenu professeur?

– Pourquoi n'êtes-vous encore rien devenu?

– On dit que, devant votre classe, vous buviez de l'alcool dissimulé dans un carton de lait. Plutôt minable, vous ne trouvez pas?

– On dit beaucoup de choses. Pour surmonter l'incompréhension, les gens se raccrochent à des leurres. Mais ne nous écartons pas. Je vous avoue que j'ai été impressionné par la symbolique que vous avez réussi à mettre en place. Bel écran de fumée.

– C'est vous qui m'avez suggéré de leur offrir des repères, un horizon prévisible. Vous disiez qu'il fallait leur donner ce à quoi ils s'attendaient, une mécanique...

– Vous avez réussi à les faire manger dans votre main. Mais répondez à la question que je vous ai posée tout à l'heure : croyez-vous que certaines personnes méritent de mourir ?

– J'essaie de ne pas penser à ça.

– Allons... Vous croyez que c'est différent s'il y a une justification, non ?

– Oui, c'est ce que je crois.

– Vous pensez que le désir de faire le bien y change quelque chose ? Qu'il empêche celui qui commet des atrocités au nom de la vie ou d'intérêts supérieurs de devenir un monstre ?

– Je sais qui je suis ! Écoutez, je...

– Non, cette fois, c'est vous qui allez m'écouter ! Vous croyez que vous êtes différent des autres ? Que ces prévenus menottés dont les photos ornent les premières pages des journaux sont d'une autre engeance ? Si c'est le cas, vous vous trompez. Ils ont emprunté la même porte et ce qu'ils ont découvert les a empêchés de revenir en arrière. Vous le savez mieux que quiconque maintenant : une fois entré dans la pièce noire, il n'est plus possible de revenir en arrière. Regardez-les bien la prochaine fois que vous poserez les yeux sur un journal. Croyez-vous que vous y verrez l'incarnation du diable ou le visage du mal ? Non, bien sûr que non ! Si vous regardez attentivement, vous n'y verrez rien d'autre que du soulagement. Celui des individus qui ont cessé de combattre leurs pulsions primales.

– C'est ce qui vous est arrivé ?

– Il y a ce qu'on raconte. Et il y a tout ce qu'on ne raconte pas. Chacun bâtit sa légende, mais nous sommes tous des menteurs pathologiques. Il y a ces souvenirs que nous améliorons en les évoquant. Ces moments fades et insignifiants du passé qui deviennent tout à coup lumineux et inoubliables parce qu'avec le passage du temps la mémoire magnifie la réalité. Mais il y a surtout cette pièce sombre enfouie au plus profond de chacun de nous, dans les entrailles de notre conscience, l'endroit où nous enfermons à double tour tous ces accommodements, ces mensonges et ces demi-vérités qui nous empêchent d'avancer, qui nous forceraient, pour peu que nous envisagions de les regarder en face, à nous observer tels que nous sommes vraiment. Dans toute la magnificence de notre hideur et de notre pureté…

PREMIER JOUR

(Lundi 15 juillet)

CHAPITRE 2

Échantillons de blanc

Victor poussa la porte de la quincaillerie Monkland dès l'ouverture et fut accueilli par la brise glacée de la climatisation. Il s'avança dans l'entrée et salua le commis. Visage raviné, yeux injectés de sang, celui-ci le reconnut et lui rendit son sourire. C'était l'un des avantages des commerces de quartier : malgré un choix plus limité, le service était personnalisé. Les deux hommes avaient sympathisé quelques mois plus tôt, le temps d'une cigarette fumée sur le trottoir bordant la vitrine. Le policier remonta l'allée et s'arrêta devant le présentoir où se trouvaient les échantillons de couleurs.

Tandis qu'il parcourait les languettes de carton du bout des doigts, le commis vint se planter derrière lui et amorça la conversation avec son sujet favori :

– Avec le facteur humidex, il va faire quarante cet après-midi !

Montréal traversait l'une de ses pires canicules des dernières décennies. Victor répondit sans se retourner :

– Paraît que ça va être comme ça toute la semaine.

Le commis éclata de rire.

– Trop chaud l'été, trop froid l'hiver… On n'est jamais contents, hein ! Pis ? On peinture ?

– On a acheté un haut de duplex sur de Terrebonne. On veut donner un coup de pinceau pour rafraîchir.

– Cherchez-vous une couleur en particulier?

Un sourire malicieux au coin des lèvres, Victor fit un clin d'œil au commis.

– Ça devrait pas être trop compliqué. On va tout repeindre en blanc!

– En théorie, c'est pas compliqué, mais, en pratique, ça dépend…

Le sergent-détective fronça les sourcils.

– Ça dépend de quoi?

Le commis souffla pour écarter la mèche de cheveux qui lui tombait sur le front.

– Il y a plusieurs teintes de blanc…

Victor prit un carton au hasard et lut la légende.

– *Polar Bear 1875*. Tiens, ça va être parfait, ça.

– D'accord. Et pour le fini?

Une lueur de détresse s'alluma dans les pupilles du sergent-détective.

– On choisit quoi, selon vous?

– C'est pour quelle pièce?

– Toutes les pièces.

Le commis ne put réprimer un sourire.

– D'abord, il faudrait que je sache le nombre de pieds carrés.

Le policier se rembrunit.

– C'est un appartement standard. Trois chambres, un bureau et le reste.

– Comment voulez-vous que je calcule le nombre de gallons dont vous aurez besoin si j'ai pas le nombre de pieds carrés?

Victor se tint coi. L'autre reprit:

– Vous repeignez les plafonds aussi?

Le sergent-détective acquiesça d'un signe de tête.

– Donc, vous avez aussi besoin d'une peinture à plafond?

Le policier attrapa son cellulaire dans sa poche et jeta un coup d'œil au message texte qu'il venait de recevoir. Il pianota : « *là ds 30* ».

– Écoutez, il faut que j'y aille, mais je vais demander à ma blonde de vous téléphoner avec les dimensions exactes. Vous choisirez le fini comme si c'était pour peinturer chez vous. Ça vous va ?

Là où Victor risquait de gaffer, ce serait un jeu d'enfant pour Nadja. Il s'expliquait d'ailleurs mal la raison pour laquelle elle lui avait demandé de passer à la quincaillerie acheter la peinture. Pourquoi cette soudaine marque de confiance ? Car lorsqu'il était question de travail manuel, son amoureuse était infiniment plus douée que lui. Sans compter qu'elle possédait trois coffres à outils, alors qu'il n'avait qu'un marteau, un ruban à mesurer qui refusait de se rétracter et quelques vieux tournevis. Sans surprise, elle avait pris en charge la gestion des ouvriers engagés pour rénover la cuisine.

Le commis se gratta la tête.

– Euh... OK.

– Je vais passer chercher ça ce soir, en revenant de travailler.

– Besoin de pinceaux et de rouleaux ?

Victor se dirigeait déjà vers la sortie. Il s'arrêta et regarda l'homme par-dessus son épaule.

– Faites-moi un kit de base. On n'est pas des professionnels.

Il poussa la porte sans attendre de réponse et sortit. Dehors, le soleil éclaboussait la rue et l'écrasait de chaleur.

Victor marchait dans le stationnement de la Place Versailles – les policiers avaient pris l'habitude de dire simplement « Versailles » –, là où étaient situés les bureaux de la section des crimes majeurs. Un œil exercé aurait pu déceler l'infime boitement – vestige d'une enquête antérieure – qui affectait encore l'une de ses jambes. Une cigarette à peine entamée tressautait entre ses lèvres. À bonne distance des portes vitrées, il tira une dernière bouffée et l'écrasa sous la semelle usée de ses chaussures de course bleues. Sans ralentir l'allure, il sortit un flacon de Purell de ses poches, répandit du gel dans sa paume, se frotta les mains, puis se tapota vigoureusement les joues. L'odeur de l'alcool lui monta aux narines, le liquide gélatineux lui piqua la peau du visage.

En traversant la galerie marchande du centre commercial, Victor s'arrêta pour s'acheter un café déca et de la gomme à mâcher. Dans l'ascenseur désert, il ouvrit le paquet de chewing-gums et en enfourna deux. Le miroir lui renvoya le reflet de sa silhouette athlétique, qui s'étendait sur un mètre quatre-vingt-dix : cheveux ras, yeux verts, barbe de quelques jours, mâchoires saillantes, veines apparentes sous la peau des biceps, polo Lacoste marine et jeans Diesel.

Dans le couloir menant à son bureau, il engloutit quatre nouvelles gommes d'un seul coup. Quand il arrêtait de mâcher, la chique formait une bosse dans sa joue. Il poursuivit sa route et passa devant le bureau inoccupé de Gilles Lemaire. Une pyramide de gobelets de café vides y trônait dans un équilibre précaire. Méticuleux et maniaque de propreté, celui que l'on surnommait « le Gnome » découvrirait avec horreur, à son retour, l'« œuvre d'art » réalisée par ses collègues pendant ses vacances.

Victor fit le tour des bureaux et consulta sa montre. Loïc Blouin-Dubois et Jacinthe Taillon brillaient par leur absence. Il trouvait bizarre que personne ne soit encore arrivé. Trente minutes plus tôt, sa coéquipière lui avait pourtant texté qu'elle l'attendait pour réviser le rapport qui clôturait leur plus récente affaire.

Quelques semaines plus tôt, une femme de trente-cinq ans nommée Patricia Chávez avait tué son mari à l'arme blanche.

Assistés par les techniciens en scène de crime de l'Identification judiciaire, Jacinthe et Victor avaient estimé que la victime avait reçu une cinquantaine de coups, mais l'analyse plus poussée des blessures durant l'autopsie avait permis à Jacob Berger, le médecin légiste, de conclure avec certitude que cent dix-huit coups avaient été portés, «avec un couteau de cuisine, principalement au thorax».

Bien que le sergent-détective lui ait donné toutes les chances de justifier son geste, Chávez avait reconnu les faits mais refusé de s'expliquer, se bornant à répéter qu'il ne pourrait pas comprendre. Avant de conclure son interrogatoire, Victor s'était penché vers la suspecte et lui avait murmuré quelque chose à l'oreille. Celle-ci avait acquiescé d'un hochement de tête. Jacinthe avait eu beau le questionner par la suite, il n'avait jamais voulu lui révéler ce qu'il lui avait dit.

– C'était entre elle et moi, s'était-il contenté de répondre.

En fonction des témoignages qu'ils avaient recueillis en parlant à la famille et aux voisins, les deux policiers avaient établi que des disputes éclataient régulièrement au sein du couple, mais à aucun moment ils n'avaient réussi à mettre en lumière d'éventuelles violences conjugales.

Le couple avait un enfant de six ans, qui dormait lorsque l'homme avait été tué. Le sergent-détective avait rencontré le garçon pour la première fois le soir du meurtre et l'avait revu à quelques reprises par la suite. Étant lui-même le seul survivant d'un drame familial au terme duquel son père avait tué sa mère et ses deux frères avant de s'enlever la vie, Victor avait tout de suite éprouvé de la compassion pour le petit. Il savait que, outre la perte de son père, le gamin devrait grandir en affrontant l'idée que l'un de ses parents était un monstre.

L'enfant avait d'abord été hospitalisé puis confié à la Direction de la protection de la jeunesse. Dans le meilleur des mondes, il se retrouverait chez un membre de la famille à l'issue du processus d'évaluation conduit par la DPJ. Une chance que Victor n'avait pas eue.

Le policier se dirigea vers la salle de conférences. La porte était fermée, mais peut-être que Jacinthe l'attendait à l'intérieur. Il poussa le battant et constata que la lumière était éteinte. Voulant vérifier si sa coéquipière avait laissé le dossier Chávez pour lui sur la table de travail, il appuya sur l'interrupteur. La lumière jaillit en même temps que les cris ; son cœur fit une embardée dans sa poitrine.

CHAPITRE 3

Un problème

– Bonne fête!

Jacinthe, Nadja et Loïc se tenaient tout sourire devant Victor, figé dans l'embrasure de la porte. Le cerveau de celui-ci mit un moment à absorber la vision, puis ses yeux firent rapidement le tour de la pièce. Il remarqua une boîte de carton carrée sur la table et les ballons rouges qui flottaient dans l'air, près du tableau de plexiglas où ils fixaient photos et documents clés des enquêtes en cours.

– J'ai fait un méchant saut! C'est même pas aujourd'hui, en plus!

Jacinthe passa ses doigts dans ses cheveux coupés court.

– Innocent! C'est ça, l'idée! Si on essaie de te surprendre le jour de ta fête, c'est sûr que tu vas t'en douter!

L'ébauche d'un sourire se dessina sur les lèvres de Victor. La vérité, c'est qu'il s'était habitué à essuyer les sarcasmes de sa coéquipière. Et que, pendant le long congé sans solde qu'elle avait pris pour traverser le Canada et l'Ouest américain à moto, elle lui avait manqué. Si Jacinthe était délicieusement désagréable, les fils pouvaient se toucher à tout moment. D'autant que, depuis qu'elle avait commencé le régime qui lui avait fait perdre une quinzaine de kilos, elle était encore plus à cran qu'à l'ordinaire.

Victor hocha la tête en arrêtant son regard sur chacun de ses collègues et amis.

– Malades... Vous êtes des malades!

D'une poigne de fer, Jacinthe le saisit aux épaules, le tira vers elle et lui fit des bises qui claquèrent sur ses joues.

– Bonne fête, Lessard!

– Merci, Jacinthe.

– Ouin, ben là, tu t'approches dangereusement du cinquante, mon homme!

– Donne-moi un break, je dépasse à peine la mi-quarantaine...

Ses longs cheveux blonds ramenés en queue de cheval, Loïc décroisa ses bras couverts de tatouages et tendit une main que Victor s'empressa de serrer avec vigueur.

– Bonne fête, chef!

– Merci, le Kid.

Cessant de mâcher, Loïc souffla une bulle qui, en éclatant, lui couvrit le nez de gomme balloune. Malgré son air juvénile, il venait d'avoir trente ans. Ancien agent d'infiltration pour la section moralité, alcool et stupéfiants, il avait mis un moment à faire sa niche aux crimes majeurs, mais, épaulé par Gilles Lemaire, son coéquipier, il était peu à peu devenu indispensable aux activités de la section.

Victor échangea un regard complice avec Nadja Fernandez, son amoureuse.

– Bonne fête, mon amour.

Cheveux d'ébène retombant en boucles lâches sur ses épaules, teint hâlé révélant ses origines sud-américaines, traits fins, Nadja plongea ses yeux de jade dans les siens. Sa bouche, qui s'ouvrit sur des dents étincelantes, esquissa un sourire ravageur. De douze ans sa cadette, elle était d'une beauté qui lui coupait encore le souffle.

Ils avaient connu des difficultés l'année précédente lorsque Victor avait cassé le nez du frère de Nadja en raison d'une sombre histoire impliquant son fils, Martin[1]. Depuis, tout était rentré dans l'ordre. Évidemment, le passage du temps avait révélé à chacun des failles chez l'autre, failles qu'ils n'avaient pas entrevues à leurs rapports naissants, mais ils étaient plus amoureux que jamais.

– Maintenant, je comprends pourquoi tu m'as envoyé à la quincaillerie, ce matin!

Nadja riait encore quand Victor la prit dans ses bras et l'embrassa sur la bouche. Sa présence était une heureuse surprise. Elle aurait dû se trouver au poste 11, où elle travaillait toujours comme enquêtrice sous les ordres du commandant Tanguay, avec qui le sergent-détective avait connu sa part de conflits dans le passé. S'approchant de son oreille, elle murmura de façon à ce que lui seul entende:

– J'adore ton nouveau parfum, chéri. On dirait un mélange de tabac et de Purell.

Victor baissa le regard au sol. À chaque rechute, peu importe les précautions qu'il prenait, Nadja se rendait compte qu'il fumait en cachette. L'acupuncture avait donné de bons résultats au début, mais l'anxiété l'avait progressivement poussé à recommencer. Il fumait par phases depuis quelques mois, mais se promettait d'accorder bientôt un véritable essai à la cigarette électronique qu'elle lui avait offerte.

Jacinthe tapa des mains. Un claquement sonore aussi enthousiaste qu'agaçant.

– Bon! Assis-toi, mon homme, c'est le temps de ton cadeau!

Après que Victor se fut exécuté, elle saisit un sac de plastique sur une chaise et en sortit une boîte rectangulaire qu'elle déposa sur la table, devant lui. La boîte était soigneusement enveloppée dans du papier d'emballage. Intrigué, il commença par la soupeser, puis l'agita près de son oreille. Finalement, il regarda ses amis avec une moue intriguée.

Nadja posa une main sur son bras.

---

1 Voir *Je me souviens.*

– C'est Jacinthe qui s'en est chargée...

Victor rentra la tête dans les épaules et fit une grimace affectée.

– Je ne sais pas pourquoi, mais tout à coup j'ai peur...

Il reçut un coup de poing sur l'épaule, gracieuseté de sa coéquipière.

– Eille! Arrête de faire le cave!

Ils pouffèrent de rire. Victor déchira le papier sans plus attendre. Sur un côté de la boîte de carton, il lut la marque d'un fabricant de chaussures de sport. Aussitôt, il souleva le couvercle, et ce fut comme si une lueur sortait de la boîte pour éclairer son visage.

– Hein? Des Converse!

Il les prit dans ses mains pour mieux les admirer.

– En cuir rouge, en plus! Elles sont magnifiques!

Fière de son effet, Jacinthe pavoisait.

– Contente que ça te plaise, mon homme.

– C'est vraiment toi qui as acheté mon cadeau, Jacinthe?

Elle fit un clin d'œil à Nadja.

– J'ai eu un petit peu d'aide pour l'idée, pis on a tous contribué!

– Wow. Merci! J'apprécie, vraiment!

– De rien. J'avais une carte, mais je l'ai oubliée dans le char. Tu l'auras plus tard.

Penché en avant, Victor retira ses vieux souliers de course et enfila les Converse.

– Des douze... Ils me vont parfaitement!

Touché par le geste, il se leva pour les remercier de nouveau. Après les accolades, ils échangèrent encore quelques plaisanteries, puis Jacinthe annonça la suite du programme.

– Bon, viens-t'en! On t'emmène déjeuner chez Cora, à côté du Stade.

– Vraiment?

– Oui, monsieur! Traitement V.I.P. *Very Important Penis!*

Nouveaux éclats de rire. Victor prit alors la boîte carrée qu'il avait aperçue sur la table en entrant.

– C'est quoi, cette boîte-là?

– J'sais pas. C'est le Kid qui a apporté ça.

Loïc poussa sa chaise et déplia sa longue carcasse en vérifiant la messagerie de son cellulaire.

– J'ai ramassé ça dans la salle de courrier, ce matin.

Jacinthe leva les yeux au plafond et hocha la tête.

– Tu l'ouvriras tantôt, Lessard. Envoye, j'ai faim!

La curiosité l'avait déjà emporté. À l'aide de sa clé de voiture, Victor coupa le ruban qui fermait le rabat.

– Attends, ça m'intrigue. C'est adressé à personne en particulier.

Jacinthe empoigna son sac à dos sur une chaise.

– J'arrête pas de dire qu'on devrait pas ouvrir les colis nous-mêmes. Un jour, on va recevoir une bombe, de l'anthrax ou une cochonnerie encore pire que ça.

Loïc tenait la porte ouverte pour laisser passer Nadja.

– Ça serait une méchante cargaison d'anthrax. Moi, je trouve que ça ressemble plutôt à un ballon de basket.

Un objet sphérique emballé avec soin dans du papier bulle opaque reposait au fond de la boîte. Victor le saisit et fit oui de la tête.

– Un ballon de basket? C'est assez lourd pour ça… Attrape!

Loïc tendit les mains devant lui. Victor avait fait mine de lui lancer l'objet. Un cellulaire sonna. Jacinthe se retira dans un coin de la pièce pour prendre l'appel. Après avoir enlevé un morceau de ruban gommé, Victor put rabattre la pellicule et découvrir un pan de l'objet. La première chose qu'il remarqua fut le mot « Ukraine » écrit en relief turquoise sur un fond embossé.

Restée sur le seuil, Nadja lui jeta un regard interrogateur.

– Qu'est-ce que c'est?

Victor retira le papier bulle et brandit l'objet au-dessus de sa tête.

– Un globe terrestre!

Glissant les pouces sous sa ceinture, Loïs remonta ses jeans troués.

– C'est Gilles qui a commandé ça sur Internet, pour décorer son bureau.

Jacinthe mit fin à la communication et revint, le visage grave.

– Bon ben, ça, ça me coupe l'appétit.

Si Victor eut bien une certitude, c'est qu'un événement important venait de se produire. En effet, malgré son régime à haute teneur en protéines, peu de choses avaient la capacité de couper l'appétit de sa coéquipière.

– Qu'est-ce qui se passe?

– On a un problème.

Nadja fit un pas dans le corridor.

– Je vais vous laisser.

– Non, reste, Nadja. Ça va t'intéresser aussi. C'était Nadeau, au poste 38. Deux jeunes qui fouillaient dans les poubelles ont découvert une tête dans le conteneur d'une boulangerie.

Victor plissa le front.

– Où ça?

– Dans une ruelle, derrière la rue Duluth.

Il haussa les épaules. C'était sinistre et tragique, mais, dans leur métier, ils en voyaient de toutes sortes. Il poursuivit:

– Et c'est quoi, le problème?

– On a déjà identifié la victime.

– C'est qui?

Jacinthe les regarda à tour de rôle.

– Tanguay. Le commandant Maurice Tanguay.

CHAPITRE 4

Dumpsters divers

Un soleil de plomb se mirait sur les capots des voitures de police qui bloquaient l'intersection du boulevard Saint-Laurent et de l'avenue Duluth. Le portrait était identique au coin des rues Saint-Dominique et Napoléon. À chacun des carrefours, des rubans de plastique empêchaient les piétons de circuler sur les trottoirs. Sous la lueur des gyrophares, des policiers en uniforme repoussaient les curieux afin de protéger le périmètre sécurisé. Si ce n'était déjà chose faite, la rumeur ne tarderait pas à se répandre comme une traînée de poudre : une tête avait été découverte dans un conteneur à déchets. Il y avait plus de policiers déployés que d'ordinaire. C'était le cas chaque fois qu'il s'agissait d'un meurtre de flic. La police est une fratrie. Et quand un des siens est tué en service, la meute resserre les rangs et se soude.

Le tronçon de ruelle où se trouvait le conteneur fourmillait de techniciens de l'Identification judiciaire. Avant même l'arrivée de Jacinthe et de Victor, ils avaient placé la boîte de carton contenant la tête de la victime dans une glacière, puis acheminé celle-ci aux bureaux du Laboratoire de sciences judiciaires et de médecine légale, rue Parthenais. Jacob Berger, le médecin légiste avec qui les deux enquêteurs avaient l'habitude de travailler, se chargerait d'effectuer les analyses requises.

Assise sur le bord du trottoir, une jeune femme répondait aux questions du sergent-détective depuis quelques instants. Elle devait avoir autour de vingt ans et portait des Doc Martens bordeaux aux bouts usés, une jupe de taffetas noire et une camisole aux couleurs de l'Union Jack.

– Mon chum pis moi, on prend jamais de risques. Ça fait qu'on laisse la viande pis les produits laitiers de côté. En temps normal, ce conteneur-là, c'est un des meilleurs spots. Les poubelles des boulangeries, c'est les plus propres. Ici, ils mettent dans un sac ce qu'ils ont pas réussi à vendre dans la journée. Rien d'autre. Ils savent qu'on va passer.

Une maille dans ses collants rouges révélait un bout de genou ; des larmes avaient tracé de profonds sillons dans le khôl qui noircissait le bord de ses paupières inférieures. En s'essuyant les yeux, elle avait répandu du fard sur sa peau blanche.

– Les proprios, c'est des Portugais… Ils laissent des brioches, des pâtisseries et même, des fois, du pain frais dans le sac. Ils sont super fins. Quand j'ai vu la boîte, j'ai cru que c'était un gâteau.

Le jeune couple avait fait la macabre découverte dans le conteneur situé derrière la boulangerie de la rue Duluth. Jacinthe se chargeait de l'interrogatoire du garçon tandis que Victor s'entretenait avec la fille.

– Te souviens-tu s'il y avait des mouches quand t'as ouvert la boîte ?

La cigarette qu'il lui avait offerte vacilla entre le majeur et l'index de la jeune femme quand elle la porta à ses lèvres. Elle prit une bouffée et lui répondit d'une voix chevrotante :

– Ni dans le conteneur ni dans la boîte. Quand y a des mouches, on touche pas à ça.

Elle fixa le vide entre ses bottes, ouvrit la bouche pour ajouter quelque chose, mais la referma. Ses yeux écarquillés miroitaient. Victor posa une main sur son avant-bras.

– Prends ton temps, Miranda. Ça va aller.

Elle inspira profondément.

– Le pire, c'est que c'était même pas si dégueulasse que ça. Mon instinct a réagi avant même que l'image arrive à mon cerveau. Je savais que quelque chose marchait pas, mais c'est après avoir refermé la boîte que j'ai réalisé ce qu'il y avait dedans.

Victor préféra se taire et attendre la suite. Miranda éteignit sa cigarette en l'écrasant sur le trottoir. Puis, relevant la tête, elle planta son regard dans le sien.

– C'est juste de penser que quelqu'un a pu faire ça à un autre humain… Je… j'arrive pas à le croire, à le comprendre. Tu te dis que des fous comme ça, ça existe seulement dans les films, pas dans ton univers. Pas à deux pas de chez toi. Quand je pense que c'est peut-être quelqu'un que j'ai déjà croisé dans la rue, ça me rend malade.

Victor hocha la tête. Miranda lui rappelait sa fille Charlotte. Il aurait voulu la serrer dans ses bras pour la réconforter, lui dire que parfois, à regarder l'abîme de trop près, on risquait d'y sombrer, lui parler des vieilles lois du monde, aussi injustes qu'implacables, lui murmurer à l'oreille que rien n'existe, que tout existe. Il savait que malgré tous les efforts qu'on faisait pour les oublier, les images réapparaissaient, souillées par le temps, salies par la mémoire. À la différence de la jeune femme, il s'y était habitué.

– Écoute, Miranda, personne ne devrait voir ce que vous avez vu dans cette boîte. Maintenant, je veux que tu rentres avec ton copain. Oubliez ce qui s'est passé, changez-vous les idées.

Elle acquiesça, le regard fixe. Au loin, derrière eux, des moteurs se firent entendre, des portières claquèrent. D'autres véhicules du SPVM arrivaient sur les lieux. Victor reprit :

– Et je veux que tu me fasses une promesse.

– Une promesse?

– Oui. Promets-moi que si des images reviennent te hanter, tu les remplaceras dans ta tête par celle d'un hippopotame.

Sourcils froncés, elle le dévisagea. Un air mi-figue, mi-raisin flottait sur le visage du policier. L'ébauche d'un sourire naquit sur les lèvres de la jeune femme.

– Un hippopotame?!

Victor gonfla les joues et écarta les bras de son corps pour se donner plus de coffre.

– Oui, un hippopotame.

Miranda souriait maintenant à pleines dents.

– OK.

– Promis?

La jeune femme fit signe que oui. Il lui donna sa carte professionnelle et l'enveloppa d'un regard bienveillant.

– Tu m'appelles si jamais un détail te revient. À n'importe quelle heure.

Victor se redressa et lui tendit la main pour l'aider à se relever. Miranda le remercia, tourna les talons et se mit à marcher en direction de la boulangerie. Le policier remit ses Ray-Ban et la regarda s'éloigner pour rejoindre son amoureux. Les mains dans les poches, celui-ci l'attendait adossé au mur de façade. De toute évidence, Jacinthe avait expédié son interrogatoire plus rapidement que lui. Ne lui restait maintenant plus qu'à trouver sa coéquipière.

Victor la chercha d'abord près de la voiture banalisée, puis sur les lieux de la scène de crime. Des flashs crépitaient dans la ruelle, des techniciens de l'Identification judiciaire prenaient des clichés du conteneur à déchets et des environs. De petits cônes numérotés parsemaient le sol autour du conteneur, identifiant les objets susceptibles de constituer des pièces à conviction, parmi lesquels se trouvaient deux bombes de peinture aérosol, une vieille chaussette, un emballage ayant contenu un casque audio et des piles usagées.

Contournant l'édifice, Victor se dirigea vers l'entrée de la boulangerie. Il s'arrêta sur le seuil, un sourire narquois aux lèvres. Au fond de la pièce, Jacinthe pointait du doigt des pâtisseries empilées dans un présentoir réfrigéré. Derrière le comptoir vitré, le propriétaire rangeait avec soin dans une boîte l'assortiment qu'elle venait de commander. Elle réglait la facture lorsque Victor s'approcha.

– Et ton régime?

Surprise, Jacinthe recula d'abord d'un pas. Puis elle le toisa.

– C'est pour Lucie!

Végétarienne et vivant en ascète, d'une douceur et d'une patience infinies, la conjointe de Jacinthe travaillait comme bibliothécaire pour la Ville de Montréal. Victor ne répondit pas, mais ne se laissa pas berner: Lucie n'avait pas la dent sucrée.

Sa coéquipière se pencha vers lui et fit mine de humer son cou.

– Pis toi? Encore boucané en cachette?

Il mentit.

– C'est pas moi, c'est Miranda.

Jacinthe le railla.

– Miranda? Ouin, ça vous a pas pris longtemps à devenir intimes… J'te gage que tu lui as fait le coup de l'hippopotame!

Victor ignora la pique.

– Ça s'est passé comment, avec son copain?

– Bah, tu connais le genre! Un petit baveux d'anarchiste de *hipster* du Plateau. J'te dis, c'te race-là, j'suis pas capable! Maudit qu'y m'font chier!

La voix de Jacinthe descendit de quelques octaves:

– «C'est pas à cause de la pauvreté qu'on cherche de la bouffe dans les poubelles, *man*. Non, c'est parce que, quand tu y penses, le fucking système capitaliste marche juste pas.»

Elle émit un rire caricatural.

– Savais-tu que ça porte un nom, fouiller de même dans les poubelles? Apparemment, ça s'appelle du…

Jacinthe attrapa son calepin de notes dans sa poche et y jeta un coup d'œil à la dérobée. Victor combla le blanc:

– Du *dumpster diving.*

– Tu connais ça? Eille, avoue qu'il faut vouloir se donner du trouble, pareil!

Il haussa les épaules. Dire à sa coéquipière qu'il trouvait l'idée intéressante les entraînerait dans une discussion qui se terminerait mal. Il décida de passer son tour.

– C'est tout? T'as interrogé le patron?

Elle secoua la tête en roulant les yeux au ciel. Bien sûr qu'elle l'avait fait!

– Le patron, pis sa femme. Ils habitent l'étage du dessus. C'est lui qui a jeté le sac entre 23 h et minuit. Il a rien remarqué d'anormal. Il a écouté la fin d'un film à la télé, pis il s'est couché après. Vers 1 h du matin.

– C'était quoi, le film?

Jacinthe esquissa une moue dédaigneuse.

– *Scoop.* Un film de Woody Allen. J'ai checké. Ça jouait hier soir sur le câble. À matin, il se préparait à ouvrir quand il a entendu les jeunes crier dans la ruelle.

– À quelle heure?

– Vers 6 h. Pis pendant que môssieur Lessard gérait le courrier du cœur avec sa 'tite cocotte, j'ai aussi eu le temps de parler aux employés qui travaillaient à la boulangerie hier.

Le cellulaire de Victor vibra dans sa poche. Le nom de Nadja apparut sur son afficheur. À contrecœur, il laissa l'appel filer dans sa boîte vocale et reprit:

– Et?

– Ils chantent tous la même chanson: personne a rien vu, personne a rien entendu.

– Qui a reconnu Tanguay?

– Brown, un des premiers techniciens en scène de crime arrivés sur les lieux. Il avait déjà travaillé dans son escouade. Pis, toi? Du nouveau?

– La tête a séjourné moins de vingt-quatre heures dans le conteneur.

– Comment tu sais ça?

– Y avait pas de mouches quand Miranda a ouvert la boîte. Tu sais ce que ça veut dire?

Jacinthe hésita.

– Rafraîchis-moi la mémoire...

– Si je me souviens bien de ce qu'Élaine Segato m'avait expliqué à l'époque où on traquait le Roi des mouches[2], à l'air libre, les mouches peuvent investir une carcasse en quelques minutes à peine. Dans un endroit fermé plus ou moins hermétiquement, comme la boîte de carton et le conteneur, ça peut aller jusqu'à vingt-quatre heures. Mais, d'après moi, avec la chaleur qu'il fait, je dirais quelques heures, au maximum.

– Si mes souvenirs sont bons, Élaine Segato, c'est l'anthropologiste avec qui t'as couché, non?

– Je pensais qu'on s'était entendus pour éviter ce genre de discussion là, Jacinthe. Et, en passant, Élaine est entomologiste.

Jacinthe esquissa un sourire que l'on pouvait confondre avec une grimace.

– Prends-le pas mal, mon coco. Pis rappelle-toi que matante Jacinthe t'a acheté des beaux Converse rouges pour ta fête!

– Tu me fais du chantage émotif, en plus?

– Mets-en! Si tu penses que je vais me gêner!

Elle essuya avec le pouce la sueur qui perlait sur sa lèvre supérieure et reprit:

– Si on était dans un épisode de *CSI*, je te demanderais si c'est pas les jeunes eux-mêmes qui ont planté la tête dans le conteneur.

2 Voir *La chorale du diable.*

– Justement, on n'est pas dans un épisode de *CSI.* La jeune fille est en état de choc. Elle va revoir ces images-là dans sa tête le reste de sa vie. De toute façon, ce serait quoi, leur intérêt?

– Je sais pas, moi. Se donner un alibi, genre?

Victor haussa les épaules et balaya l'air de la main.

– N'importe quoi. Des nouvelles du Kid?

Pendant que Jacinthe et lui interrogeaient le jeune couple, le sergent-détective avait demandé à Loïc et à quelques patrouilleurs de faire du porte-à-porte dans les immeubles voisins. Il espérait que cette enquête de voisinage permettrait de trouver des témoins, quelqu'un qui aurait remarqué quelque chose d'inhabituel.

– J'y ai parlé tantôt. Rien à signaler pour le moment. Il s'est arrangé pour récupérer les enregistrements des caméras de surveillance des commerces du secteur, mais, d'après moi, ça donnera pas grand-chose.

– Pourquoi?

– Y en avait aucune de braquée sur la ruelle.

Regardant par-dessus l'épaule de Victor, Jacinthe plissa les yeux.

– Attention, v'là le trouble qui commence.

CHAPITRE 5

Grant Emerson

Le visage marqué par les stigmates du passé, l'homme longiligne qui remontait la rue Notre-Dame Ouest, dans le quartier Saint-Henri, paraissait plus âgé que ses soixante-quatre ans. Un bout de cigare éteint à la commissure des lèvres, Grant Emerson avançait la tête basse, et c'était peut-être le poids de ses fantômes qui le forçait à se courber de la sorte. Pantalon informe, coudes élimés, son costume n'était plus de la toute première fraîcheur, mais le nœud de sa cravate était impeccable. Grant tenait sous le bras une pile d'affiches plastifiées. Peinant sous les rayons qui lui chauffaient le dos, un sac sur l'épaule, il marchait avec lenteur, son reflet se déployant dans l'oblique des vitrines hétéroclites.

Il s'arrêta près d'un poteau de téléphone, sortit une agrafeuse de son sac et, appliquant une agrafe à chaque coin, fixa une affiche dessus. Grant recula de quelques pas et contempla le placard qu'il venait de poser. La photo en noir et blanc d'une jeune femme souriante y figurait. Le portrait était suivi d'un texte en français et en anglais :

> Le Service de police de la Ville de Montréal (SPVM) demande l'assistance de la population afin de retrouver Myriam Cummings, 21 ans, qui n'a pas été vue depuis le 15 février. Myriam Cummings est de race blanche, mesure 1,60 m, pèse 45 kg et s'exprime en

français ainsi qu'en anglais. Elle a les cheveux bruns longs et les yeux noirs. Au moment de sa disparition, elle était vêtue d'un manteau de laine noir, de jeans et de bottes vertes, et elle portait un sac de cuir en bandoulière. Elle serait possiblement dans la région de Montréal. Si vous apercevez cette jeune femme, veuillez appeler le 911 le plus rapidement possible.

Un nombre incalculable de fois, Grant avait pensé à ce qui s'était produit dans les jours ayant précédé la disparition de Myriam et il en était venu à la conclusion qu'une large part de responsabilité lui en incombait. Après cette période difficile où Myriam avait eu tant de mal à tolérer sa présence dans sa vie, après les quelques mois où tous les espoirs avaient été de nouveau permis, elle avait brusquement disparu. Grant se reprochait son entêtement, sa rigidité, mais ce qu'il ignorait, c'est qu'il n'avait rien à y voir. Le mauvais sort, occupé ailleurs toutes ces années, avait simplement retrouvé leur trace.

Myriam... Il rêvait souvent d'elle, la nuit. Et, dans ses songes, elle lui paraissait encore plus petite et plus fragile que dans la réalité.

Grant sortit un vieux Nikon de son sac et l'arma avec dextérité. Pas question qu'il passe au numérique. Comment pouvait-on se prétendre photographe si on ne développait pas soi-même ses négatifs ? Il ferma un œil. L'affiche qu'il venait d'agrafer apparut dans son viseur. Il allait appuyer sur le déclencheur lorsque le sourire de Myriam le frappa au creux de l'estomac, le forçant à interrompre son geste.

Pour gagner sa croûte, Grant avait jadis été photographe judiciaire. L'un des meilleurs, à en croire la rumeur. À tel point qu'il avait presque fini par devenir une légende au temps des belles années d'*Allo Police*. Presque, car c'était l'époque où il avait commencé à boire plus que de raison, à consommer de la cocaïne aussi, et où - en 1985 plus précisément - il avait rencontré Anik.

Sortant de sa torpeur, Grant recadra, photographia l'affiche et nota dans son calepin l'endroit précis où se trouvait le poteau. Dans les dernières semaines, il avait arpenté plusieurs quartiers de Montréal et placardé l'avis de recherche aux quatre coins de la ville.

Grant passa la main dans sa barbe hirsute. Tous ces cigares qu'il avait fumés avaient fini par tracer, au fil du temps, un demi-cercle jaunâtre dans les poils blancs de son menton. Pour les rares passants qui le contournaient, il n'était qu'un autre paumé, l'un de ces pauvres hères fracassés par la vie qui hantent les trottoirs de Montréal.

Et alors seulement, il eut conscience qu'on le regardait. De l'autre côté de la rue Notre-Dame, une jeune femme l'observait avec compassion. Aveuglé par le soleil, Grant leva sa main gauche vers le ciel et la plaça de façon à gommer la boule de feu.

Cette jeune femme, ce visage… Sans hésiter, il s'élança dans la rue en agitant les bras.

– Myriam! C'est toi, Myriam?

Grant traversa la rue hors du temps, hors de la raison. Myriam, sa petite Myriam était là, droit devant lui. Une voiture le frôla en klaxonnant, une autre louvoya pour l'éviter, mais il arriva sain et sauf sur le trottoir d'en face. La fille qu'il avait aperçue se précipita vers lui et tendit le bras pour le soutenir. Il soufflait bruyamment.

– Monsieur… Êtes-vous correct, monsieur?

Grant posa ses mains tremblantes sur les joues de la jeune femme et planta son regard dans ses yeux bleus.

– Ça va, monsieur?

Il la regardait, l'air hébété.

– Vous avez failli vous faire frapper! Monsieur? Monsieur?

Reprenant tout à coup contact avec la réalité, il acquiesça d'un clignement de paupières et esquissa un sourire crispé.

Avant de tourner les talons, il ressentit le besoin de dissiper le malentendu :

– Excuse-moi, ma belle... je t'ai prise pour une autre.

Se parlant à lui-même, Grant traversa la rue Greene et poussa la porte du Greenspot, un *deli* ouvert vingt-quatre heures sur vingt-quatre. Quelques habitués étaient assis sur les banquettes surplombées de juke-box tout droit sortis d'un autre siècle. Grant s'installa au comptoir, sur un tabouret d'aluminium recouvert de skaï rouge. Il posa les affiches à côté de lui. Il eut envie d'un whisky, mais, jugeant qu'il était encore trop tôt dans la journée pour boire, il commanda un Coke, deux hot-dogs vapeur et une portion de frites.

Le serveur posa la canette et un verre givré rempli de glace devant lui, sur une rondelle de carton. Grant prit quelques gorgées. Perdu dans ses pensées, il mâchonnait son bout de cigare éteint. Une routine s'était établie depuis la disparition de Myriam : partant très tôt le matin, il parcourait les rues jusqu'au début de l'après-midi pour poser ses affiches. Après, il passait un moment assis au tabouret d'un bar ou d'un bistro, à ruminer ses idées noires. Puis il rentrait à la maison en fumant son mégot baveux.

Ce jour-là n'y fit pas exception. Dehors, il faisait encore trop chaud. Appuyé contre la façade du restaurant, Grant alluma son cigare et contempla la rue qui s'animait devant lui, les enseignes au néon illuminant l'obscurité naissante. Il resta ainsi quelques instants à pomper son havane. Son visage parcheminé disparaissait çà et là dans le panache de fumée tandis que, du bout du pied, il jouait avec des papiers étalés par terre.

Au bout d'un moment, il changea de trottoir et descendit la rue Greene en direction du marché Atwater. La tour à horloge se profilait dans le ciel. À l'endroit où la rue bifurquait, il y avait un petit parc, désert à cette heure. Grant s'assit sur un banc et rangea son sac en dessous. Il attrapa ensuite le pistolet glissé dans sa ceinture et le déposa à sa droite.

Les coudes sur les cuisses, il se prit la tête entre les paumes. Puis il plaqua une main contre ses paupières et ses épaules tressautèrent. Ses pleurs dévorèrent longtemps le silence tandis qu'une foule de questions se pressaient dans sa tête.

Myriam... Où allait-il la trouver?

Grant Emerson n'était pas croyant, mais il s'adressa à Dieu et le maudit de toutes ses forces, l'exhortant à lui envoyer un signe. Enfin, il prit le pistolet et le mit dans sa bouche. Son index tremblant s'approcha de la détente.

Était-ce tout ce que l'humanité avait à lui offrir?

CHAPITRE 6

Rencontre au sommet

Après la mise en garde de sa coéquipière, Victor avait pivoté sur ses talons et retiré ses lunettes fumées. Un homme de taille moyenne flanqué du commandant Rozon, le responsable des relations publiques, se dirigeait vers eux. Sec et nerveux, il portait une chemise blanche à manches courtes ornée de décorations ainsi qu'une cravate marine retenue par une épingle. Le sergent-détective le reconnut aussitôt: Marc Piché, le directeur du SPVM. Puisque la victime faisait partie de l'état-major, Victor n'était pas surpris que le chef, reconnu pour être un homme de terrain, se rende en personne sur la scène de crime. Piché prit la parole:

– Lessard, Taillon.

Des poignées de main furent échangées. C'était la première fois que les deux coéquipiers rencontraient le directeur, qui impressionnait par sa seule présence. Victor l'examina à la dérobée: cheveux blancs séparés par une raie, lunettes à monture noire, menton volontaire, visage rasé de frais, Piché avait le physique de l'emploi. Il incarnait l'archétype du chef de police tel qu'on se le représente dans le public, une figure d'autorité à la fois rassurante, stricte et plus propre que propre.

Le directeur regarda Jacinthe et Victor à tour de rôle avant de déclarer:

– Je vous connais de réputation, mais je tenais à vous rencontrer pour discuter de l'enquête qui s'amorce.

Le ton était courtois, mais le regard pénétrant de Piché laissait entendre qu'il n'était pas homme à tolérer la moindre contestation de son autorité. En retrait, le commandant Rozon fixait le vide sans manifester d'intérêt pour la conversation. À ses côtés, Jacinthe se balançait d'un pied sur l'autre pour se donner une contenance.

Le chef de police posa sa main dans le dos du sergent-détective.

– Marchons un peu, Lessard.

Les deux hommes remontèrent l'avenue Duluth en direction du boulevard Saint-Laurent. Le bourdonnement de la circulation sur l'artère se faisait entendre en sourdine.

– Je ne vais pas vous cacher que cette enquête revêt une importance particulière, Victor.

Le directeur releva la tête et lui adressa un demi-sourire.

– Vous permettez que je vous appelle Victor?

– Bien sûr, monsieur.

Une sonnerie retentit. Le sergent-détective consulta discrètement l'écran de son cellulaire.

«*Dois te parler ASAP.*»

Il rempocha l'appareil, soucieux. Nadja insistait. Ce n'était pas dans ses habitudes.

– Je disais donc que c'est une enquête particulière. Maurice Tanguay n'était pas un simple citoyen. C'était, d'abord et avant tout, un policier. Vous comprenez évidemment ce que ça implique?

– Je comprends parfaitement. Le meurtre d'un policier ne doit pas rester impuni. Nous allons tout mettre en œuvre pour trouver le ou les coupables.

– Tout le monde nous regarde. Il faut réagir et montrer que nous avons la situation bien en main. De quoi pensez-vous que les médias vont parler dans les prochaines heures ? Du meurtre d'un simple citoyen ou de celui d'un haut gradé du SPVM ? Croyez-vous qu'ils vont se garder d'établir un lien entre sa mort et les fonctions qu'il occupait ? Ils vont évoquer un règlement de comptes, suggérer que c'est relié à une enquête en cours ou je ne sais quoi encore. On parle ici d'un homme qui s'est frotté aux gangs de rue et aux organisations criminelles durant toute sa carrière.

Piché se redressa, chercha le regard de Victor, à qui il concédait plusieurs centimètres.

– C'est l'un des nôtres qui est tombé. Et quand un des policiers de cette ville meurt assassiné, c'est tout le système qui est menacé. Chaque jour qui passe sans que nous arrivions à coincer le coupable est un jour où nous laissons le chaos l'emporter sur l'ordre. Nous ne pouvons nous le permettre. Nous devons rétablir l'équilibre coûte que coûte.

Victor fit un signe d'assentiment. Piché continua :

– Je suis convaincu que vous comprenez qu'ici la manière est aussi importante que le crime lui-même.

Le directeur leva ses yeux écarquillés vers le sergent-détective.

– On lui a tranché la tête, Victor. Vous réalisez sans doute que ça envoie un message fort, décapiter un commandant du SPVM. C'est une attaque à notre autorité.

L'enquêteur songea que le fait d'avoir jeté la tête dans un conteneur à déchets au fond d'une ruelle envoyait un signal plus puissant encore, mais il s'abstint de le mentionner. S'il était prêt à considérer l'hypothèse que le crime fût une attaque contre le symbole d'autorité que représentait la police, il trouvait que le directeur tirait des conclusions trop hâtives.

Ils arrivaient au coin du boulevard Saint-Laurent. Victor attrapa Piché par le bras et le tira vers l'arrière pour éviter une collision avec une jeune fille en patins à roulettes.

– Vous aurez accès à tous les dossiers d'enquête sur lesquels travaillait Maurice. Si sa mort est liée à sa fonction, vous y trouverez peut-être une piste.

Les mains enfouies dans les poches de son pantalon, le directeur observa un moment le flux de la circulation, puis il reporta son attention sur le sergent-détective.

– Je sais que vous avez travaillé un certain temps sous les ordres de Maurice, au poste 11, et que votre conjointe, Nadja Fernandez, y travaille encore.

Victor se redressa d'un trait, brusquement sur ses gardes. S'il redoutait de devoir parler de la relation orageuse qu'il avait eue avec le commandant Tanguay, il ne saisissait pas ce que Nadja venait faire dans le portrait.

– C'est exact, monsieur. Mais je ne vois pas ce qui…

Le directeur le fit taire d'un geste de la main.

– Nadja Fernandez est l'enquêtrice qui cumule le plus d'années de service au poste 11. Elle connaît presque tous les dossiers et sera votre point de liaison là-bas. Je vais la libérer de ses affaires en cours et la mettre à votre disposition pour la durée de cette enquête-ci. Je lui ai déjà parlé et elle a accepté de nous aider. Ça vous pose problème, enquêteur?

Le sergent-détective comprit tout à coup pourquoi son amoureuse tentait de le joindre avec autant d'insistance.

– Non, monsieur. Bien sûr que non.

Soudain, le directeur s'approcha et lui planta trois doigts dans le sternum. Son visage n'était plus qu'à quelques centimètres du sien.

– Je connais votre dossier par cœur, Lessard. Vous êtes un électron libre. Je sais que vous avez eu votre part d'ennuis par le passé et j'ai parfois eu des réserves sur vos façons de procéder.

Les traits du directeur se relâchèrent. Baissant le bras, il recula d'un pas.

– Cela dit, j'ai la plus grande estime pour Paul Delaney. Et Paul ne jure que par vous. Aussi, j'ai appuyé sa proposition quand il a exprimé le désir que vous preniez en charge la direction de la section en son absence.

Un an plus tôt, atteinte d'un cancer, la conjointe du patron de la section des crimes majeurs avait frôlé la mort. Après une série de traitements épuisants et d'interventions chirurgicales délicates, son état de santé s'était amélioré. Si bien que le jour de la réception du bilan sanguin qui confirmait la rémission de Madeleine, Delaney avait organisé un voyage qui leur permettrait de réaliser le rêve qu'ils caressaient depuis toujours, à savoir partir à l'aventure six semaines en Italie. À cette occasion, un nouveau chapitre s'ajouterait à leur l'histoire : ils renouvelleraient leurs vœux à Venise.

– Il n'y a pas que Delaney, d'ailleurs, à avoir une confiance aveugle en vous. Ted Rutherford jure aussi que vous êtes l'un des meilleurs de la profession.

Quand Victor entendit le nom du vieil homme, son visage s'illumina.

– Je ne savais pas que vous connaissiez Ted.

– Il a été mon professeur à l'école de police. On m'a dit que vous le considérez comme un deuxième père. Comment va-t-il ?

Victor devait sa vocation à Rutherford, le premier patrouilleur qui s'était présenté sur les lieux du drame ayant décimé sa famille. Quelques années après, Ted avait convaincu sa secrétaire et son mari de l'adopter. Puis, à son entrée dans la police, Ted était devenu son mentor et, par la suite, son coéquipier. Enfin, Rutherford et son conjoint, Albert Corneau, composaient, depuis la mort des parents adoptifs de Victor, le noyau de sa cellule familiale.

Le sergent-détective se rembrunit.

– Il est à l'hôpital.

Le directeur se gratta l'arrière de la tête, puis replaça ses cheveux du plat de la main.

– Je l'ignorais. C'est grave?

– Pneumonie. J'espère qu'il pourra rentrer à la maison bientôt...

La gorge nouée, Victor baissa les yeux au sol. Piché dit qu'il le souhaitait aussi, laissa passer quelques secondes, puis reprit:

– À cause de la nature du crime et de l'identité de la victime, il faut s'attendre à ce que ce soit l'affaire la plus médiatisée depuis Magnotta. Rassurez-vous, vous n'aurez pas à parler aux médias. Mon bureau se chargera de tout, sous la supervision du commandant Rozon, que vous venez de rencontrer. Je veux que vous concentriez vos énergies sur cette enquête sans subir d'influence extérieure. Je ne veux pas non plus que les détails administratifs vous ralentissent. Il me faut des résultats, pas de la paperasse. Si vous avez besoin de quoi que ce soit ou que vous rencontrez des problèmes, vous me passez un coup de fil.

La morsure du soleil était insoutenable. Victor se plaça dans l'ombre d'un arbre. Le directeur l'imita sans interrompre son monologue.

– Avons-nous affaire à un déséquilibré, à un tueur de flics? Ce crime porte-t-il au contraire la trace des gangs de rue ou de la Mafia? Je ne vais pas vous apprendre à faire votre métier, Victor. Faites jouer vos contacts, parlez à vos informateurs et trouvez-moi ce salaud au plus vite.

– Oui, monsieur.

Le directeur mit ses mains derrière son dos. Son faciès s'assombrit.

– J'ai entendu dire que des différends vous ont opposé au commandant Tanguay par le passé. J'espère que ça ne posera pas problème.

Victor se raidit et voulut protester, mais le directeur l'interrompit:

– Maurice pouvait être dur à l'occasion, mais c'était quelqu'un qui gagnait à être connu. Perdre sa femme, puis s'occuper seul d'un enfant handicapé n'est pas de tout repos.

– J'ignorais qu'il avait un fils handicapé.

Le directeur secoua la tête, dépité.

– Vingt-cinq ans qu'on se connaissait... Maurice était très impliqué dans sa communauté. Saviez-vous qu'il siégeait au conseil d'administration d'un organisme de soutien pour jeunes en difficulté?

Le portrait qu'esquissait Piché plongea Victor dans le doute: l'image qu'il s'était construite s'embrouillait. Pouvait-il s'être trompé sur le compte de Tanguay ?

– Non, je l'ignorais aussi, monsieur.

Le directeur sembla émerger du fond des ténèbres; ses yeux reprirent contact avec ceux du sergent-détective.

– Je veux une arrestation et des interrogatoires propres et que la face visible de l'enquête soit inattaquable.

La voix du directeur baissa, passant presque au ton de la confidence:

– J'ai toujours pensé qu'un bon policier doit à la base obéir à son propre code moral. J'essaie de donner à mes hommes la liberté dont ils ont besoin. Comprenez-moi bien: je ne dis pas pour autant que la fin justifie les moyens, mais je peux tolérer qu'il y ait à l'occasion une certaine zone grise.

Victor sentit son estomac se nouer.

– Je ne suis pas certain de vous suivre, monsieur.

Piché regarda le sergent-détective une seconde de trop; celui-ci eut l'impression que la porte qui venait de s'entrouvrir se refermait.

– Attention, ce que je vous propose, ce n'est pas un buffet chinois où vous pouvez prendre ce qui vous tente, enquêteur. Je vous offre de la latitude, des coudées franches. Tout ce que je vous demande en retour, c'est de vous servir de votre jugement.

Victor ouvrit la bouche pour répondre, mais le directeur continua sur sa lancée :

– Trouvez-moi le salaud qui a tué Maurice Tanguay. Il y a un garçon de vingt-cinq ans en fauteuil roulant pour qui le monde vient de s'écrouler. Rien ne pourra lui rendre son père, mais notre travail est d'essayer d'apaiser sa douleur, de tout faire pour que celui qui a commis ce crime sordide soit arrêté au plus vite.

Sans saluer son interlocuteur, Marc Piché tourna les talons et se mit à marcher vers la boulangerie. Victor le regarda s'éloigner, puis il chercha son paquet de cigarettes dans les poches de ses jeans. Perplexe, il ne savait que penser de la dernière partie de leur entretien.

Nadja décrocha à la première sonnerie et prit aussitôt la parole d'une voix angoissée :

– J'aurais vraiment aimé qu'on s'en parle avant de lui donner ma réponse, mais Piché ne m'a pas laissé le choix. Je peux toujours le rappeler si tu penses que c'est une mauvaise idée.

Heureux d'avoir la chance de retravailler avec son amoureuse, Victor la rassura :

– Au contraire ! Ça me fait plaisir.

– Tu es certain ? Comme tu es responsable de la section, je me disais que…

– Depuis le temps que j'essaie de te convaincre de nous rejoindre aux crimes majeurs. Arrive quand tu pourras. Je vais te jumeler à Loïc.

Victor passa sa main droite dans ses cheveux drus et posa un pied sur le rebord de l'immense bac de ciment rempli de plantes qui empiétait sur le trottoir de l'avenue Duluth. Coude appuyé sur la cuisse, menton dans la paume, il contemplait la rue en fumant. À sa droite, une adolescente prit, à la station BIXI, un vélo dont les chromes scintillaient au soleil. Il pensait au commandant Tanguay et, lorsqu'il se représentait son visage, tout ce qu'il voyait, c'était un jeune homme dans un fauteuil roulant. Ce jeune homme avait à peu près le même âge que son propre fils, Martin. Tanguay et lui n'avaient jamais parlé de leurs enfants. Cela aurait-il changé quelque chose à leur relation s'ils l'avaient fait?

Victor haussa les épaules et tira une dernière fois sur sa cigarette. Retirant son pied du rebord de ciment, il écrasa son mégot dans la terre et remarqua, entre deux fougères, une bombe de peinture aérosol. Il leva alors les yeux vers le mur de briques blanches couvert de graffitis qui s'élevait devant lui. L'une des œuvres attira aussitôt son attention.

Peinte par-dessus les autres, elle représentait un squelette aux yeux d'émeraude tenant, d'une main, un bonnet de père Noël et, de l'autre, un long couteau. Le curieux personnage menaçait un homme coiffé d'une casquette portée de travers, sur le côté de la tête. Vêtu d'une camisole, une grosse chaîne en or pendant autour du cou, l'homme braquait un pistolet.

Victor se retourna, perplexe. Il songeait aux bombes aérosol aperçues près du conteneur à déchets lorsque son œil capta du mouvement. Il sortit son cellulaire de sa poche et se mit à marcher à vive allure vers l'immeuble d'en face.

– E –

Le père Noël avait promis à Maxime de lui remettre des cadeaux pour sa maman. En arrivant à côté de sa voiture, il confia au garçon qu'une automobile était plus pratique pour se déplacer en ville qu'un traîneau et des rennes. Alors qu'il se penchait pour regarder dans le coffre où se trouvaient les cadeaux, le gamin sentit un picotement tandis que l'homme lui appliquait un tampon imbibé d'anesthésique sous les narines. Puis tout devint noir.

Lorsqu'il se réveilla, Maxime était couché dans un lit bien douillet, et sa chambre était remplie de paquets enveloppés dans du papier d'emballage aux couleurs vives.

Des cadeaux!

Arborant une barbe poivre et sel, un homme plus jeune - mais avec la même voix et les mêmes yeux que le père Noël - entra dans la pièce. Le garçon mit un moment à comprendre que celui-ci avait revêtu des vêtements plus confortables que le traditionnel costume rouge. L'enfant n'était par ailleurs pas assez attentif pour remarquer que l'homme avait retiré le postiche qui avait recouvert, le temps du kidnapping, sa propre barbe.

Quand Maxime s'inquiéta de sa maman, le père Noël le réconforta: elle était au courant qu'il était chez lui, et il la retrouverait un peu plus tard. Rassuré, le garçon lui demanda pourquoi il s'était changé. Le père Noël lui expliqua qu'il faisait trop chaud pour porter le costume rouge à l'intérieur.

Le garçon fronça les sourcils.

– Mais est-ce qu'on est vraiment au pôle Nord?

Le père Noël salua la question de l'enfant d'un grand éclat de rire.

Plus tard, dans la soirée, le père Noël servit à Maxime un repas somptueux et des sucreries. Le garçon accompagna par la suite l'homme à la cave. Là, il découvrit deux garçons un peu plus vieux que lui enchaînés à des anneaux de fer. Bâillonnés, ceux-ci ne purent qu'émettre des sons gutturaux et rouler des yeux effrayés en les voyant s'approcher.

Maxime interrogea le père Noël :

– Pourquoi ils sont prisonniers ?

– C'est une punition, mon garçon. Parce que Louis et Patrick n'ont pas été sages.

À cet instant, Maxime se sentit rassuré d'avoir été un brave petit garçon qui n'avait rien à se reprocher. Il pourrait développer ses cadeaux en toute quiétude.

CHAPITRE 7

Graffiteur

– Reculez, monsieur Almeida. Encore, encore…

La bombe aérosol et le graffiti découverts par le sergent-détective avaient mené les enquêteurs dans la bijouterie située en diagonale de l'édifice où avait été peinte la fresque, laquelle se trouvait dans le champ de la caméra de surveillance du commerce. Maniant la souris avec dextérité, le petit homme assis à côté de Victor cliqua sur une touche de l'interface du système et fit rejouer la scène.

– Stop ! Oui, là. Repassez-moi ce bout-là.

Ils se trouvaient dans une pièce sans fenêtre de l'arrière-boutique. Un coffre-fort qui devait peser quelques tonnes occupait un pan de mur. Assis derrière un bureau encombré de paperasse et de liasses de factures, Victor se renversa sur sa chaise, puis se tourna vers Jacinthe, debout à côté d'eux.

– Qu'est-ce que t'en penses ?

Elle hocha la tête.

– Rejouez-la donc encore une fois, monsieur.

Victor pointa l'index sur l'écran. L'image défilait en noir et blanc, floue et hachurée.

– Là ! Qu'est-ce qu'il fait, là ?

Dans la séquence qu'ils repassaient pour une énième fois, on apercevait une silhouette en train de peindre le graffiti à la bombe aérosol. Vraisemblablement de sexe masculin, le capuchon d'un *hoodie* gris rabattu sur la tête, il pouvait s'agir autant d'un adolescent que d'un adulte. L'angle de la caméra permettait de voir l'individu presque uniquement de dos. À un moment durant la séquence, le graffiteur se tournait vers sa gauche, mais le manque d'éclairage et l'ombre créée par son capuchon empêchaient de distinguer ses traits.

Penchée au-dessus de son coéquipier pour mieux voir l'écran, Jacinthe plissa les yeux.

– C'est pas clair, il sort du champ de la caméra et on le perd.

Victor frissonna. De l'air froid sortait d'une trappe au plafond. Poussée au maximum, la climatisation lui glaçait les os.

– On dirait qu'il se penche pour ramasser quelque chose.

Jacinthe fit la moue.

– Peut-être qu'il prend la boîte qui contenait la tête de Tanguay.

Le sergent-détective haussa les épaules. Il n'était pas convaincu. Logiquement, le tueur aurait d'abord posé la boîte dans le conteneur avant de peindre le graffiti.

– Je dirais plutôt qu'il ramasse un sac à dos. Ou encore qu'il prend un BIXI.

Jacinthe planta son regard dans le sien.

– Ce dessin-là a peut-être rien à voir avec notre affaire, mais est-ce qu'on s'entend pour dire que le graffiteux est un témoin important?

Le caractère morbide du graffiti et le fait qu'il avait été peint la nuit même de la découverte de la tête les obligeaient à y accorder une attention particulière.

– Un témoin important, peut-être un suspect. On verra. Mais, pour l'instant, on dispose d'une description très, très sommaire.

– Murray et sa gang vont peut-être pouvoir *pimper* l'image. Ils font parfois des miracles.

Victor inspira profondément. À l'aide de leurs logiciels spécialisés, les experts du SPVM pourraient peut-être nettoyer l'image de ses scories et la dépixelliser, mais il doutait qu'ils puissent en tirer un portrait utilisable.

Almeida leva la main, comme pour demander la permission de parler. Les policiers ne lui prêtant pas attention, il s'immisça dans la conversation :

– Peut-être qu'avec les caméras de surveillance de la Ville, vous verriez mieux. Vous pourriez suivre sa trace dans les autres rues qu'il a empruntées pour venir ici. Vous savez, comme lorsqu'ils ont identifié les deux jeunes qui ont placé les bombes au marathon de Boston.

L'homme s'exprimait d'une voix lente, mâtinée d'un accent étranger. Il prononçait chaque mot avec soin. Le visage empreint d'empathie, Victor se tourna vers lui.

– On va faire les vérifications, c'est sûr. Mais, pour être honnête avec vous, je ne suis pas très optimiste, monsieur Almeida. Le maire Coderre parle d'ajouter des caméras de surveillance, mais la réalité, c'est qu'il y en a présentement beaucoup moins à Montréal que dans les autres grandes métropoles. Il y en a juste une vingtaine sous le contrôle du SPVM.

Almeida hocha la tête. Il appréciait que le policier ait pris le temps de lui répondre. Le sergent-détective reporta son attention sur l'écran.

– OK, si on résume, à 3 h 09, notre homme entre dans le champ de la caméra et commence à peindre son graffiti ; il le termine à 3 h 21 et sort du cadre dans les secondes qui suivent.

Jacinthe désigna le petit homme du menton.

– Est-ce que la minuterie de votre caméra est bonne ?

Almeida se redressa d'un trait, comme s'il avait été piqué dans sa fierté.

– Bien sûr, madame.

La sonnerie du téléphone de Jacinthe retentit.

– Salut, le Kid. (...) Oui, je t'ai appelé. (...) On est à la Bijouterie Portugaise, sur Saint-Laurent. (...) Oui, oui, il est avec moi. On checke une vidéo de surveillance avec le proprio. On a peut-être un suspect. (...) Un *dude* qui a dessiné un graffiti vraiment fucké à 3 h du matin. Quoi?

Jacinthe leva les yeux vers Victor et lui demanda:

– Quelle grandeur, le gars, d'après toi?

– À l'œil, je dirais à peu près six pieds.

– T'as entendu? (...) Un chandail gris à capuche, des pantalons noirs serrés et des bottes militaires. (...) Non, l'image est trop floue. (...) Sur l'immeuble en briques blanches, en diagonale de la bijouterie. (Elle hocha la tête.) Oui, là où il y a la station de BIXI. (...) Qu'est-ce tu veux que je te dise, Loïc? T'auras pas le choix de recommencer.

Elle coupa la communication. Un sourire narquois se dessina sur ses lèvres.

– Ils avaient presque fini. Comme tu t'en doutes, le Kid est pas très excité à l'idée de retourner voir tout le monde avec le signalement du graffiteux.

Victor leva les mains en l'air, paumes ouvertes, pour signifier son impuissance. Mener une enquête de voisinage était parfois une tâche ingrate – il s'en était lui-même acquitté des dizaines de fois –, mais il ne fallait pas la négliger pour autant. Un grand nombre d'homicides se résolvaient grâce aux informations recueillies auprès des résidants du quartier dans les heures suivant le crime.

Tandis que le bijoutier accompagnait Jacinthe pour lui indiquer le chemin des toilettes, Victor se leva et fit quelques pas dans la pièce. Fermant les yeux, il se demanda dans quel état se trouvait la tête de Tanguay quand on l'avait emmenée. Parfaitement conservée ou putréfiée? Il en avait croisé des cadavres au cours de sa carrière. Corps crevés, desséchés, boursouflés, morts éventrés, organes en saillie, têtes écrabouillées, cervelles éclatées par des projectiles, yeux arrachés. Mais une tête séparée du corps? Ça, jamais. Il n'avait d'ailleurs pas envie de la voir. Après coup, ces images le hantaient et pourrissaient ses nuits. Il rouvrit les yeux et revint à la réalité. Le bijoutier rentra dans le bureau.

– Je m'excuse, mais je vais avoir besoin d'une copie de la vidéo, monsieur Almeida.

Le petit homme esquissa un sourire gêné.

– Pas de problème, monsieur l'enquêteur.

Almeida reprit sa place à son écran et se mit à pianoter sur son clavier. Victor consulta sa montre. Déjà 13 h. Son estomac se contracta. Même s'il n'avait rien avalé depuis le matin, ce n'était pas la faim mais l'anxiété qui étendait ses tentacules dans son organisme. Il remonta le corridor et se dirigea vers la sortie. Et tandis qu'il traversait la bijouterie, une pensée s'entortilla dans sa tête : l'idée qu'un verre l'aiderait à tenir le coup. Ce n'était pas la première fois qu'une telle idée le tenaillait et ce ne serait pas la dernière. Il songea à prendre un anxiolytique dans sa poche, mais lorsqu'il ouvrit la porte et que le soleil le happa, il décida plutôt de laisser cette pensée se replier sur elle-même.

CHAPITRE 8

Cérémonie et sacrifice

Il faisait si froid et si sombre à l'intérieur de la maison. Les voix hallucinées et lugubres du *Kyrie (Requiem)* de Ligeti retentissaient avec force, ricochaient sur les planchers de marbre, se répercutaient sur les boiseries de chêne. Au centre du hall, l'escalier monumental s'élevait jusqu'au premier palier, se courbait sur une mezzanine, puis rejoignait l'étage supérieur. Pas le moindre rai de lumière ne filtrait des rideaux de velours tendus sur les fenêtres. Sur chaque marche et derrière la balustrade de la mezzanine, plantées comme des épouvantails inquiétants au milieu d'un champ, des silhouettes encapuchonnées et drapées de robes noires se dressaient, muettes et immobiles.

Léchés par une lueur vacillante, les masques de silicone qui dissimulaient leurs visages leur donnaient une expression sinistre. Leurs regards convergeaient vers le même point, en contrebas, où un grand lit recouvert d'un linceul blanc, sorte d'autel sacrificiel, était installé. Devant le lit, le cadavre d'une jeune chèvre blanche, fraîchement égorgée, gisait dans une mare de sang. À un mètre du lit, aux quatre coins, des bougies piquées sur des candélabres de bronze crevaient la pénombre.

Complètement nues, quatre jeunes filles étaient étendues côte à côte sur le drap blanc, leur beauté juvénile exposée et magnifiée dans sa pureté par l'horreur de la mascarade qui s'amorçait. La première arborait une longue chevelure brune, la deuxième, des boucles blondes ; la troisième, une rousse, avait la peau très blanche et mouchetée, et la quatrième, la peau noire. L'air absent, paraissant intoxiquées, elles fixaient, au plafond, des torsades de plâtre serties de dorures.

Comme dans une mise en scène soigneusement chorégraphiée, la grande représentation allait bientôt atteindre son point culminant. Un homme portant un tambour primitif s'avança dans le hall à l'instant même où trois coups de gong assourdissants retentirent. Le colosse aux muscles luisants et saillants, vêtu uniquement d'un slip et d'une cagoule de latex, leva sa mailloche en l'air. Il attendit quelques secondes, puis, aussi sûrement que si on lui avait donné un signal, il commença à battre la mesure en tapant avec force la peau de son instrument. Suivant le tempo imprimé par le batteur, chaque coup vibrant dans leur cage thoracique, les silhouettes dispersées dans l'escalier se mirent à frapper des mains, une saccade à la fois, répétée à des intervalles de cinq secondes. Chaque battement était accompagné à l'unisson d'un cri sec et guttural.

Longs cheveux gris ondoyant sur les épaules, un autre homme apparut dans la lumière, masqué et vêtu d'une longue tunique blanche. L'homme à la tunique s'avança vers le lit. À la main, il tenait un calice d'or rempli d'un liquide ayant la robe grenat d'un vin mais la consistance de la mélasse : le sang encore chaud de la chèvre sacrifiée. Comme si elles avaient été programmées, les jeunes femmes se redressèrent en même temps et s'assirent sur les talons, à la tête du lit. L'homme passa devant chacune d'elles pour leur tendre la coupe. À tour de rôle, elles y trempèrent les lèvres, burent, puis plongèrent les doigts dans la substance visqueuse. Après s'être exécutées, elles commencèrent à se toucher les unes les autres, à se barbouiller mutuellement de sang, se dessinant des motifs sur le visage et sur le corps.

L'homme à la tunique s'approcha de la jeune fille blonde. Se ravisant, il alla se placer devant celle aux cheveux bruns. Le tambour et les clameurs cessèrent d'un coup. Soulevant le calice à deux mains, l'homme but une longue lampée, qui laissa des traînées pourpres à la commissure de ses lèvres. Puis il plaça la coupe au-dessus de la tête de la jeune fille et l'inclina. Un filet de sang se mit à couler, toucha sa chevelure, se fraya un chemin jusqu'à son visage, puis vers son corps.

Quand l'homme à la tunique eut terminé de verser le contenu du calice, la tête de la jeune fille n'était plus qu'une masse poisseuse de cheveux et d'hémoglobine. Il aboya un ordre et les autres filles se mirent à lécher le sang sur sa peau et à s'entortiller autour de son corps. Les cris et le tambour reprirent et culminèrent lorsque l'homme laissa tomber avec fracas la coupe sur le plancher et retira sa tunique d'un mouvement brusque.

Complètement nu, il s'approcha du lit et, serrant les fesses et cambrant les reins, avança son sexe en érection comme une offrande.

Plusieurs minutes après que les silhouettes fantomatiques se furent départies de leurs robes pour ne conserver que leurs masques, alors que l'orgie battait son plein dans un déluge de corps et de sexes luisants, une des jeunes femmes quitta discrètement l'autel et gagna les toilettes du rez-de-chaussée. Dans l'effervescence et le déchaînement des pulsions, personne n'avait remarqué qu'elle n'avait pas avalé la gorgée de sang.

CHAPITRE 9

Quartier de citron

Victor tira une bouffée de sa cigarette. Devant lui, le boulevard Saint-Laurent bruissait, et des fragments de lumière ricochaient sur les voitures et l'éblouissaient. De jolies filles passèrent dans son champ de vision. Il ne les remarqua pas. Il essayait de ne penser à rien, mais l'image d'un jeune homme en fauteuil roulant revenait sans cesse se fracasser dans sa tête.

Comme tous les parents, Victor avait tenu pour acquis que ses enfants seraient toujours en bonne santé et, jusqu'ici, la vie lui avait accordé ce privilège. Il avait toutefois pris conscience que tous n'avaient pas la même chance lorsqu'un des enfants de sa sœur Valérie – la fille biologique de ses parents adoptifs – avait été atteint de leucémie.

Tout comme prendre soin d'un enfant malade, s'occuper d'un enfant affecté d'un handicap commandait le respect. À plus forte raison dans le cas d'un parent seul.

Écrasant son mégot sous sa semelle, il marcha en direction de la voiture banalisée pour y rejoindre Jacinthe. Victor réfléchissait aux différents angles qu'ils devaient envisager. De peur d'oublier un élément, il sortit son calepin de sa poche et griffonna quelques notes.

Il appréhendait sa rencontre avec le fils de Maurice Tanguay. Il ne pourrait l'éviter, mais savait qu'il serait à la hauteur.

Il se montrait toujours à la hauteur dans ces situations, même si, chaque fois, il y laissait une partie de lui-même.

Vitres closes, moteur qui ronronnait. Victor comprit que Jacinthe, qui ne supportait pas la chaleur, avait mis la climatisation en marche. Assise derrière le volant, une main sur l'oreille, celle-ci grogna dans son cellulaire. Il ne distinguait pas les mots, mais, à l'intensité des éclats de voix qui filtraient des vitres, il comprit qu'elle passait ses humeurs sur son interlocuteur.

Au frais dans l'habitacle, Jacinthe et Victor échangeaient depuis quelques minutes leurs impressions sur l'affaire et essayaient de prévoir les prochaines étapes.

Elle lui tendit un sac Ziploc.

– En veux-tu?

Assis sur le siège du passager, il pigea un morceau de céleri.

– Merci.

Ils mâchèrent un moment sans prononcer un mot. Outre des branches de céleri, le sac contenait des carottes, des radis et des quartiers de citron. L'heure de la collation était devenue un rituel sacré depuis que Jacinthe avait entrepris son régime. Elle affirmait à qui voulait l'entendre que les légumes neutralisaient ses fringales, mais Victor avait remarqué qu'elle était d'humeur encore plus massacrante après en avoir mangé.

Il avala sa bouchée, manqua s'étouffer et pointa le sac de l'index.

– Ça fait plusieurs fois que j'oublie de te poser la question, mais c'est pour quoi, au juste, les quartiers de citron? Ça garde les légumes plus frais?

– Le citron? Ben voyons! C'est pour détoxifier l'organisme! Tiens, prends-en un.

Il leva les mains.

– Non, merci.

– T'en veux pas? C'est bon, le citron! Ellen arrête pas de dire que ça fait des miracles!

– Qui ça?

Ulcérée par l'ignorance de son collègue, Jacinthe soupira.

– Qui ça? Qui ça? Ellen DeGeneres, c't'affaire!

– L'animatrice?

– Y a toujours ben pas quatorze Ellen DeGeneres, innocent!

Jacinthe sortit un quartier de citron du sac et le mordit à belles dents. Tous les muscles de son visage se contractèrent en une grimace épique. Songeur, Victor se gratta la tête.

– Me semble que, pour détoxifier le foie, c'est du citron dans de l'eau chaude, non?

Jacinthe balaya l'air de la main.

– J'aime pas ça, l'eau chaude! Pis si ça marche dilué dans de l'eau, imagine pur! T'avais pas pensé à ça, hein?

Elle mordit dans le quartier de citron et grimaça de nouveau. Victor ne put que s'incliner devant la logique implacable de sa coéquipière. Ils restèrent encore un moment sans parler. Puis il consulta le calepin sur lequel il avait jeté quelques notes.

– Pour la bande vidéo, on va voir avec l'équipe de Murray ce qu'ils peuvent en tirer et, après, on va faire circuler le signalement du graffiteur. Faudrait aussi en rencontrer d'autres. Le nôtre a pas signé son œuvre, mais, avec un peu de chance, quelqu'un pourra peut-être l'identifier par son dessin ou son style.

Jacinthe engouffra une carotte entière en trois bouchées et répondit en mastiquant:

– Ils doivent se côtoyer, ça doit être une p'tite communauté, les graffiteux, non?

Victor approuva de la tête.

– Avant, les gangs de rue se servaient des graffitis pour marquer leur territoire, mais c'est une pratique à peu près révolue. Maintenant, les graffiteurs sont souvent des artistes urbains qui collaborent à des projets.

Jacinthe enfonça deux branches de céleri dans sa bouche, puis les retira.

– Pendant que j'y pense: les deux jeunes qui ont trouvé la tête dans le container... t'sais, ta petite Miranda pis son chum... faudrait savoir si c'est pas des graffiteux, eux aussi.

Victor hocha la tête.

– Personnellement, je pense que c'est une perte de temps. Ils sont beaucoup plus petits que le gars sur la vidéo.

Les joues de Jacinthe s'empourprèrent.

– Je vais peut-être les rappeler, moi. Un, tant qu'on sort pas le *tape* à mesurer, on n'est pas certains que le graffiteux est si grand que ça. Deux, je les sens pas, moi, les petits granolas à marde du Plateau!

Victor soupira. Il n'avait pas envie de répondre à cette diatribe.

– Comme tu veux... C'est pour toi. Faut aussi vérifier si un BIXI a été emprunté, disons entre 2 h 30 et 4 h. Et, si oui, est-on en mesure de remonter la piste jusqu'à un abonné du réseau?

Jacinthe cessa de mastiquer un instant.

– J'ai déjà checké ça. J'attends des nouvelles. Quoi d'autre?

– Il faut visionner les bandes des caméras de surveillance récupérées par Loïc pour voir si elles ont capté des images du suspect.

– Moi, je touche pas à ça. Ça va être une estie de job de moine.

– Je pensais demander à Murray et à son équipe de s'en charger.

– Bonne idée!

– Un des techniciens a ensaché les bombes de peinture. Si le graffiteux est fiché et qu'il ne portait pas de gants, on va le retrouver assez vite.

Jacinthe s'escrimait avec le sac de crudités, qu'elle essayait de vider de son air.

– Tu crois encore aux miracles, toi?

Victor saisit le boîtier du DVD qu'il avait déposé dans le vide-poche en entrant dans la voiture. Il tourna et retourna dans sa main l'enregistrement que lui avait remis le bijoutier.

– Je me demande ce que représente le graffiti. Pourquoi un squelette qui tient un bonnet de père Noël dans une main et un couteau dans l'autre? Et qui est le personnage qu'il menace?

Perdant patience, Jacinthe coinça le sac dans l'espace entre son siège et le frein à main.

– T'es vite en affaires, mon homme. Attendons de voir si c'est relié au meurtre avant de partir en peur.

Victor demeura songeur un moment, puis se secoua.

– Faut parler à Berger. Savoir s'il est en mesure de déterminer l'heure et la cause exactes de la mort. Faut aussi obtenir le relevé téléphonique de Tanguay et dresser son emploi du temps. Où a-t-il passé la nuit, qui l'a vu pour la dernière fois…

Jacinthe enchaîna:

– Et il faut interroger son fils. J'en reviens pas de savoir qu'il avait un fils handicapé.

Le sergent-détective tourna la tête et son regard s'égara dans la rue. Il regrettait d'avoir mal jugé Maurice Tanguay et en ressentait de la culpabilité.

Ils étaient retournés sur la scène de crime dans l'espoir de glaner des informations additionnelles. Jacinthe discutait avec un technicien de l'Identification judiciaire tandis que Victor réfléchissait en faisant les cent pas devant la ruelle, sur le trottoir de la rue Saint-Dominique. Au-delà du cordon de sécurité, il vit une jeune femme qui promenait un bébé dans une poussette. Alors que cette mère déambulait avec insouciance dans la lumière du jour, il songea qu'encore une fois il restait en marge du monde, à pourchasser des ombres.

Le sergent-détective enfonça ses mains dans les poches de ses jeans. Il n'arrivait pas à se sortir le graffiteur de la tête. S'il s'agissait du meurtrier, ça signifiait qu'il possédait beaucoup de sang-froid. Quel genre de personne aurait l'aplomb de se promener dans une métropole en trimballant sous le bras une boîte contenant la tête d'un policier? Quel genre de personne pousserait l'audace jusqu'à prendre le temps de peindre tranquillement un graffiti près de l'endroit où il s'était débarrassé de la tête de sa victime?

Ceux qui tuaient et qui réussissaient à s'en tirer évitaient d'attirer l'attention sur eux, demeuraient aussi anonymes que possible. Alors, si le graffiteur était leur homme, ses gestes relevaient soit de la témérité, soit de l'inconscience.

Une voix familière et suave se fit soudain entendre dans son dos.

– Comment ça va, Victor Lessard?

Il se retourna lentement. Longs cheveux foncés rebondissant sur des épaules fines, chemise blanche ouverte et shorts moulants, Virginie Tousignant s'avançait vers lui. Victor déglutit tandis que les yeux de la jeune femme fouillaient son regard et qu'il tentait de gommer de son champ de vision cette bouche charnue qui le troublait.

Visiblement, un patrouilleur chargé de garder le périmètre avait succombé au charme de la jeune femme. Victor sourit et, levant la main, prit à dessein un ton officiel:

– C'est une scène de crime, mademoiselle Tousignant. Les journalistes n'y sont pas admis.

Virginie travaillait comme reporter à *La Presse*. Ils s'étaient connus l'année précédente, dans le cadre d'une enquête qui avait impliqué le père de la jeune femme. Il n'était rien arrivé entre eux, mais, chaque fois qu'ils se revoyaient, une tension sexuelle subsistait.

Elle s'approcha et lui fit la bise.

– Je passais dans le coin et je voulais te faire un petit coucou.

Il se mit à rire pour dissiper son malaise.

– Un petit coucou ? Vraiment ?

Elle lui décocha un clin d'œil.

– Qu'est-ce que tu peux me dire ?

– Moi ? Rien. C'est le commandant Rozon qui est responsable des relations publiques pour cette enquête. Il faudra que tu t'adresses à lui.

Elle sourit, exhibant ses dents parfaites. Il demanda :

– Et comment va Woodrow Wilson ?

Le fait que le chien de la journaliste portait le nom d'un ancien président américain avait marqué le sergent-détective.

– Bien, j'imagine. Pour être honnête avec toi, ça fait un bout de temps que je ne l'ai pas vu. Depuis que j'ai quitté Jean-Bernard, en fait. C'est pas trop mon truc, les gardes partagées de chien.

Victor se rembrunit.

– Oh, désolé pour Jean-Bernard.

– Ne le sois pas. Il fallait que ça se fasse. Et toi ? Tu es seul ?

Il eut l'impression de répondre de façon trop précipitée.

– Non. Je viens d'emménager avec ma blonde.

Un silence embarrassé perdura quelques secondes, puis la journaliste enchaîna :

– Contente pour toi. Tu sais que, l'année dernière, j'ai publié un article sur l'implication du commandant Tanguay avec l'organisme Accueil Ici, Maintenant. Un homme charmant et fascinant.

– Et qu'as-tu appris de si fascinant ?

– Plein de choses. Par exemple qu'il était amoureux fou de sa femme, qu'ils ont eu de la difficulté à concevoir ; que leur fils est né sur le tard et qu'il est devenu paraplégique quelques années après le décès de la conjointe du commandant ; que celui-ci avait pris une année sabbatique pour accompagner son épouse dans son combat contre la maladie. Et j'en passe… Écoute, il me racontait son histoire et je me retenais pour ne pas pleurer. Tu ne peux pas rester insensible face à quelqu'un qui s'obstine à demeurer toujours positif, même quand le malheur s'acharne sur ses proches et sur lui. Sans compter que, depuis le début des années 2000, il trouvait en plus le moyen de s'impliquer dans sa communauté. Il sera sincèrement regretté.

De nouveau, Victor se sentit coupable de n'avoir pas su discerner l'homme derrière le policier. Peut-être, songea-t-il, que les drames vécus par le commandant pouvaient en partie expliquer la relation professionnelle difficile qu'ils avaient eue.

– C'est ce qu'on m'a dit, effectivement.

Virginie le dévisagea et lui fit un sourire enjôleur.

– Allez, je me sauve.

Hésitante, elle souffla sur une mèche de cheveux qui lui tombait sur l'œil.

– Au fait, Victor Lessard… savais-tu que je pourrais facilement craquer pour toi ?

Elle tourna les talons et s'éloigna avant même qu'il n'ait eu le temps de réagir. Jacinthe, qui avait suivi la scène de loin, vint le rejoindre, un sourire moqueur aux lèvres.

– Tu pognes, mon homme…

Il jeta un regard noir à sa coéquipière et répliqua sèchement :

– De quoi tu parles ?!

Jacinthe n'avait pas sa pareille pour l'embarrasser avec des plaisanteries caustiques. Il aimait Nadja de tout son cœur et ne voulait en aucun cas se retrouver dans une situation ambiguë.

Son cellulaire sonna. Il vérifia l'afficheur et dit :

– C'est Jacob Berger.

Comme Victor ne pouvait prendre le risque de mettre l'appel sur haut-parleur en pleine rue, sa coéquipière s'approcha du combiné de façon à entendre elle aussi la voix du médecin légiste.

– Salut, Jacob. Quoi de neuf?

– Je pense que j'ai trouvé quelque chose qui va t'intéresser.

– Où ça? Dans la boîte?

– Non. Dans la bouche de Maurice Tanguay.

Les deux enquêteurs échangèrent un regard intrigué. Berger lança sa bombe:

– Le tueur a placé un petit sachet de plastique sur la langue. Dedans, il y avait un papier plié en quatre avec un message tapé à l'ordinateur.

– Qu'est-ce que ça dit?

Victor entendit un froissement de papier.

– «*Le commandant Maurice Tanguay a été jugé et exécuté le 13 juillet, à 3 h 25.*»

– C'est tout?

– Non, il y a autre chose.

– Quoi?

– Une autre phrase: «*Tanguay était le premier...*»

Victor sentit que son interlocuteur hésitait.

– Et?

Berger s'éclaircit la voix:

– «*... le dernier sera le père Noël.*»

HUITIÈME JOUR

(Lundi 22 juillet)

CHAPITRE 10

Piétinements

Victor entra dans la salle de conférences et posa son gobelet de déca sur la table. Jacinthe ne leva pas les yeux du dossier qu'elle consultait. L'horloge fixée au mur de ciment beige marquait 7 h. Il croyait être le premier arrivé, mais il n'était pas rare que sa coéquipière soit plus matinale que lui. Le plan de travail était recouvert de chemises cartonnées et de liasses de papiers. Le policier contempla le grand tableau de plexiglas sur lequel une adjointe avait collé une série de photos prises par le médecin légiste lors de l'autopsie de la tête de Maurice Tanguay. Plusieurs agrandissements du graffiti y étaient aussi affichés. Jacinthe ferma son dossier avec fracas, puis se renversa en arrière dans son fauteuil.

– Je commence à être tannée de tourner en rond. On n'a pas le corps de Tanguay, pas de piste solide, pis aucun indice sur l'identité de la prochaine victime. Bref, notre enquête, c'est de la marde.

Une semaine s'était écoulée depuis que le jeune couple avait trouvé la boîte dans le conteneur à déchets. Victor esquissa un sourire.

– Salut, Jacinthe. Mal dormi ?

Elle lui lança un regard assassin.

– Eille, crinque-moi pas à matin ! Faisait assez chaud cette nuit !

Il fronça les sourcils, perplexe.

– Tu devais pas installer un air climatisé dans la fenêtre de votre chambre?

Jacinthe croisa les bras contre sa poitrine et se renfrogna.

– Lucie l'a fermé à 2 h du matin parce qu'elle avait frette.

Victor dut se retenir pour ne pas éclater de rire, mais cette légèreté s'estompa rapidement. Tout foutait le camp et Jacinthe avait raison de maugréer. Il y avait dans la voix de sa coéquipière quelque chose de douloureux qu'il ressentait lui aussi. La conviction qu'une catastrophe imminente leur pendait au nez et, sentiment encore plus effrayant, l'impression de ne pouvoir rien faire pour l'empêcher de se produire. Victor tira un fauteuil et s'assit face à elle. Il attrapa un dossier au hasard. Avant de l'ouvrir, il s'enfouit le visage dans les mains.

Par où recommencer?

Ils n'avaient pas besoin de se consulter. Ils étaient là pour la même raison: tout reprendre depuis le début, réexaminer chaque élément de l'enquête en essayant d'y déceler un indice qui leur aurait échappé. Parce que, parfois, la réalité du métier voulait qu'en l'absence de pistes solides il faille avancer à tâtons en espérant que le brouillard se dissipe.

Au poste 11, Loïc et Nadja continuaient pour leur part d'éplucher les dossiers sur lesquels Tanguay avait travaillé au cours des dernières années. Pour l'instant, rien de révélateur ne s'en dégageait.

Les faits ne laissaient que peu de place à l'interprétation: le message découvert dans la bouche de la victime faisait référence au père Noël, et le graffiti peint sur le mur, près de la boulangerie de l'avenue Duluth, offrait une représentation graphique d'un bonnet de père Noël. Impossible que ce soit une coïncidence. Même s'ils ne pouvaient complètement exclure la possibilité que le graffiteur et le tueur soient des complices, il était plus logique de postuler que le meurtre et le graffiti étaient le fait d'une seule et même personne.

La bande vidéo montrant le graffiteur à l'œuvre avait été traitée par Murray et son équipe. Comme Victor le redoutait, ceux-ci n'avaient pas été en mesure d'améliorer la qualité de l'image au point d'y voir apparaître des traits précis. Pour le sergent-détective, le fait que le suspect s'était placé de façon à ce que son visage ne soit pas capté par les caméras de surveillance de la bijouterie ne relevait pas du hasard. Il connaissait l'emplacement de la caméra et s'était arrangé pour qu'on le voie en train d'exécuter le graffiti, mais qu'on soit incapable de l'identifier. C'était un geste réfléchi et délibéré. Pourquoi? Essayait-il d'attirer leur attention ou s'amusait-il à leurs dépens?

Quoi qu'il en soit, ils n'avaient pas retrouvé la trace du graffiteur sur les bandes vidéo des autres caméras de surveillance, et les vérifications des emprunts effectués à la station BIXI n'avaient mené nulle part.

Le message laissé dans la bouche de Tanguay était explicite. Il suggérait qu'il y aurait au moins une autre victime, en l'occurrence «le père Noël». Les membres du groupe d'enquête avaient passé plusieurs heures à en discuter sans parvenir à établir un consensus. Le père Noël n'était qu'un personnage imaginaire. Or, pris dans son sens littéral, cela posait une question qui paraissait de prime abord simpliste: pourquoi menacer de tuer quelqu'un qui n'existait pas? Aussi, ils avaient longuement débattu du sens à attribuer à cette menace. Première possibilité: la référence n'était que symbolique. Si c'était le cas, aucun enquêteur n'en avait encore percé le mystère. Alors, faute d'une meilleure hypothèse, ils avaient choisi la deuxième possibilité, soit prendre l'expression au sens figuré. Ils avançaient donc en tenant pour acquis que «le père Noël» était le surnom ou le pseudonyme d'une personne en particulier.

Si, en raison de la formulation même du message, ils avaient la quasi-certitude que le tueur allait récidiver, ils ne possédaient en revanche aucune indication quant à l'identité de la prochaine victime et ignoraient combien il y en aurait au total.

Plusieurs autres questions demeuraient par ailleurs sans réponse. Le meurtre de Tanguay était-il relié à sa fonction? L'intention du meurtrier était-elle d'éliminer d'autres policiers ou de simples citoyens? Plutôt que de rester dans l'ombre, il les informait en partie de la suite de son programme. Pourquoi? Victor y voyait une forme de défi. En leur signifiant qu'au moins une autre mort surviendrait, le tueur voulait peut-être les inciter à se tenir sur leurs gardes, à se sentir concernés. Le fait de savoir qu'il monopolisait ainsi l'attention de la police lui procurait-il un sentiment de puissance? Recherchait-il cette attention ou avait-il d'autres motivations? Cette mise en scène servait-elle à leur dissimuler ses véritables motifs? En fin de compte, ils ne savaient rien, ils se perdaient en conjectures. D'abord, il y avait eu le meurtre de Tanguay, brutal, inattendu, et, depuis, plus rien.

Coudes appuyés sur la table, Victor croisa les doigts et posa son menton contre ses jointures. Jacinthe avait repris sa lecture. Il ferma les yeux.

Ils s'étaient évidemment attardés au graffiti lui-même, qui recelait également un message. Et celui-ci paraissait plus alambiqué, plus ambigu. Si celui trouvé dans la bouche de Tanguay décrivait le père Noël comme une des victimes potentielles – en l'occurrence la dernière –, sur le graffiti, le squelette tenait un bonnet de père Noël dans sa main et menaçait l'homme à la casquette avec un couteau. Qu'est-ce que cela signifiait? Ils avaient à cet égard évoqué quelques hypothèses. Le squelette représentait-il le tueur? Le cas échéant, l'homme à la casquette était-il sa prochaine victime?

Loïc avait rencontré une dizaine de graffiteurs. Même si le milieu n'était pas homogène, la facture visuelle de la plupart des différentes œuvres disséminées dans la ville était connue des uns et des autres. Certains faisaient dans l'illégalité ; ils se glissaient dans des endroits interdits pour y exécuter des tags rapides, sous les piliers des autoroutes ou dans les ruelles, tandis que d'autres peignaient, avec le consentement des propriétaires d'immeubles commerciaux, de véritables fresques sur leurs murs. Selon ce que Loïc avait appris, leur graffiteur était inconnu dans le milieu. Cependant, tous ceux à qui le jeune enquêteur avait parlé s'entendaient pour dire qu'il ne s'agissait pas d'un débutant. Était-ce quelqu'un qui venait d'ailleurs ? Un type qui était de passage à Montréal ?

Une photo du graffiti avait été rendue publique sans être reliée au meurtre de Tanguay ni mise en contexte. Ceux qui croyaient reconnaître le dessin ou voir des similarités avec d'autres œuvres étaient invités à communiquer avec le SPVM. On avait jusqu'à présent reçu et vérifié une cinquantaine d'informations, qui n'avaient donné aucun résultat.

Enfin, un dernier message, implicite celui-là, avait suscité de multiples discussions au sein du groupe d'enquête. Fallait-il attribuer un sens au fait que la tête de la victime avait été retrouvée dans un conteneur à déchets ?

Victor avait clos une séance de remue-méninges en avançant une théorie à ce sujet :

– La véritable signification du message est peut-être aussi simple que littérale.

Mâchant sa gomme comme si le sort du monde en dépendait, Loïc l'avait incité à préciser sa pensée :

– Et ça serait quoi, d'abord ?

– Peut-être que le meurtrier essayait juste de nous dire que Tanguay était une ordure.

Victor rouvrit les paupières et revint dans la salle de conférences. De l'autre côté de la table, Jacinthe l'interrogeait du regard. Elle espérait sans doute que, en émergeant de ses pensées, il relancerait les dés. Il haussa les épaules pour lui signifier qu'il n'avait rien à dire.

Elle se mordit les lèvres et, retournant à son dossier, marmonna entre ses dents :

– Commence à vraiment me faire chier, cette histoire-là.

Loïc avait suggéré que « le père Noël » pouvait être une référence à quelqu'un qui avait œuvré dans des centres commerciaux durant la période des fêtes. Ils avaient creusé cette piste mais n'avaient rien trouvé. Car même s'ils restreignaient leurs recherches à ceux qui avaient travaillé comme père Noël à proximité de Montréal au cours de la dernière année, ça impliquait des centaines de personnes. L'idée qu'une victime potentielle porte le nom de famille Noël avait également été avancée. Encore là, cette hypothèse ne les menait nulle part. À Montréal seulement, des centaines de personnes répondaient à ce patronyme.

La méthode utilisée par le meurtrier pour commettre son crime et sa façon de mettre en scène le meurtre étaient très sophistiquées. Il n'en était peut-être pas à son premier assassinat du genre. Ils avaient donc fouillé les bases de données en utilisant différents mots clés ou expressions comme « graffiti », « père Noël », « tête », « bonnet », « décapitation », « couteau », « casquette » et « conteneur » pour essayer de trouver une occurrence présentant des similarités avec leur affaire. La recherche n'avait produit aucun résultat.

Victor ouvrit le rapport d'autopsie que leur avait fourni Jacob Berger et se mit à le feuilleter. Le médecin légiste y affirmait que la tête avait été congelée un certain temps avant d'être placée dans la boîte. Pour cette raison, il ne pouvait déterminer de façon définitive l'heure de la mort.

« Je pourrais formuler des hypothèses, écrivait-il, mais j'ignore si elles sont valables. Pour l'instant, tout ce que je peux affirmer, c'est que la déclaration du tueur voulant qu'il ait assassiné la victime le 13 juillet, à 3 h 25, n'est pas incompatible avec mes conclusions. Je dirais même qu'il est très probable que ce soit la vérité.» Pourquoi le meurtrier leur avait-il donné ces précisions? Ils avaient beau se creuser les méninges, ils ne parvenaient pas à trouver une réponse satisfaisante.

Victor sauta quelques paragraphes et reprit sa lecture. «La coupure est nette. Elle a été faite avec une lame extrêmement tranchante, comme celle d'un sabre japonais, par exemple», notait aussi Berger. Une autre de ses remarques avait piqué la curiosité du sergent-détective: «Par ailleurs, la pochette de plastique trouvée dans la bouche de la victime est de même format que celles utilisées par les dealers pour revendre de la cocaïne.» Enfin, le rapport toxicologique révélait qu'aucune drogue ou substance suspecte n'avait été décelée dans l'organisme de Tanguay.

Victor leva les yeux vers sa coéquipière et s'éclaircit la gorge. Il aurait eu envie de changer d'air, de se trouver ailleurs, n'importe où. Mais presque malgré lui, il s'entendit dire:

– Je me pose toujours la même question: pourquoi congeler la tête?

Jacinthe balaya l'air de la main.

– Me semble qu'on avait réglé ça, non? Parce que ça permet au meurtrier de la jeter où et quand il veut, sans avoir à se bâdrer des odeurs pis que ça se mette à couler partout.

Victor se leva et commença à arpenter la pièce. Jacinthe avait raison, bien entendu, mais quelque chose ne collait pas. Ils avaient aussi évoqué la possibilité que le tueur ait congelé la tête pour faciliter ses déplacements. Qu'il ait, par exemple, voyagé en transports en commun. Une image du graffiteur assis dans un wagon de métro, la boîte posée sur ses genoux, fit surface dans ses pensées. Quelle idée effrayante! Une personne anonyme au milieu de la foule, quelqu'un qui n'éveillait pas les soupçons et qui trimballait la tête d'un mort avec lui.

Paupières closes, le sergent-détective revit la ruelle où l'on avait découvert le graffiti, et il essaya d'imaginer les dernières heures de Tanguay. Le meurtrier ne s'était pas pressé, il avait pris le temps de peindre un graffiti complexe. Habitait-il dans le coin ? Tanguay avait-il été tué dans un appartement situé à proximité ?

Victor rouvrit les yeux et commença à se masser les tempes avec les pouces. Son cellulaire vibra. Il lut le texto de Virginie Tousignant et hocha la tête de dépit. Il venait à peine d'arriver que, déjà, il avait envie d'une cigarette.

« *C'était cool de te revoir. On ira prendre un café 1deC4 :)* »

– P –

Le père Noël avait confié à Maxime que sa maman était très malade et qu'elle lui avait demandé de prendre soin de lui quelque temps. Chaque fois que le garçon demandait à parler à sa mère, le père Noël le rassurait en lui disant qu'elle irait bientôt mieux et qu'il pourrait rentrer chez lui. Les premiers jours, il avait été très gentil avec Maxime. Le garçon pouvait manger tout ce qu'il voulait et s'amuser avec les jouets qu'il avait reçus en cadeau. Chaque matin, le père Noël lui faisait faire des exercices de français et de mathématiques. Et il lui parlait constamment, lui répétant des choses que le garçon n'était pas certain de comprendre. Quand le père Noël s'absentait, Maxime devait demeurer dans sa chambre. La porte était verrouillée, il n'y avait pas de fenêtre, mais il pouvait écouter la télé. Le garçon n'avait que peu de contacts avec Louis et Patrick. Le père Noël disait s'occuper d'eux pour les mêmes raisons qu'il prenait soin de lui.

– Leurs parents sont malades, comme ta maman…

Sauf que, chaque fois que Maxime les voyait, les garçons étaient toujours enchaînés.

– Contrairement à toi, Louis et Patrick sont vraiment très méchants.

– Qu'est-ce qu'ils ont fait ?

– Ils ne font pas ce que je leur demande.

CHAPITRE 11

Emploi du temps

– Arrête de tourner en rond, tu m'énarves…

Après être sorti fumer dans le stationnement, Victor était revenu faire les cent pas dans la salle de conférences. Haussant les épaules, il s'arrêta devant le tableau de plexiglas et, les mains croisées derrière le dos, contempla les photos de l'autopsie. La tête avait un aspect cireux, caoutchouteux, comme ces masques que l'on utilise au cinéma pour les effets spéciaux. Les paupières et les orbites étaient bleuies ; les bords de la plaie, mordorés.

Voilà tout ce qu'il restait de Maurice Tanguay.

Une enquête résulte d'un processus d'élimination. Vous déterminez ce qui doit être en place pour que le drame se produise et, à partir des faits et des éléments connus, vous formulez des hypothèses, vous envisagez les possibilités. Et lorsque vous avez éliminé l'impossible, la vérité se cache quelque part dans la somme des probables. Comment Tanguay en était-il arrivé là ? Quelle était la séquence d'événements qui l'avait amené à se faire décapiter ?

Le vendredi, il avait vaqué à ses occupations habituelles au poste 11. Puis, aux environs de 19 h, il s'était rendu à un souper-bénéfice au profit de l'Accueil Ici, Maintenant, un organisme d'aide aux jeunes en difficulté. L'AIM offrait des services d'hébergement, de suivi psychosocial et d'aide à l'emploi ainsi que des activités de loisir aux jeunes de douze à vingt-deux ans. Siégeant au conseil d'administration de l'organisme, le commandant Tanguay y œuvrait aussi de temps à autre à titre de bénévole.

– Lessard?

La voix de Jacinthe le sortit de sa torpeur. Il se tourna et se rendit compte qu'elle l'observait.

– Oui?

– T'étais où, là?

Il répondit par une autre question :

– Qu'est-ce qu'il a fait entre son départ du souper et sa mort? Tout part de là... Qu'est-ce qu'on a manqué?

En reconstituant l'emploi du temps du commandant, ils n'avaient pas encore réussi à éclairer cette zone d'ombre.

Les vérifications auxquelles ils s'étaient livrés suggéraient en effet que Tanguay n'était jamais rentré chez lui. On avait retrouvé sa voiture rue Sherbrooke, garée à quelques coins de rue des locaux de l'AIM, là où avait eu lieu l'activité de financement. Un constat d'infraction avait été glissé sous un essuie-glace du véhicule durant le week-end.

– Avec la quantité de monde qu'on a interrogé, j'vois pas ce qu'on peut faire de plus. Ça nous a quasiment pris la semaine complète.

Assistés de Loïc et de Nadja, Jacinthe et Victor avaient rencontré les quelque cent vingt invités au souper-bénéfice de l'AIM. Ils avaient vu tant de gens et on leur avait répété si souvent les mêmes choses que tout avait fini par se mélanger dans leur tête. En fin de compte, ça n'avait rien donné de significatif. Tanguay avait parlé à la fois avec tout le monde et avec personne. Le portrait qui se dégageait des différents témoignages tendait toutefois à confirmer ce que le directeur du SPVM avait dit : s'il se révélait d'approche difficile dans son milieu de travail, Maurice Tanguay devenait quelqu'un de totalement différent dans l'intimité, un gentleman apprécié de tous. Ce n'était pas la première fois que Victor était témoin de ce genre de phénomène. Loin de la pression du poste de police et de la noirceur des enquêtes, certains s'en sortaient mieux que d'autres.

Vêtu de son uniforme d'apparat, Tanguay avait quitté l'AIM seul, peu après 21 h, le vendredi soir. Il n'avait plus été revu par la suite. Sur la base des déclarations recueillies, les membres du groupe d'enquête avaient dressé une liste de suspects potentiels et contrôlé leurs antécédents. Ils n'avaient trouvé aucun élément susceptible d'incriminer un des invités ni un des membres du personnel.

Victor se passa la main dans les cheveux. Il ressentait une impression trouble, qu'il ne parvenait pas à cerner.

– C'est quand même bizarre qu'il se soit volatilisé après le souper sans que quelqu'un remarque quelque chose.

Tanguay habitant seul, personne ne semblait s'être inquiété de son sort durant le week-end. Son relevé de cellulaire montrait en effet qu'il n'avait reçu ni passé aucun appel pendant cette période. Jacinthe ricana. Un rire sarcastique et désillusionné.

– Ils appellent ça le village global, mon homme. Tout le monde est connecté, mais y a plus un chat qui se parle. On vit dans un monde merveilleux, hein?

Assistés de techniciens de l'Identification judiciaire, les enquêteurs avaient perquisitionné l'appartement de Tanguay et n'avaient relevé aucune trace de lutte, de vol ou d'effraction. La vaporisation de Luminol n'avait pas permis de déceler la moindre goutte de sang. Le contenu de son ordinateur ne montrait rien d'autre qu'un fort penchant pour la pornographie. Petit travers guère surprenant pour un homme célibataire qui vivait seul. Des données semblaient avoir été effacées, que des experts du SPVM tentaient de récupérer. Mais, encore là, rien pour s'alarmer outre mesure : qui ne faisait pas de temps à autre un ménage des fichiers sur son ordinateur ?

Un contrôle bancaire avait confirmé que, durant les quelques heures qui s'étaient écoulées entre son départ du souper-bénéfice et l'heure présumée de sa mort, il n'avait ni retiré d'argent de ses comptes ni effectué de paiement avec l'une de ses cartes. Que s'était-il produit? Avait-il croisé quelqu'un? Avait-il été enlevé ou attiré quelque part dès sa sortie du souper? Avait-il été brièvement séquestré avant d'être tué ? L'avait-on torturé ?

Victor prit son gobelet sur la table. Et tandis qu'il buvait une gorgée de café refroidi, ses yeux glissèrent sur un journal datant de quelques jours posé en travers du plan de travail. Le gros titre de la une ne faisait pas dans la dentelle : « La tête d'un haut gradé du SPVM jetée aux ordures ». Il demanda :

– As-tu reparlé à l'Identification judiciaire au sujet des empreintes ?

Les empreintes relevées sur les bombes de peinture trouvées à proximité du conteneur à déchets et sur celle que Victor avait découverte dans le bac de ciment partageaient suffisamment de caractéristiques pour que l'on puisse conclure qu'elles provenaient de la même personne. Des empreintes similaires apparaissaient aussi sur le conteneur.

– Oui, mon coco. M'en suis occupée hier soir, avant de partir. Toujours aucun *match*. Tu diras pas que j'te l'avais pas dit : il est pas fiché, notre graffiteux.

Malheureusement, Jacinthe disait vrai : les empreintes ne leur seraient d'aucune utilité si celles du suspect n'avaient pas déjà été prises dans le cadre d'un autre délit. Par ailleurs, les bombes de peinture elles-mêmes avaient aussi fait l'objet de vérifications. La marque utilisée étant en vente libre dans plusieurs quincailleries et grands magasins, il n'avait pas été possible de les relier à un commerce en particulier.

– Oh, pis y a le p'tit Simon qui a encore appelé. Y me fait pitié, le jeune.

Victor baissa les yeux. Il n'était pas surpris, mais ça lui fendait le cœur.

Le lendemain de la découverte de la tête du commandant Tanguay, les deux enquêteurs avaient rencontré son fils. Âgé de vingt-cinq ans, Simon Tanguay résidait dans son propre appartement adapté, près du canal de Lachine. Un accident de motocyclette l'avait privé de l'usage de ses jambes quelques années auparavant. Le garçon rêvait de faire l'acquisition d'un voilier et de naviguer de façon autonome, et Victor ne doutait pas une seconde qu'il y parviendrait. Simon Tanguay était un jeune homme formidable: digne dans sa douleur, il avait fixé sans sourciller le sergent-détective d'un regard qui pétillait d'intelligence et de vivacité. Contenant sa peine, il leur avait parlé d'une voix résignée et monocorde.

Les grands yeux de Simon s'étaient écarquillés d'horreur au fur et à mesure que progressait l'entretien, alors que les inévitables questions des policiers lui révélaient une partie des détails sordides de l'affaire. Or, depuis la rencontre, le garçon les appelait régulièrement. Chaque fois, il restait plusieurs secondes sans parler au bout du fil, puis raccrochait.

Jacinthe s'éclaircit la gorge pour sortir Victor de sa mélancolie. Elle fit mine de regarder sa montre et déclara d'un ton détaché:

– À quelle heure, donc, tu vas rencontrer Yves Gagné?

L'homme, un informateur qui fournissait à l'occasion des renseignements au sergent-détective, avait demandé à le voir.

– À midi.

– T'es-tu sûr que tu veux y aller tout seul?

Même s'il savait Jacinthe bien intentionnée, la main tendue lui fit l'effet d'une gifle.

– Je comprends pourquoi ça t'inquiète, mais tu t'en fais pour rien.

– C'est pas que j'te fais pas confiance, mon homme, mais des fois, c'est mieux de pas être tout seul pour affronter ses démons.

– C'est plus mes démons, Jacinthe. J'ai pas bu une seule goutte depuis plus de huit ans. Ça devrait te rassurer.

À 11 h 30, Victor poussa la porte de la succursale de la Société des alcools du Québec de la Place Versailles. Il n'avait pas mis les pieds dans une SAQ depuis plusieurs années. Désorienté, il erra un moment entre les étalages avant de trouver ce qu'il cherchait. Il scruta la sélection de whiskys, puis attrapa une bouteille de Bushmills Single Malt 10 ans sur l'étagère et se dirigea vers la caisse. Il marchait dans l'allée lorsque, sans raison particulière, l'impression trouble qui lui avait échappé plus tôt se précisa : c'était vraiment étrange qu'un homme comme Tanguay n'ait reçu aucun appel de tout le week-end. Ça l'amenait à se demander s'il utilisait un deuxième cellulaire, à forfait prépayé, et, le cas échéant, à quelles fins. À la caisse, le commis appuya sur quelques touches. Perdu dans ses pensées, Victor inséra machinalement sa carte bancaire dans le terminal. Et tandis qu'il saisissait son code de quatre chiffres, un rayon de soleil traversa la bouteille qu'il avait déposée sur le comptoir, embrasant la robe du liquide ambré. Il déglutit. L'image le plongea loin à l'intérieur de lui-même, jusqu'aux lisières de sa souffrance, un retour en arrière dans les ombres du refoulé. La tentation ne mourrait jamais. Il ressentirait toujours le fardeau de l'abstinence.

CHAPITRE 12

Indicateur

Victor frappa à la porte de l'appartement situé à l'angle des rues Moreau et Ontario Est. Défavorisé, le coin n'avait pas profité de la reprise immobilière que connaissait le quartier Hochelaga-Maisonneuve. N'obtenant pas de réponse, le policier frappa de nouveau. De la peinture écaillée se colla sur ses jointures. Il s'en débarrassa en les frottant contre sa cuisse. À l'intérieur, à travers le voile maculé de crasse qui recouvrait la vitre, il vit une ombre remonter le corridor.

Une voix grave filtra du battant.

– Oui?

– Yves? C'est Victor Lessard.

Un loquet tourna, puis un autre. La porte s'entrebâilla, et la moitié d'un visage blafard, constellé de taches de rousseur, apparut. Un œil bleu qui papillotait, injecté de sang, le scruta avec méfiance.

– T'as ce que je t'ai demandé?

Victor attrapa le sac de papier brun qu'il tenait sous le bras et l'agita devant lui dans l'air saturé par la brûlure du soleil. La porte s'ouvrit. Crâne ruisselant de sueur serti d'une couronne de cheveux roux, en camisole et en caleçon, Yves Gagné se tint un moment immobile et jaugea Victor. Après une brève hésitation, il saisit le sac que le sergent-détective lui tendait. Puis, clignant des paupières, il s'effaça pour le laisser passer.

– Entre, Lessard.

L'appartement était une ruine. Il y faisait aussi chaud que dans un four et, malgré la canicule, toutes les fenêtres étaient closes. Dans le corridor, en passant devant le salon, Victor vit une pile de revues pornographiques posées sur le canapé, avec, dessus, des papiers-mouchoirs roulés en boule.

Ses gougounes de caoutchouc claquant contre ses talons, Gagné l'entraîna vers la cuisine. Le sergent-détective promena son regard dans la pièce. Des piles de journaux jaunis traînaient dans un coin; des assiettes sales s'empilaient sur le comptoir; des casseroles croupissaient dans l'eau brunâtre de l'évier. Victor s'approcha de la cuisinière. Un reste de repas cramé séchait au fond d'un chaudron. Le policier attrapa la cuillère de bois qui s'y trouvait, gratta la croûte, puis laissa retomber l'ustensile.

– Fais-moi penser à prendre ta recette de sauce à spaghetti avant de partir.

Gagné tira une chaise et s'affala dessus. Un cendrier débordant de mégots faisait office de centre de table. L'homme tourna les paumes vers le plafond.

– Sers-toi, c'est ma tournée.

D'un sourire, il découvrit ses dents jaunies par le tabac, pourries par la vie, puis invita le sergent-détective à s'asseoir. Victor s'exécuta et fixa son interlocuteur du regard. Yves Gagné extirpa la bouteille du sac de papier et en dévissa le bouchon. Il huma l'alcool un instant, renversa la tête et but une longue lampée. L'espace d'une seconde, l'expression décatie de son visage s'était transformée pour afficher ce qui ressemblait à de la volupté.

Il tendit la bouteille à Victor.

– T'en veux?

– J'ai arrêté ça fait déjà un bail.

Gagné haussa les épaules. Victor sortit son paquet de cigarettes, en alluma deux et lui en tendit une.

– Pourquoi t'es venu, Lessard?

– Parce que ton message m'a intrigué. T'as des informations concernant Tanguay?

Yves Gagné avait travaillé quatorze ans comme enquêteur à la division du crime organisé du SPVM. Victor l'avait côtoyé à quelques reprises lors de réunions et d'ateliers de formation. Un type bien, le genre qui montrait sur son cellulaire des photos de son bungalow ou des portraits de sa femme et de ses jeunes enfants. Petite vie rangée et confortable. Au travail, il s'était forgé une réputation d'enquêteur compétent et consciencieux. Jusqu'à ce que tout bascule, en 2009.

Gagné exhala un nuage de fumée. Il se curait les dents avec l'ongle de son index.

– Ça se pourrait.

L'affaire avait fait l'objet de plusieurs reportages dans les médias et de moult discussions dans les bureaux du SPVM. Soupçonné d'avoir tiré du CRPQ[3] des renseignements privilégiés avec l'intention de les revendre, Gagné avait été condamné à une peine de prison.

Victor toussa dans son poing.

– Qu'est-ce que tu veux en échange? Je t'avertis tout de suite, Yves: si c'est du cash, on perd notre temps tous les deux.

L'ancien policier avait commencé à boire au début des procédures entamées contre lui, et sa descente aux enfers s'était poursuivie jusqu'à ce qu'il soit condamné. Puis, pendant son incarcération, alors qu'il tentait de remettre sa vie sur ses rails, il avait appris qu'un ex-collègue entretenait une liaison avec sa femme.

Un nuage de fumée flottait au-dessus de la table. Gagné balaya l'air de la main.

– On verra ça plus tard, OK?

Victor le dévisagea. L'autre soutint son regard sans desserrer les dents, impassible.

---

3 Centre de renseignements policiers du Québec.

– Je t'écoute.

Tête penchée vers le bas, mains croisées, Yves Gagné resta un moment en silence, comme s'il s'apprêtait à réciter un psaume, puis il releva les yeux vers le sergent-détective.

– J'ai été piégé par Maurice Tanguay.

De l'étonnement se peignit sur les traits de Victor. Il prit une dernière bouffée de sa cigarette et, allongeant le bras, écrasa son mégot dans le cendrier. Gagné l'imita.

– Qu'est-ce que tu veux dire?

Gagné s'arrêta un moment. Ce qu'il était sur le point de divulguer ravivait des souvenirs douloureux.

– J'ai toujours prétendu que les recherches que j'ai faites étaient requises dans le cadre de mes fonctions, mais c'était pas le cas. Je travaillais pour quelqu'un.

– Tanguay te payait pour sortir des renseignements du système?

Gagné acquiesça.

– Tanguay s'est servi de moi plusieurs fois pour obtenir des informations.

Victor resta quelques secondes sans rien dire. La déclaration de l'ancien policier le surprenait. Et, déjà, des questions se bousculaient dans sa tête.

– Mais pourquoi? Il n'avait qu'à faire lui-même ses propres recherches. Il avait accès au CRPQ comme toi et moi.

– Tu oublies que j'étais au crime organisé. Chaque requête que tu fais laisse des traces dans le système. Tu crois pas que ça aurait attiré l'attention si le commandant d'un poste de quartier s'était mis à faire des demandes sur d'autres personnes que celles visées par les enquêtes sous sa responsabilité?

Victor se tint coi. Il réfléchissait. Gagné poursuivit:

– Non, Tanguay était prudent. J'avais plus de latitude au crime organisé, il gardait les mains propres en m'utilisant. Et, si jamais quelqu'un se mettait le nez dans mes affaires, c'était de toute façon normal que je fasse des demandes de renseignements sur un grand nombre de personnes.

Le sergent-détective contracta les mâchoires.

– Pas si normal que ça, faut croire, parce que quelqu'un a découvert votre combine et que tu t'es retrouvé en prison.

– C'est pour ça que je te dis que j'ai été piégé. Écoute, quand les affaires internes m'ont arrêté, j'avais fait une dizaine de requêtes pour Tanguay. On est-tu d'accord que, normalement, ça aurait dû passer inaperçu ?

– Tu penses que quelqu'un les a informés ?

– J'en suis certain ! J'étais super prudent, je connaissais le système et aussi comment maquiller mes traces. Les gars des affaires internes savaient où et quoi regarder, je t'en passe un papier.

– Tu crois que c'est Tanguay qui…

– Qui d'autre ?

– Mais pourquoi t'as rien dit au cours de l'enquête ni au procès ?

– Parce qu'il m'avait promis qu'il s'occuperait de moi si je fermais ma gueule. Qu'il me paierait les meilleurs avocats et qu'après, il me donnerait de l'argent.

– Et qu'est-ce qui s'est passé ?

– Il m'a donné un peu d'argent au début, pour payer une partie de mes frais d'avocats, mais pour le reste… Dès que ç'a commencé à chauffer, j'ai plus entendu parler de lui.

– Alors pourquoi tu l'as pas dénoncé à ce moment-là ?

L'homme répondit dans un murmure d'indignation contenue :

– Parce qu'il menaçait de s'en prendre à Suzie et aux enfants.

Le regard de Gagné se voila ; des larmes apparurent au coin de ses yeux. Il prit la bouteille, avala une autre longue gorgée de whisky et s'essuya la bouche du revers de la main.

– J'étais pogné des deux bords, tu comprends?

Victor secoua la tête: ça ne collait pas. Il y avait forcément autre chose.

– Mais pourquoi? Pourquoi te sacrifier? C'est pas logique. Tu lui étais beaucoup plus utile en liberté que derrière les barreaux.

Gagné se laissa aller contre le dossier de sa chaise.

– Je sais pas. Ça fait des années que je tourne ça dans tous les sens et j'arrive toujours pas à comprendre ce qui s'est passé.

Convaincu que l'homme assis en face de lui ne disait pas toute la vérité, le sergent-détective se leva.

– J'en ai assez entendu, Yves.

Victor dominait maintenant son interlocuteur de toute sa taille. Il se pencha et pointa l'index avec véhémence dans sa direction. Surpris, Gagné rentra d'instinct la tête dans les épaules.

– J'ai pas de temps à perdre. Ça n'a pas encore été divulgué au public, mais celui qui a tué Tanguay menace de remettre ça. Rappelle-moi quand tu seras prêt à mettre cartes sur table.

CHAPITRE 13

La promesse

Une cave sombre, des fenêtres placardées, des murs de béton qui suintaient d'humidité, une forte odeur de nicotine. À l'intérieur se trouvaient deux hommes. Le premier avait les poignets et les chevilles entravés aux montants et aux pieds d'une chaise avec des attaches autobloquantes. Malgré la peur qui l'étouffait, il s'efforçait d'aspirer avidement de petites goulées d'air. Dans l'ombre, derrière l'homme cloué sur place, le second s'activait en silence, tranquille, préparant son matériel comme si la scène qui se jouait devant lui n'existait que dans une autre réalité.

Un bruit de pièces métalliques se fit entendre. Valeri Mardaev banda ses muscles jusqu'à l'extrême limite pour essayer de s'échapper du piège, mais ses liens refusaient de céder. Les yeux écarquillés, il arqua la tête vers l'arrière et tenta d'apercevoir son agresseur, mais il n'arrivait pas à établir de contact visuel avec lui ; ce dernier restait toujours dans son angle mort. Valeri lui parlait sans répit, de la panique dans la voix, car il savait que seuls les mots, les mots désespérés destinés à déjouer la fatalité, pouvaient encore lui permettre d'éviter l'inéluctable.

– Détache-moi !

Le silence fracassait les oreilles de Valeri. Hargneux, il se tortillait sur sa chaise en grognant.

– Tu sais pas à qui t'as affaire ! On s'attaque pas aux Red Blood Spillers comme ça !

Il essayait de provoquer son agresseur, de le forcer à sortir de ses gonds.

– T'es mort. Tu pourras pas t'en tirer, ils vont te découper en morceaux !

Rien ne se produisait. Ses imprécations restaient sans réponse.

– Tu veux de l'argent ? Combien ? Dis-moi un chiffre, ça sera pas un problème.

Finalement, Valeri prit une profonde inspiration et exhala l'air lentement.

– Qu'est-ce que tu veux ?

Dans l'ombre, la voix répéta, d'un ton neutre, la demande exprimée plus tôt :

– Je veux son nom et son adresse.

La question fatidique, celle à laquelle Valeri refusait de répondre, car il savait que sa seule chance de s'en tirer était de gagner du temps et de prier pour qu'on parte à sa recherche. Alors, désespéré, il se mit à rire de plus en plus fort.

Un murmure monta de l'ombre, un sifflement inquiétant.

– Chhhhhhhhh...

Valeri Mardaev eut un rictus amer. L'agresseur lui enjoignait de se taire, mais s'il devait mourir, il partirait selon ses propres termes. Personne n'allait le forcer à baisser le regard, personne n'allait l'humilier.

– Va chier ! Montre-toi, si t'es un homme !

Tout à coup, Valeri tressaillit. Un visage venait d'apparaître dans la lumière, un index posé sur les lèvres. Quelque chose d'obscur, d'inquiétant émanait de ces yeux, de ces traits.

– Chhhhhhhhh...

Valeri affronta le regard de son agresseur et secoua la tête en guise de dénégation.

– T'es qui, toi? J'te connais même pas!

L'autre répondit d'une voix à la fois douce et intimidante:

– Du calme, Valeri. Du calme.

Tête inclinée, l'agresseur caressa le visage de Valeri du plat de la main, avec délicatesse. Celui-ci eut envie de lui cracher au visage, mais se retint. Puis, se courbant vers l'avant, l'agresseur posa une main derrière la nuque de Valeri et appuya son front contre le sien. De l'effroi dansait dans les pupilles du gangster immobilisé.

– Si tu me laisses partir, je te jure de la fermer. Réfléchis. On peut encore tout arranger.

L'autre se pencha à son oreille et murmura:

– Tu peux déjà te mettre dans la tête que je vais te tuer, Valeri.

Les yeux de Mardaev s'embuèrent, des larmes roulèrent sur ses joues. Des larmes de rage et d'impuissance.

L'agresseur continua:

– Ça peut se passer très vite ou, au contraire…

Le sous-entendu était limpide. L'agresseur n'eut nul besoin de terminer sa phrase. Il laissa aux mots le temps de se frayer un chemin dans l'esprit de Valeri, puis il ajouta:

– Si tu me dis ce que je veux savoir, tu ne souffriras pas. Je te le promets.

Le cœur de Valeri s'emballa et se mit à battre dans ses tempes. Se mordant les lèvres, il lutta de plus belle contre les attaches qui le séparaient de la liberté, de son agresseur et du reste de sa vie, mais il ne réussit qu'à se meurtrir les poignets.

Quand il s'arrêta, haletant, un filet de bave coulait de sa bouche. Son agresseur avait encore disparu, il s'était encore fondu dans l'ombre. Valeri demeura silencieux un moment, le temps de reprendre son souffle et ses esprits. Plus tôt, il s'était promis de ne pas faiblir, de ne pas se laisser diminuer. Pourtant, à ce moment-là, il implora la clémence de son adversaire d'une voix apeurée:

– Laisse-moi partir… Je t'ai rien fait.

Valeri sursauta. D'un bond, l'agresseur s'était glissé derrière lui et caressait du bout des doigts sa mâchoire et sa gorge. Puis la voix de l'agresseur se fit entendre de nouveau, un murmure de confessionnal, un chuchotement à peine audible :

– Tu te trompes.

Avant même que Valeri ne puisse réagir, qu'il ne comprenne ce qui se passait, l'agresseur lui glissa un doigt dans la bouche et, tirant sur sa joue pour l'écarter, enfonça le scalpel dans la gencive inférieure, qu'il entailla sur toute la longueur, du côté droit. Valeri hurla de douleur et tenta de se dégager en bougeant la tête, mais l'avant-bras de l'agresseur lui enserrait fermement la gorge. Giclant à retardement, le sang inonda sa cavité buccale et se répandit dans sa trachée. Un haut-le-cœur le secoua : le goût de fer qui lui emplissait la bouche l'écœurait. Valeri cracha, encore et encore, affolé par l'idée de s'étouffer avec son propre sang. En quelques secondes, sa chemise s'imbiba.

L'agresseur chuchota de nouveau à son oreille, d'une voix ensorcelante :

– Son nom, son adresse.

Valeri déglutit avec difficulté.

– Je sais pas !

– On sait tous les deux que tu mens.

Valeri fit non de la tête en vociférant un chapelet d'insultes incompréhensibles. Avec tout ce sang qui jaillissait de la blessure, on aurait dit qu'il essayait de parler sous l'eau. Impassible, l'agresseur ressortit le scalpel et, immobilisant solidement la tête de Valeri d'une clé de bras, il entailla ses deux arcades, lui arrachant un hurlement. Le sang ruisselait dans les yeux de Valeri, l'aveuglait, se déversait sur son visage et gouttait de son menton. Paniqué, il criait en se crachant dessus. L'autre prit sa main et glissa un verre dedans.

– Tiens, Valeri, rince-toi la bouche.

Le ton était empreint de sollicitude. La main de Valeri tremblait. Aussi, l'agresseur mit la sienne dessus et l'aida à approcher le verre de ses lèvres. Valeri réalisa trop tard que le liquide qu'il contenait n'était pas de l'eau. L'affolement remplaça la surprise, puis céda la place aux cris. Il eut beau tout recracher en bloc, la brûlure de l'alcool sur la plaie ouverte de sa gencive était insupportable. Sans hésiter, l'agresseur attrapa encore une fois la joue de Valeri et, la retroussant, enfonça son scalpel sous les dents de la mâchoire inférieure. Imprimant au bistouri un mouvement de va-et-vient, il fouilla les chairs à vif et vrilla jusqu'aux nerfs. Valeri poussa une plainte horrible. Un cri bestial, à glacer le sang. Le cri d'un animal blessé qui sait d'instinct que la mort gagne du terrain et que, cette fois, il n'y aura pas de dérobade.

– Nom et adresse…

Valeri se mit à prier en couinant. C'était tout ce qu'il lui restait à faire.

Brutal et sanguinaire, Valeri Mardaev était, dans le milieu des gangs de rue, un lieutenant craint et respecté. Il avait lutté aussi longtemps qu'il avait pu dans l'espoir qu'un miracle se produise, que quelqu'un vienne le délivrer, souffrant en serrant les dents, jusqu'à l'extrême limite de ses forces. Mais même le plus endurci des hommes finit par atteindre son point de rupture, cette ligne invisible au-delà de laquelle la résistance de tout être humain peut être vaincue, brisée. Valeri s'était promis de garder le silence, juré qu'on ne l'humilierait pas, mais à présent sa tête pendait, inerte, le menton contre la poitrine. Fracassé, annihilé, il allait rendre son dernier souffle d'une seconde à l'autre. Près de lui, son agresseur saisit tranquillement les bombes aérosol dans son sac à dos et commença à dessiner un graffiti sur le mur. Il traça d'abord le contour d'un squelette. Derrière lui, les jambes de Valeri Mardaev se mirent à tressauter; sa tête fut agitée de violentes convulsions. Un râle émana de sa gorge tandis que la vie l'abandonnait. Entre le sifflement des jets de peinture expulsés de la bombe, on entendait des gouttelettes tomber au sol. Sur le plancher de ciment, une mare de sang grossissait à vue d'œil.

CHAPITRE 14

Affaires internes

Grâce à son passé d'enquêteur, Yves Gagné connaissait les trucs du métier, maîtrisait les techniques employées pour mettre de la pression sur les témoins, mais il s'était malgré tout laissé prendre au piège que lui avait tendu le sergent-détective : dès que celui-ci avait fait mine de se préparer à partir, il avait levé les paumes devant lui pour le retenir.

– Attends, Lessard, attends ! J'ai peut-être ma petite idée… Assis-toi.

Gagné était encore plus désespéré que Victor ne l'avait cru. Ce dernier posa les mains sur le dossier de sa chaise.

– Je te donne une minute.

L'ancien policier se pinça l'arête du nez et reprit la parole après un court silence :

– Une rumeur a circulé…

– Quelle rumeur ?

Tardant à répondre, Gagné semblait chercher les mots justes pour exprimer une idée difficile à admettre.

– Tu te rappelles de Davidson et Roberge ? Apparemment que Tanguay était sur le marché pour vendre des informations au crime organisé bien avant eux. À la Mafia, surtout.

En 2012, Ian Davidson, récemment retraité du service de renseignement criminel, avait été soupçonné d'avoir vendu à la Mafia des renseignements sur deux mille informateurs du SPVM. Surnommé «la taupe» par les médias, il s'était enlevé la vie quelques heures avant que son identité ne soit divulguée. En 2013, Benoît Roberge, ancien enquêteur-vedette du SPVM, avait été mis en accusation dans une affaire similaire de vente de renseignements aux Hells Angels.

Les mains posées à plat sur la table, Victor avança le torse et regarda Gagné droit dans les yeux. Les pupilles de l'ex-flic s'étaient dilatées.

– Il aurait revendu à la Mafia les infos que tu lui fournissais?

– Entre autres.

– Où t'as entendu ça?

Le sergent-détective savait avant même qu'il n'ouvre la bouche que Gagné allait mentir. Manifestement, l'ancien policier protégeait sa source.

– Écoute, je m'en souviens plus, c'était juste une rumeur. Mais, à ta place, je chercherais du côté de la Mafia. Imagine que Tanguay leur a remis une liste. Peut-être qu'il était rendu trop gourmand. Peut-être qu'il devenait un témoin gênant.

– Tu penses qu'ils auraient pu vouloir le faire taire avant qu'on remonte jusqu'à eux?

– Pourquoi pas?

– Parce que le meurtre de Tanguay colle pas avec la Mafia. On parle pas d'une exécution par un professionnel, ici. On lui a tranché la tête.

– Justement, c'est ça, l'idée! Si tu veux pas qu'on remonte jusqu'à toi, tu maquilles ta façon de procéder, tu changes ta signature.

– Il va falloir que tu me donnes quelque chose de concret, Yves.

Gagné se leva, marcha vers une armoire et prit une boîte de café. Il l'ouvrit, plongea les doigts dans la mouture et en sortit une feuille de calepin. Il la déplia et, avant de se rasseoir, la posa sur la table devant Victor.

– Tiens. J'y suis allé de mémoire.

– C'est quoi, ça?

– Les noms des personnes sur qui Tanguay m'a demandé de sortir un profil complet du CRPQ. C'est tout ce que je peux faire pour toi.

Le sergent-détective tourna et retourna la feuille entre ses doigts. Le café avait taché le papier de petites marques brunes. Victor sentait que Gagné hésitait, qu'il retenait encore de l'information. Il repoussa la feuille et feignit de s'en désintéresser.

– Qu'est-ce que tu veux que je fasse avec ça?

Gagné but une gorgée de whisky. Il semblait amusé par la situation.

– C'est toi, le policier. Je ferai quand même pas la job à ta place.

Victor le sut avant même que l'autre n'ouvre son jeu: Gagné allait jouer son va-tout.

– À moins que tu décides de m'aider, Lessard.

– Le chantage marche très mal avec moi. Dis-moi ce que tu sais, on verra après.

Les dents serrées, Gagné tambourinait nerveusement sur la table. Conscient qu'il avait épuisé ses options, il se força à tourner la tête vers Victor et le fixa droit dans les yeux.

– Tu devrais aller faire un tour au bureau des affaires internes.

– Pourquoi je devrais faire ça, au juste?

– Et si je te disais que Tanguay a déjà été sous enquête?

Le sergent-détective tressaillit.

– J'ai deux enquêteurs qui épluchent les dossiers à temps plein. Si Tanguay avait été dans la mire des affaires internes, je le saurais déjà.

– Tu peux me croire ou non, mais je te dis que Tanguay était sous enquête.

Victor songea aussitôt à Marc Piché. Le directeur du SPVM avait le pouvoir de donner des directives afin qu'un tel dossier, pour autant que l'on admît son existence, soit dissimulé au groupe d'enquête. Mais dans quel but le directeur prendrait-il un tel risque?

– OK, mettons. À qui je devrais parler, aux affaires internes?

– Masse ou Lachaîne. Tu les connais?

L'air préoccupé, le sergent-détective esquissa une grimace. Jacinthe et lui avaient eu quelques accrochages avec ceux qu'on surnommait les Blues Brothers dans le cadre de l'enquête sur le Roi des mouches.

Déterminé à aller au fond de cette histoire, Victor avait passé encore de longues minutes à interroger Gagné dans l'espoir de lui tirer les vers du nez, mais l'exercice s'était avéré vain. L'ancien policier répétait qu'il connaissait l'existence, mais pas le contenu, du dossier des enquêtes internes.

Les mains derrière la nuque, Victor s'étira le cou en soupirant, puis se leva. Gagné se tordait les doigts au-dessus de la table.

– Tantôt, tu m'as dit qu'après...

Le sergent-détective ferma les paupières.

– Qu'est-ce que je peux faire pour toi, Yves?

– Mes enfants...

– Quoi?

– Je veux récupérer mes droits de visite. Un bon mot de ta part à la travailleuse sociale, ça m'aiderait.

Moins d'une semaine après sa sortie de prison, Gagné avait été arrêté pour avoir passé à tabac l'ancien collègue qui entretenait une liaison avec sa femme. Ces actes de violence lui avaient valu une nouvelle peine d'emprisonnement et la suspension de ses droits de visite pour ses deux enfants. Depuis, l'ancien policier pouvait les voir quelques heures, un week-end par mois, mais uniquement sous surveillance.

– Pour l'instant, c'est impossible.

Gagné se tapotait la lèvre inférieure. On aurait dit qu'il était sur le point d'éclater en sanglots.

– Pourquoi?

Victor pointa la bouteille du doigt.

– À cause de ça. Si tu veux que je parle à la travailleuse sociale, va falloir que tu te reprennes en main.

Le sergent-détective se leva et lui tendit sa carte professionnelle.

– Si jamais tu décides d'arrêter, donne-moi un coup de fil. On ira aux AA ensemble.

Au lieu de saisir le carton, Gagné attrapa la bouteille et, un air de défi plaqué sur le visage, porta le goulot à ses lèvres. Victor prit la liste de noms sur la table et fit quelques pas vers le corridor avant de faire volte-face.

– Juste une dernière question…

Gagné reposa la bouteille et poussa un soupir de satisfaction. Ses lèvres luisaient.

– Tu veux savoir où j'étais le soir du meurtre? C'est ça, ta question? J'étais ici…

– Seul?

L'ancien policier émit un petit rire.

– Non… En tête-à-tête avec une bouteille de Glenfiddich. Soirée mémorable! Tu peux vérifier, elle est encore dans le bac de recyclage.

Pris de lassitude, Victor haussa les épaules et se dirigea vers la sortie. En passant devant le salon, il posa sa carte entre les boules de papiers-mouchoirs, sur la pile de revues pornos.

CHAPITRE 15

Retour en arrière

Il n'est jamais facile de se replonger dans une période amère de notre passé, surtout lorsque les circonstances nous y ramènent contre notre gré. Victor avait hésité avant de passer l'appel. Assis sur le bout d'un banc du parc Saint-Henri, il fumait tranquillement une cigarette en regardant, sur son socle de fer, la statue de Jacques Cartier. Des pas retentirent derrière lui. Un homme contourna le banc et vint s'asseoir à sa droite.

– Ça fait longtemps, Lessard...

L'enquêteur acquiesça d'un hochement de tête. Quelque chose d'enfoui loin au fond de lui le tourmentait.

– Salut, Giacomo.

Bras gauche levé vers l'infini, regard figé sur l'horizon, Cartier avait vu défiler toute une procession de p'tits culs depuis l'inauguration du monument, en 1893. C'est dans ce parc, sous l'œil impassible de la statue de l'explorateur ayant découvert le Canada, que Victor avait, à l'adolescence, fait la connaissance de Giacomo Talone.

– Comment va Ted?

Le sergent-détective se tourna vers son interlocuteur, qui avait la mi-quarantaine, un teint de cuivre et des cheveux de jais gominés vers l'arrière.

Tirant sur sa cigarette, il mentit.

– Très bien. Il jogge encore tous les matins.

Quand son père avait massacré sa famille, Victor avait séjourné quelques années dans un centre d'accueil avant d'être adopté. Et, chaque fois qu'il fuguait de ce centre, il se retrouvait dans la rue, où il passait plusieurs jours. Puis, immanquablement, il finissait par atterrir chez Albert et Ted, qui le recueillaient dans leur appartement de la rue Sir-George-Étienne-Cartier. C'est en traînant dans le coin, à cette époque, que Victor avait rencontré l'Italien, qui habitait à quelques rues de là. Giacomo était à la tête de la gang de petits bums qui sévissaient dans les parcs du quartier. Solitaire et taciturne, Victor avait su esquiver les problèmes jusqu'au jour où, piégé dans une ruelle, il n'avait eu d'autre choix que d'affronter aux poings deux des acolytes de Giacomo. Il n'avait pas eu le dessus, mais le fait d'être désavantagé en nombre ne l'avait pas empêché de malmener ses deux assaillants. Aussi, avant de repartir, Giacomo, qui avait assisté à la scène, lui avait lancé :

– T'es *tough,* Lessard.

Ce jour-là, une forme de respect s'était établie entre eux, de telle sorte que Victor n'avait plus été inquiété par la suite. Quoi qu'il en soit, le fait de se remémorer cette période le déprimait profondément. Mais si seulement le fossé qui les séparait ne tenait qu'à ces vieilles querelles d'adolescents...

– Tu le salueras de ma part. C'est un homme bien.

– Je vais le faire. Et toi, ton père ?

La question recelait son lot de sous-entendus. Ce n'est que beaucoup plus tard – alors qu'il faisait ses premiers pas dans la police – que Victor avait appris que le père de Giacomo était un membre influent de la pègre montréalaise.

L'autre le regarda avec des yeux de chien triste.

– Il n'a pas changé. Contrairement à moi, il ne s'est pas retiré des affaires.

Quelques mois après que Victor et Ted furent devenus coéquipiers aux crimes majeurs, ils avaient enquêté sur une sombre histoire de règlements de comptes entre familles rivales : un homme de main de la Mafia avait été battu à mort à coups de bâton de baseball. Les deux enquêteurs avaient remonté la piste jusqu'à Giacomo et son père, Manuele. Ils resserraient l'étau sur les deux hommes lorsque, brusquement, ils avaient reçu l'ordre de tout arrêter. Jeune et fougueux, Victor s'était braqué et avait continué à enquêter en catimini. Il avait ainsi obtenu la preuve que c'était Ted qui avait manœuvré à son insu pour que l'on classe l'enquête. Quand il avait exigé des explications, son mentor avait catégoriquement refusé de lui livrer le fond de l'histoire. Et lorsqu'il avait demandé à Ted s'il avait accepté un pot-de-vin, Victor avait cru, l'espace de quelques secondes, que celui-ci allait le frapper. Déchiré, il avait finalement décidé de ne pas dénoncer son coéquipier, mais avait mis longtemps à lui pardonner de l'avoir tenu à l'écart.

Bien des années plus tard, alors qu'il était déjà à la retraite, Ted lui avait raconté l'affaire. Il s'agissait d'un cas d'inceste réglé à l'interne par la *famiglia* : l'homme battu à mort avait abusé de ses propres filles. Manuele Talone avait voulu en faire un exemple, montrer à ses hommes que ce genre de comportement n'était pas toléré dans son clan. Et, pour bien marquer la valeur symbolique de sa décision, il avait chargé son propre fils de l'exécution.

Le regard dans le vide, Giacomo joignit les mains derrière sa nuque. Au-dessus de leurs têtes, des nuages noirs roulaient dans le ciel.

– J'imagine que tu m'as pas demandé de te rejoindre ici pour prendre de mes nouvelles. Qu'est-ce que tu veux, Lessard ?

– J'ai besoin d'une faveur.

Ce soir-là, quand il s'était confié à Victor, Ted avait avoué une chose grave. Mis au courant par Manuele Talone des détails sordides des agressions, il avait jugé le châtiment juste et considéré que Giacomo et son père ne méritaient pas d'êtres punis. Ce faisant, il avait franchi la ligne invisible qui sépare le monde en deux: s'étant laissé atteindre, il avait permis à son propre idéal de justice de se substituer au respect de la loi dont il était le gardien; il avait basculé dans le monde des justiciers et des ombres, là où naissent les monstres.

– Une faveur? Tu veux un rabais sur une terrasse ou une entrée de pavés unis?

Victor pinça les lèvres, fit mine de sourire.

– Je cherche une information.

Talone recula sur le banc, se carrant contre le dossier.

– Tu te trompes d'adresse, Lessard. Je ne suis plus dans le secret des dieux. J'ai une entreprise de terrassement et je gagne ma vie honnêtement.

Le sergent-détective prit une bouffée de sa cigarette, l'éteignit contre le banc, puis garda le mégot dans sa paume.

– Arrête, Giacomo. On va pas se faire chier à se raconter des conneries. Toi et moi, on sait pertinemment qu'on se retire jamais tout à fait de ton monde.

Victor ferma les yeux. Il revoyait les images de la soirée où Ted s'était confié à lui.

«On est parfois dépassé par sa propre vie, avait-il murmuré. Le jour où tu laisseras tes propres valeurs se substituer aux faits, lâche ton job. Sinon, ça te rongera de l'intérieur…»

Victor lui avait pardonné d'avoir laissé les Talone s'en tirer. Cependant, chaque fois qu'il revoyait Giacomo, ce dilemme moral auquel il avait été lui-même confronté dans plusieurs affaires lui revenait au visage de plein fouet. Il savait certaines décisions qu'il avait prises tatouées dans sa chair, enfouies dans sa part d'ombre. Et il préférait les affronter le moins souvent possible.

Talone finit par soupirer:

– Je te l'ai demandé : qu'est-ce que tu veux ?

La sonnerie du cellulaire de Victor retentit. Le nom de sa coéquipière apparut sur l'afficheur. Déjà trente minutes qu'il aurait dû être rentré à Versailles. Il laissa l'appel basculer dans sa boîte vocale.

– Que tu parles discrètement à tes contacts.

– À propos de quoi ?

– De Maurice Tanguay.

De la surprise se peignit sur les traits de l'Italien.

– Le commandant du SPVM qui s'est fait couper la tête ?

– Lui-même.

– Et tu veux savoir quoi, au juste ?

– S'il y avait un contrat sur lui. Si oui, je veux savoir qui était le commanditaire.

Giacomo secoua la tête avec force en guise de dénégation.

– C'est sûr que ça vient pas de chez nous ! Tu sais qu'on touche jamais aux policiers. En plus, c'est pas dans nos méthodes de décapiter quelqu'un. Tu devrais plutôt chercher du côté des gangs de rue.

Victor le transperça du regard.

– Répète-moi pas ce que je sais déjà, Giacomo. Je veux juste que tu vérifies.

Dans le ciel saturé de nuages, le tonnerre se mit à gronder. Talone soupira :

– Va falloir que tu me laisses un peu de temps, Lessard.

– Je te donne quarante-huit heures.

– Comment veux-tu que je fasse ça discrètement en quarante-huit heures ?

L'air ahuri de Giacomo laissa Victor de glace.

– Arrange-toi. Me semble que, dans le temps, dans la ruelle, tu savais comment faire travailler les autres à ta place.

Talone ricana. Un rire carnassier.

– Je vais prendre ça comme un compliment.

Victor lui tendit une copie de la liste qu'Yves Gagné lui avait remise. L'autre y jeta un coup d'œil.

– C'est quoi?

– Peut-être un point de départ…

– Qu'est-ce que tu veux que je fasse avec ça?

– Tanguay avait payé un enquêteur du SPVM pour qu'il obtienne des renseignements sur les personnes dont le nom apparaît sur la liste. Il aurait ensuite voulu les revendre à la Mafia. Je veux que tu me trouves l'identité de l'acheteur.

Giacomo en fut pétrifié. Ce que lui demandait Victor le forcerait à prendre des risques qu'il jugeait inconsidérés.

– Et pourquoi je ferais ça, dis-moi?

Victor pencha la tête de côté et prit son air le plus faussement candide.

– Tu vas le faire en souvenir du bon vieux temps. En souvenir des vieux amis…

Un éclair lézarda le ciel, suivi, à retardement, du fracas du tonnerre.

– J'ai jamais eu d'amis, Lessard.

Victor lui fit un clin d'œil.

– C'est ton odeur, tu crois?

Talone ignora la pique. Commençant à en avoir assez d'être assis sur le banc, il se leva.

– Je vais me renseigner, mais je te promets rien, OK?

Le sergent-détective acquiesça. Talone le fixa avec intensité.

– Je suis clean maintenant, Victor. Je t'assure.

– Si tu le dis.

La conversation était terminée, mais l'Italien ne se décidait pas à partir.

– Il y a une question que je me pose souvent…

Victor se tint coi.

– Pourquoi t'as jamais rien dit?

Au moment où Talone prononçait ces mots, la pluie commença à tomber d'un trait, tiède et drue. L'Italien tourna les talons sans attendre de réponse et, remontant le col de sa veste au-dessus de sa tête pour se protéger, se mit à courir en direction de la rue. Victor resta assis encore un moment, à ruminer ses pensées. Lorsqu'il se leva, il était déjà trempé. Il marcha vers l'entrée du parc, rue Agnès, où était garée la voiture banalisée. En passant à côté de la poubelle, il jeta le mégot qu'il avait gardé dans le creux de sa main. La pluie ruisselait sur son visage, les trombes d'eau l'éclaboussaient, mais il avançait sans se presser. La foudre claqua de nouveau. L'orage l'anesthésiait.

CHAPITRE 16

Blues Brothers

L'enquêteur Lachaîne lança la première salve, qui donna le ton au reste de l'entretien.

– Qu'est-ce qu'on peut faire pour vous, les amoureux?

Jacinthe regarda Victor, qui haussa les épaules. Roulant les yeux au plafond, elle ne tourna pas sa langue sept fois dans sa bouche avant de répliquer.

– Pour commencer, pourrais-tu arrêter de jouer avec ta queue en dessous de la table? Ça me déconcentre.

Le sourire de l'enquêteur des affaires internes mourut sur son visage. Il se leva.

– Si vous êtes venus ici pour nous insulter, j'ai autre chose à faire!

– Calme-toi, mon homme. Savais-tu que tu sécrètes du cortisol quand tu te mets en colère et que c'est très mauvais pour ta prostate? Je viens de lire un article là-dessus.

Le dos des mains couvert d'une pilosité impressionnante, les sourcils en broussaille, l'enquêteur Masse n'avait pas desserré les lèvres depuis leur arrivée:

– Ne devriez-vous pas être en train d'enquêter sur le meurtre du commandant Tanguay plutôt que de perdre votre temps ici, tous les deux?

Après que Victor lui eut raconté au téléphone sa rencontre avec Yves Gagné, Jacinthe avait pris rendez-vous avec les enquêteurs des affaires internes. Le sergent-détective était passé la prendre à Versailles, puis ils s'étaient rendus au quartier général du SPVM, rue Saint-Urbain. Une adjointe les avait conduits dans une salle de conférences et leur avait servi du café. Lachaîne et Masse les y avaient rejoints.

Victor inspira une bouffée d'air et la rejeta lentement pour conserver son sang-froid.

– Justement. On a des questions à vous poser dans le cadre de notre enquête. Peut-on se parler intelligemment? On est en contact direct avec Piché sur cette affaire...

Les enquêteurs des affaires internes étaient assis d'un côté de la table rectangulaire; Jacinthe et Victor, de l'autre. Un néon se mit à crépiter au-dessus de leurs têtes, mais personne n'y prêta attention. La tension était palpable. Le visage dénué d'expression, les yeux brillant d'une lueur inquiétante, Jacinthe semblait prête à bondir pour sauter sur leurs interlocuteurs.

L'enquêteur Masse se laissa finalement retomber dans son fauteuil et lança:

– On t'écoute, Lessard. Pose tes questions.

Victor but une gorgée de café. Il s'apprêtait à entrer en terrain obscur: il voulait obtenir des deux enquêteurs les informations qu'ils détenaient tout en leur révélant le moins de détails possible sur l'affaire en cours.

– Qu'est-ce que vous pouvez nous dire sur l'utilisation frauduleuse de renseignements tirés du CRPQ?

Masse se gratta la nuque, marqua un temps avant de répondre:

– On peut pas parler des enquêtes en cours, mais on a eu des cas, effectivement...

Les mains à plat sur la table, le sergent-détective inclina le tronc vers l'avant.

– Comme Yves Gagné, par exemple? C'est bien vous qui avez enquêté sur son cas?

C'était une affirmation, pas une question. L'enquêteur Lachaîne voulut prendre la parole, mais, se tournant vers lui, Masse lui fit un signe imperceptible et répondit à sa place :

– Oui, c'est nous.

– Puisque Gagné a été condamné, vous pouvez me parler de cette affaire, non ?

Masse intervint de nouveau :

– Qu'est-ce que tu veux savoir exactement, Lessard ?

– Dans le cadre de votre enquête, est-ce que vous avez réussi à déterminer à qui Gagné a essayé de revendre ces renseignements ?

Masse haussa les épaules, affecta un air désinvolte.

– Le dossier de cour est disponible. Fais une demande au greffe si tu veux le consulter.

Victor faillit répliquer qu'il n'avait qu'un coup de fil à passer au directeur pour les forcer à parler, mais préféra garder ses atouts dans sa manche.

– Eille, les gars… je vous rappelle qu'on enquête sur la mort d'un collègue.

Masse leva les mains au-dessus de la table.

– Justement, je vois pas le rapport entre votre enquête sur Tanguay et le cas de Gagné.

Masse se tourna vers son coéquipier. Lachaîne avait les bras croisés contre la poitrine.

– Tu comprends le lien, toi ?

Lachaîne consulta sa montre, puis s'étira en bâillant.

– Non, je comprends pas. Explique-nous, Lessard.

Coudes sur la table, Victor entrelaça ses doigts.

– Messieurs, avec ce genre d'attitude, on va passer la soirée ici.

Lachaîne répondit d'un ton mielleux, faussement amical :

– C'est drôle que tu parles d'attitude avec ce qui figure à ton dossier.

Les enquêteurs des affaires internes ricanèrent à l'unisson. De glace, Jacinthe asséna :

– Tu devrais pas ouvrir la bouche aussi grand, Lachaîne. T'as une haleine de sperme.

Loin de s'offusquer de l'insulte, l'enquêteur répliqua du tac au tac :

– Pis toi, Taillon… pas de danger que ça t'arrive, hein ?

Jacinthe s'apprêtait à riposter, mais Masse enchaîna aussitôt :

– En passant, Lessard, on a été surpris qu'on te confie l'enquête.

De l'étonnement apparut sur le visage du sergent-détective.

– Ah oui, pourquoi ?

– Disons qu'avec la relation que t'as eue avec Tanguay dans le passé, on pensait que t'allais plutôt figurer sur la liste des suspects.

Jacinthe se leva brusquement, repoussant sa chaise avec fracas. L'air menaçant, elle brandissait son poing fermé.

– Eille, mon gros sale, ça te tente-tu, une sandwich de jointures ?

Victor fit signe à sa coéquipière de se rasseoir et décida de changer de stratégie.

– J'aimerais savoir si, lors de votre enquête sur Gagné, vous avez trouvé des éléments qui permettraient de conclure qu'il a revendu des infos à un autre policier du SPVM.

Masse rumina sa réponse quelques secondes.

– Si t'arrêtais de tourner autour du pot et que tu nous disais ce que tu cherches ?

Victor joua le tout pour le tout. Il se leva et frappa la table du plat de la main.

– Est-ce que vous avez enquêté sur Tanguay ? Est-ce qu'il a acheté des informations de Gagné ? Est-ce qu'il les a revendues à la Mafia ?

Les questions du sergent-détective semblèrent davantage mettre Masse en rogne que l'étonner. Celui-ci brandit son index et lança, l'air menaçant :

– Arrête ta chasse aux sorcières, Lessard ! On n'a pas de dossier sur Tanguay !

Dehors, les derniers feux du soleil brillaient, finissant d'assécher le bitume. Victor tira une première bouffée de sa cigarette. Jacinthe ne décolérait pas.

– Méchants trous de cul ! Si tu veux mon avis, ils nous mentent en pleine face.

– Ça, c'est clair. La vraie question, c'est de savoir pourquoi. Pour protéger qui ?

Jacinthe donna un coup de pied dans le vide pour faire fuir les pigeons qui picoraient près d'une poubelle, à leur droite.

– Tu vas demander à Piché d'intervenir ?

– Pas tout de suite. Si Gagné dit vrai et que les affaires internes ont ouvert un dossier sur le commandant Tanguay, le directeur aurait dû nous en parler.

– Tu fais pas confiance à Piché ?

Victor tapa sur sa cigarette du doigt, la délestant d'un bout de cendre.

– J'ai pas dit ça. Je veux juste voir ce qui va se passer.

– Donc, on laisse tomber les Blues Brothers pour l'instant?

D'un signe de tête, le sergent-détective salua un autre enquêteur qui sortait de l'édifice.

– Non. On va leur servir leur propre médecine.

Jacinthe lui lança une œillade perplexe.

– Qu'est-ce que tu veux dire ?

– Tu vas nous trouver quelque chose qu'on peut utiliser contre un de ces deux clowns. Un levier. N'importe quoi.

Un sourire sadique apparut sur les lèvres de Jacinthe.

– N'importe quoi? Tu peux compter sur moi, mon homme.

CHAPITRE 17

Party de cuisine

Victor poussa la porte de son appartement et s'effaça pour laisser passer Jacinthe. Une main en appui contre le radiateur à eau chaude, le souffle court, elle se pencha pour retirer ses chaussures. Grimper les marches jusqu'à l'étage l'avait mise hors d'haleine.

– Je sais pas comment vous faites pour monter ça tous les jours… Eille, dans un an, tu vas être bon pour les Olympiques, mon homme.

Le sergent-détective referma derrière lui. *Burn,* d'Ellie Goulding, résonnait à tue-tête dans le corridor. Il pointa les chaussures de sa coéquipière du doigt.

– Garde-les, Jacinthe, c'est le bordel, ici.

Après quelques hésitations, Nadja et lui avaient opté pour ce haut de duplex situé au coin des rues Beaconsfield et de Terrebonne plutôt que pour un condo plus petit avec vue sur le canal de Lachine. Le besoin de chambres additionnelles pour accueillir les enfants de Victor avait pesé lourd dans la balance. Martin se trouvait toujours en Saskatchewan, où il travaillait dans le ranch de son oncle, mais il pensait éventuellement rentrer à Montréal pour reprendre son boulot en sonorisation. Charlotte, quant à elle, étudiait à temps plein en communications à l'UQÀM. Elle habitait avec eux depuis que l'ancienne femme de Victor avait décidé de suivre son conjoint, parti travailler dans une firme de vérification, à Londres.

Le sergent-détective plaça une main en porte-voix et appela :

– Allo? Y a quelqu'un?

Le volume de la musique baissa d'un cran. Une voix de femme perça le mur sonore.

– Je suis dans la salle à manger, *dad*...

Jacinthe sur les talons, Victor remonta le corridor encombré de cartons et déboucha dans la pièce où s'activait, dans une flaque de lumière, une jeune femme au début de la vingtaine. Pieds nus, vêtue de jeans criblés de taches de peinture et d'un t-shirt, ses cheveux relevés en chignon, elle était en train de peindre les moulures. Une méduse de blanc sur la joue, un pinceau dans la main gauche, Charlotte s'avança vers eux en souriant.

– Allo, Jacinthe!

– Salut, ma cocotte! Eille, ça fait longtemps!

Les deux femmes s'enlacèrent et se firent la bise. Victor s'approcha de sa fille, posa une main dans son dos et, se penchant vers elle, lui souffla dans le cou avant d'y déposer un baiser. Ce rituel se répétant depuis qu'elle était toute petite, un large sourire éclairait maintenant le visage de Charlotte.

– Allo, papou, ça va?

– Bien, et toi?

Il se recula d'un pas pour observer le travail accompli.

– Wow! T'as fait de la super job, ma belle.

En sortant des bureaux des affaires internes, Jacinthe avait conduit Victor à l'Hôpital général. Elle était restée dans la voiture à grignoter ses crudités et à répondre à ses messages pendant qu'il était monté rendre visite à son vieux mentor. Lorsqu'il était entré dans la chambre, il avait trouvé Ted endormi. Selon l'infirmière de garde, le vieux avait eu sa meilleure journée depuis le début de son hospitalisation. Si bien que son médecin traitant parlait d'une sortie possible d'ici quelques jours, si son état continuait de s'améliorer. Se sentant coupable de n'avoir trouvé le temps de lui rendre visite qu'une seule fois depuis le début de l'enquête, Victor était resté de longues minutes à veiller Ted en silence. Assis sur un siège, il avait remonté en silence le fil des rides marquant le visage du vieux, puis il était sorti de la chambre après avoir déposé un baiser sur son front. Dans le corridor, il avait croisé Albert Corneau, le conjoint de Ted depuis plus de trente ans. Ils avaient échangé une franche accolade et discuté quelques minutes. Albert paraissait fatigué, mais il tenait le coup. Avant de partir, Victor lui avait promis de repasser bientôt.

– Maudit fromage de marde, c'est pas râpable, c't'affaire-là!

Victor émit un petit rire sarcastique.

– Pas *râpable*? Du verbe «râper», hein? En passant, c'est de la crescenza, un fromage du nord de l'Italie. C'est un peu élastique, mais tu vas voir, c'est délicieux.

En route vers l'appartement, ils avaient dévalisé Le Garde-Manger italien, une épicerie fine de la rue Monkland où Victor avait ses habitudes. Il ajouta:

– Prends ton temps et arrête d'en manger: on n'en aura pas assez pour garnir les pizzas.

Sourire en coin, Jacinthe s'indigna pour la forme:

– J'en ai même pas mangé!

Sans relever la tête des focaccias qu'il badigeonnait de sauce tomate, il lança:

– Essaye pas, je t'ai vue!

La brique de fromage se cassa entre les doigts de Jacinthe. Elle grogna de nouveau:

– Toi pis tes goûts de luxe, Lessard! Pas de danger que t'achètes du fromage mozzarella comme tout le monde!

Le cellulaire de Victor se mit à bondir sur le comptoir. L'afficheur indiquait un numéro masqué. Il consulta Jacinthe du regard. D'un mouvement de tête, elle lui fit signe de prendre la communication.

– Allo?

Entendant respirer à l'autre bout du fil, il répéta l'interjection à quelques reprises. Un silence salua chacune de ses tentatives, puis la ligne se coupa. Victor pinça les lèvres et baissa les yeux au sol. Jacinthe hocha la tête.

– Simon Tanguay, encore? Pauvre p'tit coco.

La porte d'entrée claqua, des voix se firent entendre dans le couloir. Quelques secondes après, Loïc et Nadja entrèrent dans la salle à manger. Les mains sur les hanches, cette dernière s'extasia devant le travail accompli par Charlotte. Loïc et la jeune femme se rencontraient pour la première fois. Victor fit les présentations et ne fut pas sans remarquer l'intérêt mutuel qu'ils semblèrent se porter sur-le-champ. Et tandis que Loïc suivait des yeux Charlotte qui, dans le couloir, se dirigeait vers sa chambre pour se changer, Victor se pencha à l'oreille de son collègue et chuchota, d'un ton mi-figue, mi-raisin :

– Si jamais tu touches à ma fille, je t'arrache la face, le Kid.

Nadja, qui avait entendu la remarque, roula les yeux au plafond.

– Eille, Victor Lessard, arrête de faire ton mononcle, sinon tu vas dormir sur le divan !

Ils éclatèrent de rire à l'unisson.

Après avoir mis les pizzas au four, et tandis que les femmes avaient une discussion animée dans la cuisine, Victor fit faire le tour du propriétaire à Loïc. Aucune pièce n'était tout à fait aménagée et il avait encore un tas de boîtes, de meubles et d'affaires à rapatrier de son appartement de la rue Oxford, mais la première chose qu'il avait accomplie après la prise de possession du condo avait été d'assembler les bibliothèques IKEA et de brancher sa chaîne stéréo.

Les mains dans le dos, Loïc examinait la tranche des CD, des DVD et des vinyles classés sur les rayons. À l'évidence, les goûts de Victor en matière musicale étaient éclectiques – plusieurs titres lui étaient inconnus – , mais il fut agréablement surpris de constater que tous les albums de Nirvana y figuraient. Parmi la sélection de films, des titres comme *Fight Club, Pulp Fiction, Casablanca, No Country for Old Men, Le fabuleux destin d'Amélie Poulain, Apocalypse Now, Saving Private Ryan, Slap Shot* ainsi qu'un coffret de Hitchcock attirèrent son attention. Il y avait aussi une trentaine de livres de référence sur Mohamed Ali. Loïc tira la pochette d'un vinyle et observa la couverture, qui représentait un Noir, les joues gonflées, en train de souffler dans une trompette.

Le jeune policier se tourna vers Victor.

– C'est bon, Miles Davis?

– T'en as jamais écouté?

– Je tripe pas sur le jazz.

– Pas besoin de triper sur le jazz pour aimer Miles Davis. Attends…

Victor sortit le vinyle de sa pochette, l'essuya avec soin, puis le déposa sur la platine. Et tandis que les premières notes de *So What* résonnaient dans le salon, il laissa Loïc en tête-à-tête avec le maître et retourna à la cuisine vérifier où en était la cuisson des pizzas.

Simple mais copieux et délectable, le repas se déroula dans une ambiance décontractée et fut ponctué par les anecdotes cocasses de Jacinthe et de nombreux fous rires. Par la suite, Charlotte se retira dans sa chambre tandis que les enquêteurs demeuraient attablés. Victor avait improvisé ce souper en compagnie de ses collègues pour leur permettre de faire le point dans une atmosphère plus détendue que celle du bureau. Avant de se lever et de commencer à débarrasser, il narra avec concision les avancées faites au cours de la journée. Le sergent-détective précisa aussi qu'il avait confié à un de ses informateurs la tâche de faire des vérifications auprès de ses contacts dans le milieu pour valider les allégations de Gagné concernant le crime organisé. Cependant, il omit à dessein de préciser que cette source était Giacomo Talone. Il faisait confiance à ses collègues mais souhaitait remuer le passé le moins possible. Après avoir récapitulé sa journée en compagnie de Loïc, Nadja conclut pour sa part :

– Ça fait plus d'une semaine qu'on épluche les dossiers du commandant Tanguay. On a fouillé dans toutes sortes de directions, mais on n'a rien trouvé dans les dossiers en cours ni dans les archives subséquentes à 2010.

Une à une, Victor rinçait les assiettes et se penchait pour les placer dans le lave-vaisselle. Il s'interrompit un moment.

– Tant qu'on n'aura pas écarté l'hypothèse que la mort de Tanguay est peut-être reliée à ses fonctions, on va devoir continuer à creuser et revenir encore plus loin en arrière.

Nadja le regarda d'un air résolu.

– On va s'attaquer aux archives antérieures à 2010 dès demain. S'il y a une chose qui cloche, on va la trouver.

Jacinthe lorgnait avec intérêt les pâtisseries italiennes – des cannolis – dans l'assiette que Nadja avait déposée au centre de la table. Les mains croisées derrière la nuque, Loïc arrêta un instant de mâcher sa gomme.

– Si, au moins, on savait quoi chercher.

Victor posa une assiette sur le comptoir.

– On cherche quelque chose qui semble normal à première vue, qui a l'air d'être à sa place, mais qui ne l'est pas. Fie-toi à ton instinct, le Kid.

La vaisselle ramassée, Victor prépara des expressos déca pour Loïc et pour lui, ainsi que de la tisane pour Nadja et

Jacinthe. L'existence potentielle d'un dossier des affaires internes concernant Tanguay monopolisa le reste de la discussion. Jacinthe prit une gorgée de son infusion et grimaça, exaspérée. Elle avait failli se brûler la langue. Reposant sa tasse, elle risqua une hypothèse :

– Peut-être que le dossier disciplinaire est antérieur à ceux que vous avez consultés ?

Loïc fit éclater une bulle de gomme et prit la parole :

– Non, ça marche pas comme les archives. Avec les requêtes qu'on a faites, il aurait dû sortir en premier.

Du bout de son majeur, Nadja chassait les miettes et les déposait dans son assiette. Sans quitter la table des yeux, elle précisa :

– Ça ne veut pas dire pour autant que les affaires internes n'ont pas de dossier sur Tanguay. Peut-être que l'accès est limité à un échelon de sécurité supérieur à celui auquel le directeur nous a autorisés.

Les mains jointes sous le menton, Victor approuva :

– Quoi qu'il en soit, Jacinthe et moi, on a clairement eu l'impression que Lachaîne et Masse cachent quelque chose.

Ils restèrent un long moment sans parler, puis Loïc rompit le charme :

– Tu vas parler au directeur ?

Victor répondit la même chose qu'à Jacinthe plus tôt, mais il omit de mentionner la mission singulière qu'il avait confiée à sa coéquipière.

Dernière à partir, Jacinthe insista, sous le regard amusé de ses hôtes, pour « apporter les deux cannolis restants à Lucie ». Dès qu'elle eut franchi le seuil, Nadja vint blottir sa tête dans le creux de l'épaule de Victor. Elle le complimenta pour le souper tandis qu'il se penchait pour humer l'odeur de son cou. Ils se tinrent un moment enlacés, puis elle releva la tête vers lui.

– À quoi tu penses, mon amour?

Il hésitait à lui parler de sa rencontre avec Giacomo Talone et du mandat qu'il avait confié à Jacinthe. Plongeant le regard dans les yeux de jade de son amoureuse, il mentit:

– À rien.

Elle hocha lentement la tête et sourit. Un sourire dévastateur qui illumina ses cheveux de jais et son teint de cuivre.

– Chéri… qu'est-ce que tu nous caches?

Victor ferma les paupières et se figea. Elle lisait en lui comme dans un livre ouvert.

LA VIOLENCE ET LE SACRÉ

On sait, désormais, que dans la vie animale, la violence est pourvue de freins individuels. Les animaux d'une même espèce ne luttent jamais à mort ; le vainqueur épargne le vaincu. L'espèce humaine est privée de cette protection.

– René Girard

CHAPITRE 49

La pièce noire (2)

– Je n'ai aucune idée de ce que vous voulez dire, de quoi vous parlez.

– Laissez-moi vous raconter une petite histoire. C'est un bon père de famille. Il a une gentille conjointe qui l'aime, des enfants, un bon boulot, une jolie maison, une belle voiture. Tout est parfait, sauf que, dans sa tête, il pense sans cesse à baiser toutes ces jolies filles qu'il croise dans la rue. Il les désire au point que ça occupe chacune de ses pensées, au point qu'il est envahi d'idées délirantes. Tenez, dans ses fantasmes, il imagine que tout à coup le monde autour de lui s'immobilise, que les passants se figent et qu'il peut alors choisir les filles dont il a envie pour satisfaire sur-le-champ ses plus vils désirs et ensuite en disposer comme des objets jetables. Petit à petit, il en devient obnubilé : vous savez, chaque fois que notre bon père de famille parle à une fille, il se persuade qu'elle s'intéresse à lui. Après un moment, il est certain qu'elles s'intéressent toutes à lui. Et puis, un jour, il n'en peut plus, de toute cette souffrance : il se met à en suivre une en voiture. Convaincu qu'il ne lui fera rien, il se contente de l'observer et de se masturber. Mais, ce soir-là, une pulsion plus forte que toutes les autres l'envahit et le force à sortir de la voiture. Tout lui semble irréel : la qualité de l'air, la réverbération des sons, l'éclat de la lumière. Si vous l'interrogiez par la suite, il jurerait qu'il se trouvait dans un rêve, qu'il était sorti de son propre corps, que ses pensées ne contrôlaient plus ses membres. Son cœur cogne avec force dans sa cage thoracique ; il ne voit que la pointe de ses propres chaussures fouler le trottoir. Il suit la victime. Elle est là devant lui, telle une offrande. Puisqu'il s'agit de la première fois, il ne saurait expliquer comment il réussit à faire le bon geste au bon moment, mais il s'approche par-derrière, bondit et place un couteau sur sa gorge. Il l'entraîne dans une ruelle où il la force à lui faire une fellation. L'agression n'a duré que quelques secondes, mais elle marquera le reste de sa vie. C'est son premier passage à l'acte : il a ouvert la porte de la pièce noire pour la première fois. Après avoir éjaculé, il ressent un tel bonheur, si heureux d'avoir été lui-même un instant, qu'il tend la main à sa victime pour l'aider à se relever et la remercie. Oh, bien sûr, ouvrir la porte de la pièce noire n'efface pas toute une vie d'acquis d'un simple claquement de doigts. Tapi dans l'ombre, aussi sévère que cruel, son surmoi dirige une agression contre lui-même. Et bientôt la culpabilité le ronge et il regrette longtemps son geste, se dit qu'il ne recommencera jamais plus, qu'il a eu un moment d'égarement. Pendant quelques semaines, son besoin de punition le rapproche de sa femme. Peut-être même qu'il se sent de nouveau amoureux d'elle. Du moins, il essaie de s'en convaincre. Puis, peu à peu, ses souvenirs s'embrouillent, vont même jusqu'à se modifier. Le sentiment de culpabilité décroît, s'estompe. Il ne l'a pas vraiment agressée. C'est elle qui l'a bien cherché. D'ailleurs, il n'entretient pas de véritable remords. Car son inconscient comprend que c'est lui, la véritable victime de l'agression. Puis les jours passent, et chaque ride du visage de son épouse redevient un cratère. Le galbe de ses hanches lui paraît de moins en moins invitant. Il se masturbe de plus en plus fréquemment. Dans la rue, chaque fille qu'il voit lui fait l'effet d'une agression. Il est persuadé qu'elles le désirent toutes. Un jour, il n'y tient plus. La porte s'ouvre encore une fois. Une deuxième femme est agressée, puis violée. Il croyait avoir vaincu ses démons, mais il n'a pu s'empêcher de retourner dans la pièce noire. Déjà, celle-là, il aura plus de mal à se souvenir de son visage. Parce que son inconscient la dépersonnalise et le persuade que c'est elle et ce qu'elle représente qui sont responsables de ses maux. Les modèles de société lui disent qu'il a tort, qu'il est un prédateur sexuel. Alors que la seule vérité, c'est qu'il n'est plus capable de sublimer ce qu'il ressent au fond de son ça : ses pulsions, ses instincts, qui il est *vraiment*. Ses proches diraient qu'il est une bonne personne, ils seraient prêts à jurer qu'il n'est pas un monstre. Il retourne au travail le lendemain matin, écrit un statut trivial sur sa page Facebook. Que s'est-il passé ? Il a simplement ouvert la porte… Et à mesure qu'il se permet de descendre dans la pièce noire et d'exprimer sa véritable nature, son besoin de punition s'atténue et les satisfactions substitutives, celles qui devraient en principe diminuer sa souffrance, ne suffisent plus. Alors les victimes se succèdent de plus en plus rapidement. Libéré de ses amarres, notre bon père de famille vogue vers le large et se réalise enfin complètement pour la première fois. Et dès lors, il s'agit non plus d'une pièce obscure mais d'une pièce de lumière. Car, voyez-vous, le but recherché par tout individu dans son développement est le plaisir. Or, la faillite de la société est de laisser croire que cet homme est une exception alors que c'est exactement le contraire. Ces pulsions qui grouillent au fond de chacun de nous, la société les chloroforme afin de pouvoir exister. Ce faisant, elle relègue à l'arrière-plan le bonheur des individus qui la composent.

– Vous citez Freud pour essayer de me convaincre, mais je sais où vous voulez en venir, je comprends très bien ce qui se cache derrière chacun de vos mots.

– Vraiment? Alors, laissez-moi vous dire ceci : il faut cesser d'avoir peur des mots. Le monde d'aujourd'hui a trop peur des mots. On édulcore, on rogne, on polit, on lisse. Et à la fin, toutes les différences s'aplanissent, la vanille goûte la merde, on ne dit plus rien. On balance du vide, on ment à répétition tandis qu'à l'intérieur, dans sa chair, on ressent autre chose. Pour que la vie en société soit possible, on dit le contraire de ce qu'on pense. Et surtout, on se ment à soi-même. On se ment jusqu'à perdre de vue ses propres convictions, ses besoins, son essence même. Jusqu'à ce qu'on emprunte la porte, qu'on descende dans cette pièce obscure fermée à double tour. Comprenez les mécanismes, acceptez-les. L'éthique est trop exigeante, elle se soucie trop peu du moi : elle édicte un commandement sans se demander s'il est possible de l'observer. Tant que la vertu ne trouvera pas sa récompense sur cette terre, l'éthique prêchera en vain. Élevez-vous, bon sang ! Libérez-vous, repoussez les limites des clichés dont s'abreuve la masse. Les notions de bien et de mal telles que la civilisation les conçoit ne sont pas deux points opposés à chaque bout d'un spectre. Ce sont deux courbes qui se rejoignent pour former un cercle parfait. Acceptez d'être qui vous êtes. Acceptez qu'il soit dans la normalité des choses qu'il y ait des prédateurs et des victimes. On dit que l'humain est la seule créature du règne animal qui prend plaisir à tuer ses congénères. On voudrait nous faire croire le contraire, mais il s'agit précisément là de la nature humaine. Cessez de vous obliger chaque jour à de nouveaux renoncements pulsionnels. Peu importe la situation, il y aura toujours un prédateur et une proie. Cessez de croire que vos actes vous refoulent hors de l'humanité ou qu'il reste chez vous quelque chose d'avant la chute. Vous ne pouvez échapper à votre nature profonde. Certains d'entre nous doivent tuer pour survivre.

NEUVIÈME JOUR

(Mardi 23 juillet)

CHAPITRE 18

Veilleur de nuit

Cette nuit-là, Grant Emerson sortit de sa chambre noire en bâillant. Il venait de laver et de mettre à sécher ses dernières photos. Il s'engagea dans le bric-à-brac de la pièce principale de son appartement. Des cordes tendues entre les murs segmentaient l'espace. Retenues par des épingles à linge, des photos noir et blanc flottaient dans l'air. Il s'agissait d'un assortiment de portraits de Myriam ainsi que des photos des avis de recherche qu'il avait placardés au cours des derniers mois. Dans ce dernier cas, chaque image portait, inscrits au marqueur, la date du jour ainsi que le lieu où il avait installé l'affiche. Grant entra dans la cuisine et se confectionna un sandwich au jambon cuit qu'il mangea debout devant le comptoir. Se frottant les yeux de fatigue, il arrosa son repas de quelques lampées de café.

En sourdine, une radio diffusait l'émission *Fabi la nuit*. Discutant avec un auditeur de sa voix grave et feutrée, l'animateur se livrait à une véritable charge à fond de train contre les «pas bons qui ont mis l'argent de nos impôts dans leurs poches au lieu de réparer nos routes comme du monde». L'intervenant voulut le reprendre. Son commentaire mit l'animateur en rogne. Ce dernier bougonna quelques secondes, pourfendit l'auditeur, puis mit fin à l'appel avant de passer à une pause publicitaire.

Grant composa le numéro de téléphone afin de joindre la station de radio. Après qu'il eut parlé au réalisateur de l'émission, on le mit en attente. Il entendit la fin du dernier message publicitaire dans le combiné, puis la voix chaude de l'animateur résonna dans son oreille :

– Bien, il est 1 h 05, nous allons poursuivre au téléphone. Alors, nous allons parler à... euh... est-ce que nous parlons bien à Grant ?

– Oui, c'est exact. Bonsoir, monsieur Fabi.

– Bonsoir, monsieur.

Grant Emerson déglutit. Sa voix tremblait.

– Écoutez, c'est la première fois que je vous téléphone...

– Alors, bienvenue à l'émission. Quel est le sujet que vous voulez aborder ce soir ?

– Je suis un ancien militaire, moi, monsieur Fabi. J'ai servi à Chypre. J'étais là quand il y a eu l'invasion de 1974, quand les Turcs ont débarqué. C'était pas évident. Il a fallu se défendre. Tout le monde parle de l'Afghanistan, mais on a oublié ce conflit qui a impliqué le Canada.

– Effectivement, c'est un conflit assez méconnu, monsieur. Pour tout vous dire, moi-même, je le connais très peu. C'est pas comme en Afghanistan, où le Canada a perdu des centaines de soldats. Des petits gars de chez nous qui sont allés mourir dans le désert. Et pourquoi, au juste ? Enfin, ça, c'est une autre question.

– Mais il y a eu des morts aussi à Chypre, monsieur Fabi.

– Alors, vous téléphonez pour nous parler de Chypre, monsieur ? Est-ce qu'il y a une commémoration que j'aurais manquée, une journée anniversaire ?

– Non, non... Je vous appelle juste parce qu'on oublie tout, monsieur Fabi...

L'animateur soupira. Il commençait déjà à perdre patience, mais lança d'un ton badin :

– Ah, ça, j'imagine que vous avez un peu raison. On est tous un peu nostalgiques.

– Non, non, c'est pas ça, le problème...

– Écoutez, monsieur, vous mentionnez la guerre de Chypre, puis vous dites qu'on oublie tout. Je veux bien, mais de quoi voulez-vous qu'on parle finalement?

– On a oublié Chypre et plein d'autres choses, c'est vrai. Mais, là, c'est ma petite Myriam qu'on oublie, monsieur Fabi.

– Attendez une minute, vous là... C'est qui, ça, Myriam?

Grant répondit d'une voix étranglée par l'émotion:

– C'est ma fille. Myriam Cummings. Elle a disparu. On n'a plus de nouvelles d'elle depuis le mois de février.

Le ton de Fabi se radoucit, se fit empathique.

– Vous m'en voyez désolé, mon cher monsieur. Dites-nous ce qui s'est passé, au juste.

– Oh, dans le fond, on sait pas grand-chose. Elle était supposée aller rejoindre une amie à Longueuil, mais elle s'est jamais rendue là-bas.

– J'imagine que la police enquête?

– La police est supposée enquêter, mais, si vous voulez mon avis, ils se traînent les pieds.

– Qu'est-ce qu'ils vous ont dit?

– Qu'ils avaient rien de nouveau pour l'instant. Qu'ils m'appelleraient pour me tenir au courant. Mais ils rappellent plus.

Les premiers jours, Grant était resté en contact avec la police de façon régulière. Les enquêteurs chargés du dossier s'étaient d'abord faits rassurants, mais il y avait effectivement déjà plusieurs semaines qu'ils ne répondaient plus à ses messages.

L'animateur reprit la parole:

– Normalement, s'ils ne font rien, c'est parce qu'ils ne trouvent rien. C'est quand même des gens compétents, jusqu'à preuve du contraire. Mais vous, qu'est-ce que vous pensez qu'il lui est arrivé, à votre fille?

– Je connais bien le milieu du crime, monsieur Fabi. Je travaillais comme photographe à *Allo Police* dans le temps. Je sais que des fois elle fréquentait des gars d'un gang de rue. Peut-être qu'ils la forcent à danser nue, quelque part, ou encore à se prostituer. La police dit qu'ils les ont interrogés, mais ils font rien. Je sais où ils restent, moi, les gars. Si ça continue de même, je vais m'en occuper tout seul. Ça me prendrait pas plus que dix minutes pour les faire parler, je vous en passe un papier.

– Faut pas être excessif non plus ni essayer de se faire justice soi-même. Je comprends votre désarroi, mais vous prononcez des paroles que vous pourriez regretter. Il faut respecter la loi, monsieur.

– C'est les maudits gangs de rue, le problème, monsieur Fabi... Eux, ils respectent pas la loi. Si on veut les attraper, il faudrait faire comme eux autres.

– Je ne suis pas certain de partager votre opinion là-dessus, monsieur, mais c'est vrai qu'on est tannés des gangs de rue et qu'on espère que les policiers vont faire davantage leur travail. Non pas pour mettre un terme à leurs activités, faut pas rêver en couleurs, mais juste pour leur faire des petites misères, une fois de temps en temps.

– Vous savez, monsieur Fabi... la police est souvent aussi croche que les bandits. Des fois, j'aurais le goût de faire le ménage là-dedans. Je les alignerais tous sur un mur, les gangs de rue pis les policiers, pis je tirerais dans le tas!

– Écoutez, monsieur, je ne peux pas vous suivre dans ce genre de discours là, mais je comprends votre situation, croyez-le, et les auditeurs la comprennent aussi. Mais il faudrait faire attention à ne pas dire des choses qui pourraient vous coûter cher.

– Il y en a qui méritent juste de mourir, monsieur Fabi.

– Vous avez droit à votre opinion, monsieur. Nous vous souhaitons la meilleure des chances dans votre épreuve, qui n'est certainement pas facile. On va prendre un autre appel.

– Merci, monsieur Fabi.

– Merci à vous, monsieur. Passez une bonne nuit. Nous allons parler maintenant à Suzanne, je crois…

Une voix nasillarde remplaça celle de Grant. Ce dernier mit fin à la communication et éteignit la radio. Il regarda le pistolet posé devant lui, sur la table. Lorsqu'il les retrouvait, il éliminerait les responsables de la disparition de Myriam de sang-froid. Il y était résolu. Et ce ne serait pas la première fois qu'il tuerait.

CHAPITRE 19

Valeri Mardaev

Agacé par le grondement du climatiseur installé dans la fenêtre de sa chambre, Victor tira sur sa cigarette électronique, puis, paupières closes, il rejeta dans l'air un petit nuage de vapeur. Incapable de trouver le sommeil mais englué par le somnifère qu'il avait avalé avant d'aller se coucher, il s'était réfugié dans le fauteuil placé à la droite de son lit. Un dossier ouvert reposait sur ses genoux et des photographies de la scène de crime étaient étalées sur le plancher, devant lui. À la lueur de la lampe frontale qu'il gardait dans le tiroir de sa table de chevet, il les examina pour une énième fois. Rongé par une sourde anxiété, il observa ensuite avec envie le sommeil paisible de son amoureuse, dont la poitrine se soulevait et s'abaissait à un rythme régulier.

Victor avait fini par s'assoupir dans le fauteuil lorsque la vibration de son cellulaire le tira des limbes. Il allongea le bras, ses doigts patinèrent un instant sur la table de nuit puis remontèrent jusqu'au halo où bondissait l'appareil. Sur l'écran, il vit l'horloge qui marquait 3 h 23 et le nom de sa coéquipière.

Il répondit en chuchotant :

– Donne-moi une seconde, Jacinthe.

Marchant sur la pointe des pieds, il sortit en douce de la chambre pour ne pas réveiller Nadja. Il entra dans la salle de bains, leva la lunette de la toilette et se mit à uriner.

Il reprit enfin d'une voix pâteuse :

– Je t'écoute.

Jacinthe, qui semblait en pleine possession de ses moyens, annonça :

– On en a un deuxième. Même genre de graffiti. Apparemment que c'est pas beau à voir.

Victor sortit brusquement de sa torpeur et remonta son caleçon.

– Un autre policier ?

– Non. Juste un *dude*.

Téléphone coincé entre l'épaule et le menton, il se savonna les mains.

– J'entends couler de l'eau. Étais-tu en train de pisser ?

Il secoua ses mains mouillées dans l'air, puis les frotta contre son caleçon pour les sécher.

– On peut rien te cacher. Où a-t-on retrouvé le corps ?

– Ha ! Je le savais ! Ils l'ont trouvé à Montréal-Nord.

Il reprit le cellulaire dans sa paume et marcha vers la cuisine en grommelant. Il n'était pas d'humeur à plaisanter.

– Merde ! Ça fait chier, ça.

– Voyons, Lessard, t'es ben scatologique à 3 h du matin !

Victor fut surpris que sa coéquipière pût employer un tel mot sans mélanger quelques syllabes. Il attribua cela à Lucie, la conjointe de Jacinthe, qui avait dû lui reprocher le même type d'écart à de si nombreuses reprises qu'elle avait fini par retenir le terme.

– Peux-tu venir me chercher ?

Jacinthe répondit par l'affirmative et mit fin à la communication. Lorsque Victor revint dans la chambre pour prendre ses vêtements, Nadja s'habillait à la lueur de sa lampe de chevet. Les mains derrière le dos, elle agrafa son soutien-gorge et déclara d'un ton péremptoire :

– Je viens avec vous.

L'air confus, il fit signe que oui. Puis, pivotant sur lui-même sans rien dire, il retourna dans la salle de bains et se mit à fouiller dans la pharmacie en quête de comprimés d'acétaminophène. Une douleur lancinante lui vrillait les sinus.

Assis sur la banquette arrière de la voiture banalisée, les idées encore embrumées par les relents du somnifère, Victor regardait le décor défiler sans prendre part à la conversation qui se déroulait entre les deux femmes, à l'avant. Tout au plus comprit-il qu'il était question de rénovations et qu'elles se moquaient du fait qu'il n'était « pas très manuel ».

Ayant le pied aussi pesant que le reste, Jacinthe tourna brusquement à gauche et engagea la voiture dans une rue sordide. Le bungalow désaffecté où gisait le corps de la victime apparut dans leur champ de vision. Tandis que sa coéquipière rangeait le véhicule banalisé, Victor hocha la tête à la vue du portrait trop familier qui s'offrait à lui : gyrophares allumés, des voitures de police bloquaient la circulation ; un fourgon de l'Identification judiciaire était garé devant l'entrée de la maison ; des rubans de plastique jaune avaient été tendus pour en restreindre l'accès. Malgré l'heure, ils étaient une dizaine de curieux à se masser derrière le cordon érigé par les patrouilleurs.

Victor déplia sa carcasse et sortit du véhicule en se tenant le bas du dos. En marchant dans l'allée, il observa la maison de briques beiges, typique du quartier, le cadre de porte pourri et les fenêtres de la façade placardées. Il entra le premier. Jacinthe et Nadja lui emboîtèrent le pas. Passé le hall, près de la fenêtre d'une pièce qui avait dû, à l'origine, faire office de salon, il remarqua un divan défoncé qui baignait dans des miasmes de crasse, d'urine et de mégots de cigarettes. Une bouteille de deux litres de Coca-Cola, entamée du tiers, se trouvait à la gauche du meuble.

L'enquêteur hésita, s'avança d'un pas, puis se ravisa : ils verraient ça plus tard. Dans un état second, il repéra l'escalier qui menait à la cave et s'y engagea. C'est lorsqu'il posa le pied sur la dernière marche que le déclic se produisit. Là, l'odeur écœurante de la mort, du sang poisseux et de l'humidité vrilla dans ses narines et fit se replier son estomac sur lui-même. Sur ses talons, Jacinthe et Nadja durent s'écarter en catastrophe pour le laisser passer tandis qu'il agrippait la main courante et remontait à toute vitesse vers la sortie. Il vomit dans l'herbe, sur le côté de la galerie.

Après avoir fumé une cigarette et discuté avec un patrouilleur, Victor rentra dans la maison. Seul devant le divan, il observa un moment la bouteille et les mégots mis en relief par les lueurs orangées du lampadaire filtrant à travers la fenêtre poussiéreuse. Loïc, qui se trouvait déjà dans la cave à leur arrivée, surgit dans la pièce. Ne sachant trop comment aborder son supérieur, il s'avança prudemment vers lui.

– Ça va, chef?

Victor ne répondit pas tout de suite. Les murs vacillaient encore autour de lui.

– As-tu de la gomme, le Kid? finit-il par murmurer.

Loïc lui tendit un paquet de Bubblicious à la fraise. Malgré sa nausée, Victor en enfourna une et mâcha quelques secondes, surnageant entre deux mondes. Puis il enfila ses gants de latex et passa sa lampe de poche à son collègue.

– Tiens, éclaire-moi donc...

Il mit un genou par terre, se pencha vers la bouteille de Coke encadrée par le faisceau de la lampe et, la maintenant d'une main au sol, dévissa le bouchon avec l'autre. Le bruit caractéristique du gaz carbonique qui s'échappe se fit entendre. Du plat de la main, il toucha la bouteille. La partie qui contenait du liquide était encore fraîche. Il prit un mégot de cigarette entre ses doigts et le renifla : l'odeur du tabac refroidi lui piqua les narines.

Le sergent-détective remit le bouchon et se redressa. Loïc plissa le front.

– T'es vert. T'es sûr que ça va ?

Victor esquissa une moue désabusée ; façon de montrer à son jeune collègue qu'il en avait vu d'autres.

Précédant Loïc, Victor redescendit l'escalier et s'arrêta sur le seuil : la cave n'était qu'un rectangle de béton. Il inspira profondément et fit quelques pas. Les yeux plissés, il observa autour de lui, enregistra dans leurs moindres détails les constituants de la scène : d'abord, sur sa droite, des cannes à pêche et de vieux vélos étaient appuyés contre le mur ; plus loin, sur celui du fond, une pile de matériaux de construction hétéroclites s'élevait jusqu'au plafond ; enfin, près du mur de gauche, la victime gisait, sanglée sur une chaise, le menton sur le thorax. Le manche d'un couteau sortait de l'abdomen. Derrière le corps, un pistolet ainsi qu'une casquette à l'effigie d'une équipe de basketball reposaient sur une table de métal. Jacinthe, Nadja et Jacob Berger tenaient un conciliabule près du cadavre. Puisqu'ils parlaient à voix basse, Victor ne saisit pas de quoi ils discutaient. Il releva la tête vers le mur où le tueur avait peint le graffiti mais détourna aussitôt les yeux pour reporter son attention sur la scène de crime. Il voulait s'attarder d'abord à ce qu'il pouvait constater lui-même à la lumière de son expérience et de ses réflexes, sans être au préalable influencé par ce que le meurtrier avait voulu leur communiquer.

Les techniciens de l'Identification judiciaire étaient déjà à l'œuvre ; des projecteurs avaient été disposés pour éclairer la cave, et des bâches de plastique recouvraient le sol aux endroits où il était permis de marcher sans crainte de contaminer les lieux. Outre le sang qui s'était répandu en flaques irrégulières autour de la chaise, des éclaboussures étaient visibles sur les matériaux de construction et sur le mur derrière le cadavre.

Lampe frontale allumée, Jacob Berger se pencha sur le corps, força des deux mains pour entrouvrir les mâchoires du mort et, à l'aide de ce qui ressemblait à une longue pince à épiler, extirpa quelque chose de la bouche. S'agissait-il d'un nouveau message à leur intention?

Comme c'était toujours le cas pour un homicide, un sentiment d'irréalité se dégageait de la scène. Les yeux du sergent-détective s'attardèrent pour la première fois sur le cadavre. Un homme jeune, le teint hâlé, pour autant qu'il pût en juger. La victime portait une chaîne en or massif autour du cou et un survêtement de sport lustré. Sous des strates successives de sang coagulé, Victor reconnut le pourpre et l'or du chandail des Lakers de Los Angeles. Il songea que l'homme avait eu autrefois un visage, peut-être même avec de beaux traits; un visage que, plus jeune, une mère avait chéri et embrassé. Et que ce visage n'était désormais plus qu'une mélasse de chair informe, une bouillie sanguinolente qui fleurissait au-dessus de son cou. Le policier secoua la tête de dépit. Il y avait trop de sang ici, trop de haine et de violence.

Victor peinait à détacher son regard du corps. Pour peu, il aurait pu jurer que le mort avait hoché la tête pour lui confirmer qu'il n'avait pas su reconnaître ni déjouer le mauvais sort. Il resta un moment les paupières closes à ruminer en silence. Lorsqu'il les rouvrit, il observa le sol derrière le cadavre. Plusieurs bombes de peinture aérosol avaient été laissées sur place. Il leva enfin les yeux vers le graffiti peint sur le mur de ciment. Tête légèrement penchée vers l'arrière, Victor observa l'œuvre pendant de longues minutes. Le même squelette aux yeux d'émeraude serrait un bonnet de père Noël dans sa main. À la différence du premier graffiti, le squelette tenait dans l'autre une corde avec un nœud de pendu dans lequel un homme au visage brouillé et aux longs cheveux gris passait la tête. L'individu ainsi représenté avait toutes les caractéristiques usuelles de l'homme d'affaires: tiré à quatre épingles, il était vêtu d'un costume sombre, d'une cravate rouge et d'une chemise blanche.

– Vraiment fucké, hein?

Victor remonta à la surface. Il avait oublié la présence de Loïc, qui se tenait à ses côtés.

– Qui nous a avertis?

Le Kid ravala sa bulle de gomme.

– Un appel anonyme au 911. Je l'ai écouté plusieurs fois. On dirait que c'est un jeune. Je dirais entre vingt et trente ans. Il parlait québécois.

S'agissait-il du meurtrier ou d'un témoin? Victor devrait écouter l'appel avant de se faire une opinion. Loïc désigna le corps d'un mouvement du menton.

– Je le connaissais.

Le sergent-détective se tourna vers son collègue, intrigué.

– Qui ça? La victime?

– Oui. Il s'appelle Valeri Mardaev. C'était un membre des Red Blood Spillers. Pas un enfant de chœur. Le gars qui lui a fait ça a des couilles en béton.

– Comment ça, tu le connais? Tu l'as rencontré quand t'étais aux stupéfiants?

Dans le cadre de ses fonctions comme agent double, Loïc avait infiltré un gang de rue de Montréal-Nord qui, dix-huit mois plus tard, avait été démantelé en grande partie grâce à son intervention.

– À l'époque, le gang sur lequel j'enquêtais était un peu comme le club-école des RBS. Mardaev venait parfois faire son tour. Il était aussi craint que respecté. C'est le genre de gars qui niaisait pas avec la *puck,* je te prie de me croire.

Dans la foulée, l'histoire d'amour du policier avec la sœur d'un des membres du gang avait mal tourné. La jeune femme était tombée enceinte pendant l'opération à laquelle

Loïc participait. Aussi, lorsqu'elle avait compris qu'il était responsable de l'incarcération des membres du gang, elle l'avait empêché de voir sa fille. La situation avait fini par se régulariser, Loïc ayant depuis obtenu des droits de visite.

Victor reporta son attention sur le cadavre.

– Quel âge, à peu près?

– Trente-deux ans. J'ai vérifié ses papiers.

– Une occupation «légitime»?

– Il travaillait dans un atelier de peinture de Harley Davidson.

Victor hocha la tête, plongé dans ses pensées. Loïc reprit.

– Le meurtrier l'attendait probablement. Y a aucune trace de lutte.

– On connaît le nom du propriétaire de la maison?

– Il s'appelle Baptiste Faustin. Son frère est membre en règle des Red Blood Spillers.

Victor regarda la casquette et le pistolet posés sur la table.

– D'après toi, c'est à Mardaev, la casquette et le Beretta?

– Je pense que oui. En passant, on trouve pas son cellulaire. J'ai fait une demande pour obtenir son numéro et un relevé d'appels. Ça me surprendrait que ça donne quelque chose. Ça serait bien le premier criminel que je rencontre qui utilise pas un prépayé.

Le sergent-détective acquiesça d'un signe de tête. Il continua à promener son regard sur la scène de crime, digérant les informations qui s'accumulaient. Comme il l'avait annoncé, le tueur venait de frapper de nouveau. Et même si, cette fois, il avait changé de méthode d'exécution – la tête de Mardaev était encore bien en place sur ses épaules –, il ne faisait aucun doute dans l'esprit de Victor qu'une seule et même personne avait commis les deux meurtres. Considérant la présence des graffitis, il n'aurait pu en être autrement. Et nul besoin d'être un expert pour conclure qu'ils provenaient de la même main.

Mais pourquoi le tueur avait-il changé de méthode? Outre sa tête, le corps de Tanguay n'avait pas encore été retrouvé. Ici, aucune tentative de dissimuler le cadavre. Victor ferma les yeux et fit le vide à l'intérieur, assimilant les données. Il ressentit tout à coup un grand calme et des images se mirent à défiler dans sa tête. Il imaginait le tueur assis sur le divan à l'étage, fumant cigarette sur cigarette pour tromper l'attente, buvant du Coke à même la bouteille. Le tueur et Valeri Mardaev se connaissaient-ils? Le tueur avait-il surpris sa victime ou, au contraire, avaient-ils rendez-vous?

Victor fit apparaître la photo du premier graffiti sur son téléphone cellulaire. Il observa avec minutie l'individu qu'affrontait le squelette. L'homme portait une grosse chaîne au cou, était vêtu d'une camisole et d'une casquette, et tenait un pistolet. Même pour quelqu'un qui ne possédait qu'un minimum d'imagination, il sautait aux yeux que le premier graffiti désignait Valeri Mardaev.

Victor reporta son regard sur le graffiti peint sur le mur devant eux. Du menton, il montra l'homme d'affaires en complet-cravate qui y était représenté. La voix du sergent-détective n'émit qu'un murmure, mais Loïc l'entendit distinctement:

– Il nous révèle qui sera sa prochaine victime et comment il va la tuer.

– È –

Lorsque Maxime commença à exprimer ses inquiétudes et son envie de retourner à la maison de façon insistante, le père Noël lui confia avec tristesse que sa maman était morte. Au début, le garçon parut engourdi par la nouvelle, puis il se fissura. Recroquevillé à côté de son lit, il pleura toutes les larmes de son corps pendant des heures entières. Bien entendu, le père Noël le consola et lui assura qu'il pourrait continuer de vivre avec lui. Maxime était enfant unique et son père était décédé dans un accident de voiture alors qu'il n'avait que deux ans. Après s'être remis du choc de l'annonce, le garçon insista tout de même pour rentrer chez lui, où ses grands-parents, pensait-il, ne manqueraient pas de l'accueillir.

– C'est impossible, petit…

– Mais pourquoi?

– Il y a eu un gros incendie. Ils sont tous morts, mon garçon.

Maxime se précipita dans le corridor.

– Je veux rentrer chez moi!

Le garçon dévala les escaliers et se rua vers la porte d'entrée. Il eut beau essayer de tirer le verrou et de chercher à l'ouvrir, il en fut incapable. Le père Noël le rejoignit calmement et le fit remonter dans sa chambre d'une main ferme.

– Je vais devoir te punir, Maxime.

Après avoir été sévèrement corrigé, le garçon passa les deux jours suivants enchaîné à son lit, dans l'obscurité de sa chambre, sans eau ni nourriture.

Maxime souffrait en silence mais, par-dessus tout, n'arrivait pas à croire qu'il ne reverrait plus jamais sa maman.

CHAPITRE 20

Dans les ténèbres

Derrière le volant de sa Jaguar F-Type Coupé, Clark Wood appuya sur un bouton et la grille de fer de l'entrée glissa sur ses rails. L'homme engagea le véhicule sur les dalles de granit de l'allée bordée d'arbres majestueux et se rangea près du bâtiment où était garée sa collection de voitures. Dominant les stationnements et située dans un cul-de-sac de l'avenue Jean-Girard, la maison de pierre colossale s'élevait sur quatre étages.

Wood éteignit le moteur et sortit un petit flacon d'ambre de la poche de sa chemise. Une chaînette fixée au bouchon retenait une cuillère effilée en or. Wood dévissa le bouchon, plongea l'ustensile dans le flacon et le ressortit ras de poudre blanche. Après avoir reniflé la cocaïne, il rempocha le flacon, ouvrit la portière et s'extirpa de sa Jaguar. Cravate défaite, veston ouvert, il marcha tranquillement dans l'allée, piqua à travers le jardin et s'arrêta un bref instant pour regarder les nénuphars sur l'étang. La nuit était douce. Un vent chaud balayait ses longs cheveux gris.

Wood leva les yeux, observa en souriant le ciel étoilé. Il avait passé une superbe soirée dans le donjon d'un couple faisant partie de la même société secrète que lui. Ceux-ci avaient d'ailleurs affirmé que la dernière cérémonie rituelle qu'il avait organisée chez lui huit jours plus tôt avait été grandement appréciée et le pressaient d'en tenir une autre très prochainement.

Pendant le repas, ils avaient consulté le catalogue sur le site sécurisé du courtier. L'une des jeunes femmes lui avait particulièrement plu. Wood se laisserait peut-être tenter de nouveau en cours d'année.

L'homme désactiva le système d'alarme et ouvrit la porte principale de sa demeure. Les reflets de la lune pénétraient par les fenêtres, éclairant les marches de l'escalier monumental. Au premier palier, la partie qui se courbait pour se prolonger par une mezzanine demeurait dans l'obscurité. Wood n'alluma pas l'imposant chandelier de cristal. Il appréciait les contrastes d'ombre et de lumière que créait le miroitement de la lune sur les planchers de marbre.

Il traversa l'interminable salon et marcha jusqu'à la cuisine. Là, il ouvrit l'une des portes du réfrigérateur double. Fouillant dans la poche de son pantalon, il sortit un élastique, rassembla ses cheveux et les noua en queue de cheval. Puis il attrapa un carton de lait, le porta à ses lèvres et en but la moitié en quelques gorgées.

Wood resta un moment devant l'immense porte vitrée, à contempler les lueurs de la ville. Il pensa qu'avant d'aller au lit, il irait vérifier si sa protégée avait mangé. Il aurait souhaité lui accorder plus de liberté, mais la dernière fois qu'il lui avait permis de sortir du bunker, elle avait tenté de fuir. Wood aurait aimé qu'elle coopère davantage. Il aurait voulu établir une relation vraie, lui permettre de se promener quelques minutes chaque jour dans le jardin, faire la conversation avec elle, développer ses habiletés sociales et parfaire son éducation pour qu'elle devienne une véritable courtisane. Elle lui appartenait, mais il ne pouvait avoir entièrement confiance en elle. Pas encore, du moins. Wood but le reste du lait, déposa le carton dans le casier prévu pour le recyclage et refit son trajet en sens inverse.

En marchant vers le hall d'entrée, il se remémora les moments forts de la soirée qui venait de se terminer et esquissa un sourire de contentement : il avait apaisé ses pulsions. Il laisserait sa protégée dormir en paix. Ou peut-être aurait-il envie de l'attacher sur sa table de sévices, voire de l'habiller en latex. Il verrait après s'être douché.

Wood allait s'engager dans l'escalier lorsqu'il perçut du mouvement. Quelque chose se balançait dans la pénombre, sous la mezzanine. Figé sur place, il plissa les yeux pour essayer de mieux distinguer, puis comprit : une corde pendait sous la balustrade. Un frisson d'effroi lui parcourut l'échine. Il ne put retenir un cri. À l'étage, une silhouette venait de remuer dans l'ombre.

CHAPITRE 21

Motivation

Tandis qu'autour du corps les techniciens de l'Identification judiciaire procédaient aux tests et prélèvements d'usage, les enquêteurs s'étaient retirés dans un coin de la cave en compagnie du médecin légiste. L'air intello, mince comme une liane, Jacob Berger était vêtu d'un pantalon beige et d'une chemise bleue fraîchement repassée.

Il s'adressa aux policiers sur un ton de professeur d'université :

– La victime semble avoir été torturée. On lui a découpé les gencives, entaillé les arcades et brisé sept doigts. Et il a été frappé au visage à de nombreuses reprises, probablement avec la crosse d'un pistolet.

Nadja rentra la tête dans les épaules en grimaçant.

– Et quelle est la cause du décès ?

Berger passa la main dans sa chevelure impeccable et gratta son menton fuyant.

– Il a reçu une trentaine de coups de couteau, uniquement au thorax. Alors, soit il est mort d'une hémorragie interne, au bout de son sang, soit l'un des coups a atteint le cœur. Je pourrai vous en dire plus après l'autopsie.

Jacinthe se tourna vers Victor. Elle murmura à son oreille :

– Pas si pire : ça fait pas mal moins de coups que la Chávez en a donné à son mari.

Victor acquiesça d'un signe de tête, puis reporta son attention sur le médecin légiste. Nadja interrogea ce dernier :

– Selon toi, est-ce que le nombre de coups dénote de la colère ?

Berger esquissa une moue. Il ne semblait pas convaincu.

– On n'est pas devant le schéma classique, ici.

Victor plissa le front.

– Qu'est-ce que tu veux dire ?

– Ce qui est bizarre, c'est que les blessures sont symétriques et ne se touchent pas entre elles.

Nadja poursuivit :

– Tu veux dire que le tueur n'a pas frappé deux fois par mégarde au même endroit ? Comme si les coups avaient été donnés avec une précision chirurgicale ?

Jacob Berger mit une main derrière sa nuque, s'étira le cou.

– C'est exactement ça.

Loïc intervint à son tour :

– Attends, Jacob. Tu veux dire que le tueur l'a poignardé de sang-froid ?

Le médecin légiste opina du chef. Jacinthe siffla entre les dents :

– C'est fucking sadique !

Berger renchérit :

– Ce gars-là a souffert le martyre avant de mourir.

Loïc tenta de réprimer son dégoût.

– Il a agonisé longtemps ?

– Selon moi, plusieurs heures.

Le jeune policier demanda :

– Est-ce que certaines blessures peuvent avoir été infligées après la mort ?

– Écoute, le Kid, c'est possible. Cela dit, à part les coups dans les organes ou dans les artères, ce n'est pas si simple de distinguer ceux qui ont été assénés *ante mortem* de ceux qui ont été donnés *post mortem*. Sauf que je peux déjà te dire sans crainte de me tromper que la très grande majorité des coups a été portée alors que la victime était encore en vie.

Chacun soupesa l'opacité des ombres qu'ils pourchassaient. Ils devaient interpréter les signes qu'ils percevaient, combler les vides, lire entre les lignes.

Le médecin légiste reprit la parole :

– Chose certaine, on a des fibres et des empreintes un peu partout sur la scène de crime. Comme pour le meurtre de Tanguay, le tueur ne semble pas s'inquiéter d'être identifié.

Victor ajouta :

– Et il y a probablement aussi son ADN en haut, sur les mégots de cigarettes et la bouteille de Coke. À moins que je me trompe, ça veut dire qu'il n'est pas fiché et qu'il pense pouvoir nous échapper.

Jacinthe haussa les épaules.

– Ou juste qu'il s'en sacre.

Le sergent-détective reconnut que c'était aussi une possibilité, puis relança Berger :

– Et le message que t'as trouvé dans sa bouche ?

Berger lui tendit le billet.

– Il aurait été tué hier après-midi, ce qui me semble plausible. Tiens, regarde.

Victor saisit le papier de sa main gantée de latex et le lut à vois haute :

« *Valeri Mardaev a été jugé et exécuté le 22 juillet, à 13 h 05. Tanguay était le premier, Mardaev, le deuxième, le dernier sera le père Noël.* »

Avec de grands sparages théâtraux, Jacinthe lança d'un ton narquois :

– C'est comme si le tueur voulait nous forcer à jouer à un genre de Clue inversé ! Tanguay tué avec le sabre japonais dans la ruelle, Mardaev, avec le couteau dans la cave. Ben, moi, je soupçonne que la prochaine victime va être le professeur Moutarde avec le séchoir à cheveux, dans le bain!

Victor ne put réprimer un sourire.

– C'était pas le *colonel* Moutarde?

Jacinthe sourit et fit signe que non.

– Pas par chez nous. Tu devais avoir la version américaine. De toute façon, moi, j'ai toujours tripé sur mademoiselle Scarlett!

Parce qu'il avait besoin de réfléchir et de quitter l'atmosphère oppressante de la cave, Victor remonta au rez-de-chaussée sans prévenir les autres. Par la fenêtre du salon, il observa les curieux massés derrière les rubans jaunes. Quelques minutes passèrent, puis il sentit une présence dans son dos. Une main dont il connaissait par cœur le toucher se posa dans son cou, et Nadja vint se placer sur sa droite. Il passa son bras autour de ses épaules. Elle regardait droit devant elle. Il n'aurait su dire si elle voyait la rue ou si son esprit vagabondait ailleurs.

– Qu'est-ce que t'en penses, Lessard?

Elle l'appelait souvent par son nom. Ça le faisait rire. Il inspira profondément.

– Le tueur commence par assassiner un policier, et là, un membre de gang de rue... C'est comme s'il s'attaquait aux pôles opposés d'un spectre. Le bien, le mal? Est-ce que c'est aussi simple que ça? Chose certaine, faudrait que Loïc et toi vérifiiez si des liens peuvent être établis entre Tanguay et Mardaev. Se connaissaient-ils? Tanguay a-t-il déjà enquêté sur Mardaev?

– Pas de problème... j'avais déjà prévu faire des vérifications dans le CRPQ.

Victor se mordit la lèvre inférieure.

– J'espérais qu'on pourrait écarter l'hypothèse voulant que le meurtre de Tanguay soit relié à sa fonction. Sauf qu'à la lumière de ce qu'on vient de trouver, on est obligés de la retenir.

Et on pourrait même l'élargir: les motivations du tueur ont-elles également un lien avec les activités professionnelles des victimes? Tanguay et Mardaev appartenaient à des univers qui n'existeraient pas l'un sans l'autre.

Nadja plissa les paupières. Une lueur s'alluma dans son regard.

– La loi et le crime...

Elle mit un moment avant de poursuivre:

– Les messages le laissaient déjà supposer, mais le fait que Mardaev a été représenté dans le premier graffiti confirme non seulement que le tueur ne choisit pas ses victimes au hasard, mais aussi qu'il a une motivation autre que son seul besoin d'assouvir ses pulsions.

Victor toussa dans son poing.

– Très juste. Moi, l'autre chose qui me frappe, c'est que Tanguay et Mardaev n'étaient pas des enfants de chœur, ils pouvaient très bien se défendre contre une agression.

Nadja renchérit sans hésiter:

– Je dirais même que le meurtrier prenait le risque de se faire lui-même tuer.

– C'est la raison pour laquelle il me semble évident ici que sa cible était Mardaev et personne d'autre qui aurait pu correspondre à un profil similaire.

– Parce qu'il a été torturé?

Victor acquiesça. Nadja reprit:

– Si le tueur a torturé Mardaev, alors c'est sans doute que celui-ci possédait une information qu'il voulait, un renseignement dont il avait besoin.

– Tout à fait. Et si on découvre ce qu'il cherchait à obtenir de Mardaev, on comprendra sa motivation.

Nadja prit une profonde inspiration, puis souffla l'air doucement.

– D'après toi, est-ce que Tanguay a aussi été torturé?

– Bonne question. Malheureusement, on pourra pas y répondre avant d'avoir retrouvé le corps.

Nadja écarta une mèche de cheveux qui lui retombait sur le front.

– On ne peut quand même pas exclure la possibilité que le tueur ait simplement torturé Mardaev par cruauté, ou encore pour le punir. C'est ce qui se faisait au Moyen Âge, non?

Victor hocha la tête et ferma les paupières, dépité.

– Et c'est ce qui se fait encore aujourd'hui, ailleurs dans le monde.

Il se tut. Des impressions vagues, qu'il tentait de clarifier, se disputaient son attention.

– J'ai du mal à voir le portrait d'ensemble, mais j'ai le sentiment que les motivations du tueur sortent de l'ordinaire. Il y a quelque chose que je n'arrive pas à cerner mais qui est là, sous nos yeux.

Il se frotta le visage avec les mains, puis les joignit derrière sa nuque.

– Peut-être aussi que je suis complètement dans le champ.

Nadja fit signe que non.

– Je pense pas. J'ai un peu la même impression.

Elle se tourna vers lui, attendant qu'il reprenne. Il finit par demander:

– Quelles sont nos certitudes, d'après toi?

Nadja réfléchit un instant et rassembla ses idées.

– Un, c'est la même personne qui est responsable des deux meurtres. Les graffitis sont trop identiques pour que ce soit un hasard. Deux, ce n'est pas un plagiaire. Personne n'a parlé à la presse du message laissé dans la bouche de Tanguay et Berger en a trouvé un second dans celle de Mardaev. Trois, le tueur connaissait sa prochaine victime et l'a mise en scène dans le premier graffiti.

Elle fit une courte pause, puis annonça:

– Quatre, la seule autre certitude que j'ai, c'est que je t'aime.

Il rit, enlaça son amoureuse quelques secondes, puis reprit une attitude professionnelle:

– Retournes-tu en bas?

La jeune femme acquiesça:

– Oui. J'ai encore deux ou trois trucs à demander à Berger.

– Pourrais-tu dire à Loïc que je veux lui parler?

Nadja répondit par l'affirmative. Elle posa une main sur la joue de Victor, qui la regarda avec tendresse.

– Ça va, Lessard?

Il fit oui de la tête. L'anxiété le rongeait, mais ça irait.

Victor se trouvait toujours à la fenêtre lorsque Loïc vint le rejoindre. Il attrapa son paquet de cigarettes dans sa poche, l'ouvrit et en coinça une entre ses lèvres.

– Est-ce que je peux t'en bummer une, chef? Je m'endors.

Les deux enquêteurs sortirent par la porte de devant. Victor tendit une cigarette à son collègue et lui offrit du feu.

– Écoute, le Kid, j'ai quelques questions à poser à Duvalier Joseph. Je pensais lui payer une petite visite et j'aimerais que tu m'accompagnes.

Loïc ouvrit lentement la bouche.

– Tu veux aller parler au chef des Red Blood Spillers?

Le sergent-détective se racla la gorge.

– Avec le gang que t'as aidé à démanteler, je comprendrais que tu sois pas à l'aise…

Le Kid recula d'un pas et leva les mains.

– T'as vécu pire que moi côté gangs de rue, chef.

Il n'y avait ni arrogance ni insolence dans sa voix. Seulement une volonté de rassurer son supérieur: il avait vaincu ses démons. Une myriade d'images revint cependant valser dans la tête de Victor. En 2003, il avait perdu deux de ses hommes au cours d'une surveillance qui avait mal tourné. Ils avaient été surpris dans leur planque par quatre membres des Red Blood Spillers défoncés au crystal meth. Sous les yeux horrifiés de Victor, ces derniers avaient sauvagement assassiné les enquêteurs Picard et Gosselin, leur infligeant de terribles sévices avant de les achever. Tenu en joue par l'un des gangsters, le sergent-détective ne devait la vie qu'au sang-froid de Jacinthe. Partie acheter des cafés, sa coéquipière était revenue au moment où ils allaient l'exécuter. Après avoir récupéré un fusil, elle avait surpris les membres de la bande et les avait abattus. Une longue descente aux enfers s'en était suivie pour Victor. Responsable de l'opération, il avait porté le blâme et avait été démis de ses fonctions. Il s'était ainsi retrouvé au poste de quartier 11, où il avait fait la connaissance de Nadja et du commandant Tanguay. Au passage, cette série noire lui avait coûté son mariage, avait perturbé son équilibre mental et l'avait fait glisser sur la pente de l'alcoolisme.

La voix de Loïc le sortit de sa torpeur. Il remonta à la surface.

– Excuse-moi, le Kid... j'en ai perdu un bout. Tu disais?

– Je demandais juste quand tu voulais y aller?

Le sergent-détective tira sur sa cigarette, expulsa un nuage de fumée.

– Quand on aura fini ici.

Victor jeta son mégot sur l'asphalte, puis l'écrasa du bout du pied. Il allait tourner les talons et rentrer dans la maison lorsqu'il surprit le regard d'un homme à la peau noire qui, de l'autre côté de la rue, partiellement dissimulé derrière un bac de recyclage sur roues, les observait. En se croisant, leurs yeux s'agrandirent; le temps se figea. Puis, tout à coup, l'autre rompit l'équilibre des choses, pivota sur lui-même et se mit à courir vers la maison d'en face. Le cœur de Victor bondit dans sa poitrine. Sans réfléchir, il dégaina son pistolet et se lança à toute allure à la poursuite du fuyard.

– Stop! Arrête-toi!

Le sergent-détective traversait à peine la rue que, déjà, l'autre disparaissait dans une cour arrière, par-delà une clôture. Le temps de réagir, Loïc et un des patrouilleurs lui emboîtèrent le pas. Une chasse à l'homme était lancée.

CHAPITRE 22

Course poursuite

Sans ralentir le rythme, Victor avait rengainé son Glock pour être libre de ses mouvements. Fléchissant les genoux, il posa les mains sur le dessus de la clôture de bois et bondit. Il amortit son saut, atterrit dans un petit jardin en friche et reprit sa course. Devant lui, l'ombre détalait à toute vitesse entre deux immeubles. Victor avait l'impression que son cœur battait partout dans son corps. À contretemps avec sa propre respiration, il entendit le souffle rauque du fuyard ricocher contre le mur de brique. Il perdit pied, dut mettre une main à terre pour conserver son équilibre, s'égratigna la paume mais repartit de plus belle.

Le paysage défilait. Tous les sens aux aguets, Victor ne cessait de se demander si le type était armé. Un seul projectile tiré dans sa direction et ce pouvait être la fin. Il connaissait les risques, mais quelque chose de plus fort que sa volonté l'empêchait d'interrompre sa course. Il avait d'ailleurs la conviction que c'était ce qui, à la base, différenciait ceux qui étaient nés pour être policiers des autres. Cette capacité de continuer à courir, même au péril de sa vie, quand la raison commandait d'arrêter; cette faculté de tout mettre en jeu dans les situations critiques et de ne jamais lâcher prise. À ses yeux, il s'agissait non seulement de l'unique façon de s'assurer que ceux qu'on avait assassinés puissent reposer en paix, mais aussi du seul moyen pour lui de cesser de les voir dans son sommeil. Les disparus pouvaient dès lors quitter la galerie de fantômes qui le hantaient souvent jusqu'au cœur de la nuit.

Les morts n'avaient plus de voix, alors Victor leur prêtait la sienne, jusqu'à ce que les coupables soient derrière les barreaux. Il le devait tant aux victimes qu'à lui-même. Et si, dans l'exercice de ses fonctions, une balle devait le faucher, il savait que ses collègues en feraient autant pour lui. C'était là son ultime réconfort. Ce qui lui donnait encore la force de se battre contre le mal qui, jour après jour, rampait hors des ténèbres et forçait la lumière à reculer.

Le fuyard sauta une autre clôture. Un chien se mit à aboyer. Un détecteur de mouvements s'alluma. Victor franchit l'obstacle à son tour. À l'extrémité de la cour, l'ombre heurta un lourd pot de terre cuite qui se renversa et se fracassa contre le sol. Le sergent-détective vit les fleurs s'éparpiller comme des taches de sang sur les dalles. Les deux hommes traversèrent une énième rue anonyme et s'engagèrent dans une nouvelle enfilade d'immeubles et de cours arrière.

La silhouette s'évanouit dans l'ombre, entre deux édifices. Victor essayait de garder l'autre dans son champ de vision, tâche compliquée par l'obscurité. La jambe qu'il avait failli perdre au cours d'une enquête précédente l'élançait, mais elle tenait le coup. La silhouette traversa une cour où des vêtements pendaient, entortillés à une corde à linge. Victor écarta une robe du coude. Où est-ce qu'il courait, cet imbécile? Le fuyard mit la main dans sa poche. D'instinct, Victor posa les doigts sur la crosse de son Glock, prêt à le dégainer. Il vit le type porter un objet à son oreille. Son cellulaire! Il faisait un appel!

Un regard par-dessus son épaule permit à Victor de constater que Loïc s'était rapproché. Moins rapide, le patrouilleur restait à bonne distance derrière. Ils débouchèrent sur une rue commerciale. Un chat qui la traversait avec nonchalance s'enfuit en entendant le bruit de leurs pas précipités sur le bitume. Quinze mètres devant l'enquêteur, l'ombre traversa à vive allure le parking d'une station-service. L'homme escalada ensuite un petit talus de gazon. Les poumons en feu, Victor se précipita à sa suite. Sa raison lui ordonna d'abandonner la poursuite, lui disant que c'était trop risqué, mais sa volonté, prenant le dessus, lui enjoignit de continuer à avancer, de poser un pied devant l'autre. Il savait qu'il ne pourrait pas soutenir ce rythme très longtemps, mais l'écart entre l'ombre et lui s'amenuisait. Il gravit une quinzaine de marches de ciment et déboucha dans un parc municipal. Du coin de l'œil, il aperçut l'homme qui disparaissait derrière la clôture métallique bordant une piscine publique. Victor arriva au coin, se plaqua contre le treillis et, étirant le cou, risqua un regard. Le fuyard cavalait à découvert sur un terrain de baseball. Victor reprit sa course et, sans ralentir, cria de toutes ses forces, intimant au type l'ordre de s'arrêter. Mais ce dernier continua de courir comme un dément.

Stopper pour jeter un regard au-delà de la clôture avait coûté quelques secondes à Victor, mais la chance lui sourit. En effet, alors qu'il semblait sur le point de lui échapper, l'homme trébucha et s'étala de tout son long dans l'herbe du champ centre. Il se releva aussitôt et se remit à courir, mais, à l'évidence, il s'était tordu la cheville. Cet accroc inespéré permit au sergent-détective de combler une partie de l'écart.

L'ombre s'engouffrait à présent dans une ruelle, derrière une rangée d'immeubles de la rue Louis-Francœur. Le vacarme d'une sirène de police montait dans l'air. Victor n'était plus qu'à quelques mètres de l'homme, assez près pour distinguer la marque de ses chaussures de course, mais ses poumons allaient exploser s'il continuait. De nouveau, il lui ordonna de s'arrêter, mais l'autre s'entêtait à poursuivre. Faute d'une meilleure option – il était hors de question qu'il utilise son arme –, le policier décida de jouer le tout pour le tout. Bondissant vers l'avant, il tenta d'empoigner le fugitif à la taille, glissa mais réussit à agripper ses jambes et à l'entraîner avec lui sur le sol. Ils s'écrasèrent d'abord dans un amas de sacs-poubelles, puis roulèrent sur l'asphalte. Ils se relevèrent tous deux d'un bloc. L'homme à la peau noire se rua vers son poursuivant et tenta de le frapper à l'estomac. Mû par un réflexe, Victor le bloqua avec l'avant-bras et lui flanqua un coup de pied dans le thorax. L'autre se dégonfla, posa un genou au sol, mais réussit à se relever. Le sergent-détective le cueillit d'un violent direct à la tempe. L'homme s'effondra comme une masse.

La scène s'était jouée en vingt secondes. Loïc arriva, haletant. Penché en avant, les mains sur les cuisses, Victor tentait de reprendre son souffle. Loïc agrippa l'inconnu par le col de sa veste et le tira vers lui. L'homme gisait, inconscient, sa tête ballottant dans le vide. Le Kid le recoucha avec précaution sur le côté et s'assura que rien n'obstruait ses voies respiratoires.

– Beau crochet.

À son tour, le patrouilleur arriva au pas de course, hors d'haleine. Victor s'était redressé et massait ses jointures endolories. Il se tourna vers Loïc.

– Tu le connais?

– Marcellus Jean. C'est un gars des Red Blood Spillers.

Une sonnerie annonçant l'arrivée d'un message texte retentit. Victor interrogea Loïc et le patrouilleur du regard, qui hochèrent la tête: ça ne venait pas de leur appareil. Le sergent-détective se rappela que, en traversant le terrain de baseball, l'homme avait porté un cellulaire à son oreille. Avait-il appelé du renfort? Victor fouilla les poches du gangster et trouva son téléphone. En lisant le texto reçu quelques secondes plus tôt, il sentit un grand frisson lui parcourir l'échine.

Il dégaina son Glock à la hâte et le braqua à deux mains devant lui, prêt à faire feu.

– Attention, on va avoir de la compagnie.

Loïc et le patrouilleur eurent à peine le temps de saisir leur arme que, sur leur gauche, les portes de garage d'un immeuble s'ouvrirent. Plusieurs hommes armés de fusils mitrailleurs et de pistolets en sortirent ; la plupart portaient un foulard noué derrière la nuque pour masquer leurs traits. En quelques fractions de seconde, tout dégénéra et les trois policiers, à présent dos à dos, furent encerclés. Sept hommes les tenaient en joue ; chacun des policiers avait lui aussi une cible au bout de son arme. La situation ne tenait qu'à un fil et pouvait basculer à tout moment. Des cris en français, en anglais et en créole fusaient de toutes parts et s'entremêlaient, chaque groupe sommant l'autre de jeter ses armes. Le pistolet de Victor était pointé sur la tête d'un des deux hommes au visage découvert, qu'il connaissait pour l'avoir déjà interrogé à quelques reprises dans le passé.

Braquant lui aussi une arme sur la tête de Victor, l'homme cria d'une voix forte et autoritaire :

– Assez !

Le silence tomba d'un coup sec. Le chef des Red Blood Spillers avait parlé ; ses hommes s'étaient tus. Victor déglutit. Un flux glacé lui parcourut la colonne vertébrale. La peur. Pourtant, lorsqu'il prit la parole, sa voix coula, calme et assurée ; les traits de son visage affichèrent de la désinvolture et même un soupçon d'arrogance.

– Tiens, Duvalier Joseph. Je parlais justement de toi à mon *partner*... On voulait te voir pour te poser quelques questions. Pas vrai, Loïc ?

N'apercevant pas le visage de son coéquipier, le sergent-détective voulait établir un contact avec lui pour s'assurer qu'il n'était pas intimidé et qu'il demeurait prêt à réagir.

– Absolument, chef.

Sur sa droite, Victor entendit le patrouilleur souffler bruyamment. Le jeune homme semblait presque en état d'hyperventilation.

– Et toi, monsieur l'agent, c'est quoi, ton nom?

– Olivier… Olivier Dionne.

– OK, Olivier, je vais t'expliquer ce qui va se passer. On va avoir une petite conversation avec notre ami Duvalier, c'est tout. OK, Olivier? On reste cool et tout va bien aller.

Le regard du sergent-détective passait d'un visage à l'autre, scrutait sans cesse les yeux des gangsters. Détail non négligeable, personne ne semblait défoncé. Victor savait d'expérience que le mélange arme à feu et crystal meth constituait un cocktail explosif qui rendait toute tentative de parlementer improbable.

– Ça va aller, Olivier? Respire, mon gars.

Les pensées de Victor tournoyaient à une vitesse folle. Il estimait que si les Red Blood Spillers avaient voulu les tuer, ils auraient déjà ouvert le feu. Il en concluait donc que leur manœuvre ne visait qu'à les intimider. Mais tout danger n'était pas écarté pour autant. Un geste mal interprété pouvait tout faire chavirer d'un seul coup. Et si Victor décelait dans les yeux des gangsters ce qu'il souhaitait ne pas y voir, il appuierait sur la détente sans hésiter et ferait exploser la cervelle de Duvalier Joseph. Se déclencherait alors une réaction en chaîne qui ne laisserait personne indemne.

La poitrine du jeune patrouilleur se soulevait et s'abaissait à un rythme irrégulier, mais il finit par se reprendre:

– OK… OK… Ça va aller…

Carrure de culturiste, longue cicatrice sous l'œil droit, dreadlocks, teint café au lait, le chef des Red Blood Spillers aurait pu passer pour une simple brute, mais son regard vif donnait à Duvalier Joseph une tout autre dimension.

Un mince rictus s'imprima sur ses lèvres.

– As-tu fini ton one man show, Lessard? Parce que, moi aussi, j'ai des petites questions pour toi.

Victor crâna.

– Si c'est pour me demander les coordonnées de mon coiffeur, ça va me faire plaisir.

Le métis émit un petit rire sarcastique qui dévoila deux rangées de dents parfaites. Il allait reprendre, mais le sergent-détective le coupa :

– Qu'est-ce que vous diriez de baisser vos armes, hein? J'ai l'impression que si quelqu'un lâche un pet, ça va finir comme dans *Reservoir Dogs*.

Fébrile, un petit Latino râblé se tenait à la droite de son chef. Seul autre membre du gang à ne pas dissimuler son visage sous un foulard, il souriait constamment, exhibant une dentition en mauvais état.

– Réservoir quoi?

Sans quitter des yeux le sergent-détective, Duvalier Joseph répondit :

– Ta gueule, Gélule. C'est un film de Tarantino. Eille, Lessard, explique-moi donc pourquoi t'as pris en chasse un de mes gars? Pis pourquoi tu l'as tabassé pour rien?

Du coin de l'œil, Victor jeta un regard à l'homme qu'il avait allongé d'un coup de poing. Celui-ci s'était assis en tailleur sur l'asphalte et, l'index et le pouce pinçant l'arête de son nez, reprenait peu à peu ses sens.

– Parce qu'il a essayé de se sauver d'une scène de crime.

– Es-tu en train de me dire que tu pourchasses tous les gars qui font du jogging? Tu voudrais quand même pas te retrouver avec un deuxième cas Villanueva sur les bras, hein?

Malgré l'apparence débonnaire de la conversation, la tension demeurait vive. Ils marchaient sur le fil du rasoir et, de part et d'autre, les index demeuraient crispés sur les détentes.

Prenant un air affecté, Victor soupira.

– Des fois, j'ai l'impression que le jogging est devenu la nouvelle religion. Mais ça, c'est une autre question. Écoute, si tu voulais des informations sur le meurtre de Valeri Mardaev, fallait venir me voir, pas m'envoyer ton garçon de courses.

Un bruit de sirène s'éleva de nouveau dans le lointain. Victor reprit:

– Duvalier, je te le demande encore une fois: baissez vos armes.

Le chef de gang haussa les épaules avec indifférence.

– Pourquoi nous? Baissez donc les vôtres en premier.

Son regard aiguisé se porta sur Loïc.

– Je te reconnais, toi. T'as infiltré et démantelé les Code Red. À ta place, je me serais fait refaire le visage et j'aurais changé de ville. T'es chanceux d'être encore en vie, *man*.

Victor pouffa de rire. La sirène de police hurlait de plus en plus fort.

– Duvalier, Duvalier, tu déconnes, là. Tu sais très bien que si quelque chose arrivait à Loïc, tu serais le premier à te faire embarquer.

Le chef des Red Blood Spillers lui rendit son sourire.

– Un gars perd pied en descendant dans son sous-sol, pis se brise le cou… Qu'est-ce que j'ai à voir avec ça?

– T'entends les sirènes, Duvalier? Dans deux minutes, la place va grouiller de policiers. Allez, rangez votre artillerie!

Le gangster lui décocha un clin d'œil.

– J'veux pas te décevoir, mais j'ai pas l'impression que tes amis vont se joindre à nous avant longtemps.

– Ah oui? Et pourquoi ça?

– Parce que j'ai des gars qui vont les attirer ailleurs pour qu'on se fasse pas déranger.

Victor feignit l'indifférence pour masquer son inquiétude.

– Tant mieux… Ç'aurait été dommage qu'on n'ait pas le temps de se parler.

Les traits du sergent-détective se modifièrent; son visage et son regard devinrent durs. Il semblait tout à coup plus grand et plus menaçant. La sirène s'éloigna, puis se tut.

– Qu'est-ce que tu veux, Duvalier?

– Savoir ce qui est arrivé à Valeri Mardaev.

– J'espérais que tu pourrais m'éclairer là-dessus.

Les deux hommes se toisèrent un moment, puis Victor déclara:

– Je peux rien te dire, c'est confidentiel. En plus, l'enquête fait juste commencer.

Le sergent-détective ferma un œil, parut avoir une idée soudaine. Il reprit:

– À moins que...

Duvalier Joseph plissa les yeux.

– À moins que?

– À moins que tu décides de m'aider.

– Ce qui veut dire?

– Ce qui veut dire que, de un, tout le monde baisse son arme et que, de deux, toi et moi on se parle à l'écart comme des gens civilisés. J'ai des questions à te poser: si je suis satisfait de tes réponses, tu pourras me poser les tiennes. Mais attention, je t'avertis tout de suite: je répondrai seulement si je peux.

– Comment je sais que je peux te faire confiance?

– Et moi?

Le chef de gang secoua lentement la tête, indécis.

– Me semble que le marché est pas mal à ton avantage, Lessard.

– C'est à prendre ou à laisser, Duvalier.

Quelques mots du chef des Red Blood Spillers avaient suffi pour que ses hommes baissent leurs armes. À la demande de Victor, Loïc et l'agent Dionne les avaient imités. Un peu comme le Warrior Brad «Freddy Krueger» Larocque et le soldat Patrick Cloutier durant la crise d'Oka, à l'été 1990, les deux groupes s'étaient ensuite affrontés du regard, nez à nez, jusqu'à ce que la voix de Duvalier Joseph tonne de nouveau et que les gangsters disparaissent par la porte de garage d'où ils étaient arrivés.

– Dis-moi, Duvalier, c'est quand la dernière fois que t'as vu Mardaev?

– Hier matin. On est allés déjeuner ensemble au Tim Hortons.

Le chef de gang et Victor se tenaient face à face, près de la clôture de bois qui bordait la ruelle. Duvalier Joseph avait accepté la cigarette offerte par l'enquêteur. Celui-ci avait demandé à Loïc et à l'agent Dionne de se tenir à l'écart; il avait par ailleurs donné l'ordre strict au jeune patrouilleur de ne pas utiliser l'émetteur fixé à sa veste pare-balles pour signaler leur position.

– Tu devais le revoir quand?

– On devait aller boire quelques bières ce soir.

– Sais-tu ce qu'il est allé faire dans la maison où on l'a trouvé?

– Non. Tout ce que je sais, c'est qu'après notre déjeuner, il avait rendez-vous avec un de nos clients.

– Un de vos clients… Tu veux dire: un de vos revendeurs?

Le chef de gang ouvrit les paumes vers le ciel.

– C'est toi qui le dis, *man*.

– T'es conscient que c'est peut-être lui qui a tué Mardaev?

La réponse fusa net, sans hésitation:

– C'est pas lui.

– Comment tu le sais?

– Disons qu'on a eu une petite discussion, lui et moi…

Victor se doutait bien que, dans la bouche de Duvalier Joseph, le mot «discussion» n'était pas employé dans son sens usuel.

– Ils se sont rencontrés où?

– À l'appartement du client.

– Tu sais à quelle heure Mardaev est parti?

– Vers 11 h.

– Ton client sait où il allait ensuite?

Le chef de gang fit non de la tête.

– Comment t'as appris sa mort?

– Quelqu'un m'a appelé tantôt, avec le cellulaire de Valeri, pour m'indiquer où je pouvais trouver son corps.

– Tu parles de la maison de Baptiste Faustin?

Une lueur d'étonnement s'alluma dans les yeux du chef de gang.

– Quoi, Duvalier? Tu pensais quand même pas que ça nous prendrait des semaines avant de découvrir que la maison appartient à un de tes gars? C'est qui, Faustin? On peut lui parler?

– Faustin a pas rapport. Il est à Port-au-Prince, présentement.

Victor hocha la tête. Si Faustin se trouvait à l'étranger au moment du meurtre, ça l'écartait de la liste des suspects. Il vérifierait cette information plus tard.

– OK, mettons. Donc, t'as reçu l'appel. J'imagine que t'as voulu aller vérifier sur place.

– Oui, mais vos gars étaient déjà arrivés. Alors, j'ai laissé Marcellus derrière pour essayer d'en apprendre un peu plus. T'sais, le gars que t'as assommé…

Un sourire narquois naquit au coin des lèvres de Victor.

– Et la voix au téléphone? Un jeune qui parlait québécois, c'est ça?

De nouveau, le gangster ne put cacher sa surprise.

– À part t'annoncer la mort de Mardaev et l'endroit où se trouvait son corps, il a dit autre chose?

Duvalier Joseph sourit et ne répondit pas. Victor insista :

– Qu'est-ce qu'il a dit d'autre?

– Il a dit de tout arrêter…

– D'arrêter quoi?

– J'en ai aucune idée, *man*.

– Quels mots il a utilisés, exactement?

Contrarié, Duvalier leva les yeux au ciel en soupirant.

– Il a dit quelque chose comme : « Arrêtez tout… Si vous continuez, j'te tue. »

Victor eut beau se creuser les méninges, il n'arriva pas à arrimer cette phrase avec d'autres éléments de l'enquête.

– La menace s'adressait à toi en particulier? Qu'est-ce qu'il voulait dire, à ton avis?

Le regard du métis devint plus sombre et plus inquiétant.

– J'en sais vraiment rien. Mais je vais te dire une chose: celui qui va me tuer va devoir se lever de bonne heure.

Tandis que le chef de gang parlait, le sergent-détective l'examinait attentivement. Et il ne décelait ni dans son regard ni dans son langage corporel le moindre élément lui permettant de conclure qu'il mentait.

– T'as une idée de qui ça pouvait être?

Duvalier ricana.

– Penses-tu vraiment que je serais ici si c'était le cas?

Victor fit la moue et décida de faire dévier l'entretien dans une autre direction.

– Est-ce que quelque chose dans le comportement de Mardaev t'a semblé différent, ces derniers jours?

L'autre réfléchit un moment avant de répondre:

– Non. Il était comme d'habitude.

Victor marqua une pause et pesa les mots qu'il allait prononcer.

– Qu'est-ce que tu peux me dire sur le commandant Tanguay? Est-ce que Mardaev et lui se connaissaient?

– Tu penses que le meurtre de Valeri est relié à celui de Tanguay?

– Attends ton tour. C'est moi qui pose les questions. Alors?

– Qu'est-ce que tu voulais savoir, déjà?

– T'as très bien compris, Duvalier.

Le visage du métis devint grave.

– Sérieux, je sais pas si Mardaev et Tanguay se connaissaient. Mais pour répondre à ta première question…

Le chef de gang hésita, jaugea longuement son interlocuteur du regard.

– Tu veux savoir ce que je peux te dire sur Tanguay? J'suis pas certain que tu vas aimer ma réponse.

– Qu'est-ce que tu veux dire?

– Tu peux me croire ou non, Lessard... Mais tes hommes seraient encore en vie si ç'avait été moi, le chef des Red Blood Spillers, dans ce temps-là.

Le chef de l'époque, Santiago Montoya, avait été abattu par Jacinthe dans l'attaque qui avait coûté la vie aux enquêteurs Picard et Gosselin. Le sergent-détective se raidit.

– Je suis pas certain de te suivre, Duvalier.

– Quand vous vous êtes fait surprendre, en 2003... Comment Montoya a su où était votre planque, d'après toi?

La bouche de Victor s'ouvrit sans que rien en sorte. Jusqu'à ce jour, il avait cru qu'ils avaient été repérés parce qu'on l'avait reconnu lorsqu'il était sorti fumer dans la ruelle.

– C'est Maurice Tanguay qui vous a vendus.

CHAPITRE 23

Rouvrir les cicatrices

Victor entendit le vrombissement d'un moteur lancé à vive allure, un crissement de pneus, puis le bruit de portières qu'on ouvrait avec empressement. Jacinthe sortit de la voiture banalisée armée du fusil qui équipait le véhicule. Nadja lui emboîtait le pas. Au loin, le hurlement d'une autre sirène crevait le silence de la nuit, allait en s'amplifiant.

– Les sales! Êtes-vous corrects?

Loïc et l'agent Dionne vinrent à leur rencontre. Le Kid agita les mains devant lui dans un geste d'apaisement.

– Tu peux ranger ça. Ils sont partis.

Une lueur malveillante dans les yeux, Jacinthe marcha jusqu'au bord de l'édifice, où Victor fumait tranquillement une cigarette. Elle scruta le bout de la rue.

– Ils sont où, les enfants de chienne?

Nadja s'approcha et posa une main sur l'épaule de son amoureux. Il ne réagit pas.

– Ça va?

Ça n'allait pas du tout. Les mots de Duvalier Joseph le hantaient. Tous ses repères, tous les arguments qu'il avait construits et intellectualisés pour accepter sa responsabilité à l'égard de la mort de Picard et de Gosselin volaient en éclats. Le disculpant, les révélations du chef de gang auraient dû l'apaiser, lui procurer du réconfort, mais elles n'avaient fait que rouvrir des plaies qui avaient mis des années à cicatriser.

Et si ces affirmations le propulsaient de nouveau en plein cœur de la période la plus noire de sa vie, les implications qui en découlaient lui donnaient le vertige.

Jacinthe et lui avaient toujours cru que le raid contre leur planque était une déclaration de guerre que les Red Blood Spillers avaient faite afin d'être perçus comme des joueurs sérieux dans le marché montréalais du trafic de stupéfiants. La possible implication de Tanguay remettait cette théorie en question. Qu'en était-il vraiment? Au lieu d'être soulagé, Victor ressentait une oppression dans la poitrine. En état de choc, il avait envie d'un verre.

Une voiture de police se rangea derrière le véhicule banalisé. La sirène qui lui vrillait les tympans se tut. Deux policiers en uniforme débarquèrent et rejoignirent Loïc et l'agent Dionne.

Pressé de questions, Duvalier Joseph avait continué de soutenir qu'il ignorait si Mardaev et Tanguay se connaissaient. Le sergent-détective avait eu beau fouiller dans toutes les directions, il avait été incapable d'établir l'ombre d'un lien entre les deux hommes. En outre, le métis jurait ignorer les raisons qui avaient poussé Tanguay à «vendre» leur planque à Santiago Montoya.

– Écoute, j'étais un soldat à l'époque, pas une des têtes dirigeantes. Santiago et ses lieutenants sont tous morts durant le raid contre votre planque. C'était leur secret et ils l'ont emporté avec eux. Mais ce que j'ai entendu entre les branches, c'est que Tanguay fermait les yeux sur certaines de nos activités et nous donnait parfois des informations pour éviter qu'on se fasse prendre dans des opérations de l'escouade des stupéfiants.

– En échange de quoi? D'enveloppes bourrées de billets?

– J'en sais pas vraiment plus.

– Votre collaboration avec Tanguay a cessé après le raid?

– Il y a eu deux autres chefs entre Santiago et moi. J'peux pas parler pour eux, mais je peux te dire que, depuis que je suis là, on n'a eu aucun contact avec lui.

Victor se souvenait des circonstances du décès des deux caïds. Le premier était mort criblé de balles dans le garage de sa résidence; le second avait été abattu dans une salle de cinéma. On ne vivait pas très vieux dans ce secteur d'activité.

– Et, dis-moi, pourquoi je te croirais, Duvalier?

Le métis lui avait retourné la question:

– As-tu le choix, *man*?

Victor avait secoué la tête. Tout ça paraissait absurde, irréel. Puis, à son tour, il avait répondu à quelques-unes des questions du chef des Red Blood Spillers. Sans entrer dans les détails, il lui avait révélé le sort de Valeri Mardaev. Les deux hommes, que des mondes irréconciliables séparaient, avaient convenu de garder le contact. Duvalier avait donné à Victor un numéro de téléphone cellulaire où il pouvait le joindre en tout temps, et celui-ci avait fait de même.

La fin de leur conversation avait été sans équivoque.

– Je vais faire mon enquête de mon côté, *man*. On se tient au courant.

– Écoute-moi bien, Duvalier, je vais pas te le répéter. Je ne veux pas de mort suspecte, encore moins de bain de sang. Pas question que tu te mettes à descendre tout le monde, compris? Tu trouves quelque chose, tu m'appelles, OK?

Fumant cigarette sur cigarette, Victor restait prostré depuis le départ du chef de gang. Nadja et Jacinthe attendirent ses explications un moment, puis cette dernière s'impatienta:

– Qu'est-ce qui se passe, Lessard?

En quelques phrases prononcées du bout des lèvres, il leur expliqua ce qu'il venait d'apprendre. Un mélange d'horreur et de compassion apparut dans les yeux écarquillés de son amoureuse ; de la fureur meurtrière, dans ceux de sa coéquipière.

La radio émettait des sons indistincts, le moteur de la voiture tournait. Derrière le volant, Jacinthe tardait à démarrer. Se mordant les lèvres, elle rageait.

– J'en reviens pas encore, qu'il nous ait donnés, le bâtard !

Ils avaient déposé Loïc et Nadja à la maison de Baptiste Faustin. Ceux-ci mèneraient l'enquête de voisinage, continueraient de recueillir des indices et de coordonner le travail sur la scène de crime avec l'Identification judiciaire.

Jacinthe donna un grand coup de poing sur le tableau de bord.

– Maudite charogne ! Moi, c'est pas la tête que je lui aurais coupée. C'est les couilles !

Victor acquiesça, baissa sa vitre et alluma une cigarette. D'ordinaire, sa coéquipière s'en serait offusquée, mais elle le laissa faire. Pour cette fois, du moins. Elle reprit la parole au bout de quelques secondes, plus calme.

– Où est-ce qu'on va ?

– Devine.

Jacinthe se tourna vers lui et l'observa longuement. La lumière irisée du matin se déployait, des oiseaux piaillaient.

– T'es sérieux, là ?

– J'ai-tu l'air d'avoir envie de rire ?

CHAPITRE 24

Confrontation

Absorbé par l'écriture d'un courriel, Marc Piché releva brusquement la tête et cessa de pianoter sur son clavier. Des éclats de voix en provenance du cubicule de son adjointe filtraient à travers la porte close. Le battant s'ouvrit. Tournant le dos à son patron, une femme menue se tenait dans l'embrasure, bloquant l'accès au bureau du directeur du SPVM.

– Je vous dis qu'il faut un rendez-vous, sergent-dét...

Le visage de Victor Lessard apparut dans l'ouverture.

– Et moi je vous dis qu'il va me recevoir. Pas vrai, monsieur le directeur? Vous m'avez dit que votre porte était toujours ouverte.

– Laissez-le entrer, Sylvie.

L'enquêteur referma la porte derrière lui et, sans y avoir été invité par son supérieur, s'assit sur l'un des sièges destinés aux visiteurs.

– Qu'est-ce qui se passe, Victor?

– À vous de me le dire, monsieur.

Mécontent de l'intrusion du sergent-détective et du ton sur lequel il s'adressait à lui, Piché lui jeta un regard oblique. Le directeur du SPVM prit une longue inspiration et se força à parler calmement.

– Écoutez, Victor, si vous me disiez ce qui vous amène? J'ai appris tout à l'heure qu'il y avait un deuxième corps. C'est de ça que vous voulez me parler?

Les bras croisés sur la poitrine, l'enquêteur fit non de la tête.

– Pas vraiment.

– Alors, je vous écoute.

– Je veux vous parler du dossier que les affaires internes nous dissimulent.

Le directeur posa le crâne sur l'appuie-tête de son siège.

– Mais de quoi parlez-vous?

– Vous le savez très bien. Le dossier d'enquête qui concerne Maurice Tanguay.

Le visage de Piché s'empourpra.

– Je n'aime ni votre ton ni vos sous-entendus. Et je ne comprends rien à ce que vous avancez. Si vous avez quelque chose à me reprocher, dites-le clairement ou taisez-vous.

Victor soutint le regard de son supérieur sans ciller.

– Prétendez-vous ne pas être au courant de l'existence de ce dossier, monsieur? Ou, plutôt, que ce n'est pas vous qui avez donné l'ordre aux clowns des affaires internes d'en cacher l'existence à mon groupe?

Le directeur plissa les paupières, visiblement irrité.

– À ma connaissance, les affaires internes n'ont pas de dossier concernant Maurice. Mais je vais parler au commandant responsable pour vérifier.

Le sergent-détective parut déconcerté par la réponse de Piché. Il reprit d'un ton neutre:

– Vérifiez, monsieur. Je suis certain qu'ils en ont un.

Le directeur enleva ses lunettes et se mit à les essuyer avec un papier-mouchoir.

– À qui vous êtes-vous adressé aux affaires internes?

– Aux enquêteurs Lachaîne et Masse.

– Et vous pensez qu'ils font obstruction, c'est ça?

Victor approuva d'un clignement de paupières.

– Ça m'en a tout l'air. Pour être honnête, j'ai cru que ça venait de plus haut.

Le directeur rechaussa ses lunettes.

– Qui vous a parlé de ce dossier?

– Des informateurs.

– Qui?

– Je suis désolé, monsieur, je ne dévoilerai pas mes sources.

– Vous savez que je pourrais vous y contraindre, n'est-ce pas? Ce sont de graves accusations que vous portez, sergent-détective. Et c'est la mémoire d'un homme admirable qui est en jeu.

L'enquêteur grimaça et dit:

– Quand vous êtes venu me rencontrer, vous m'avez assuré que je pouvais compter sur votre appui. Que vous mettriez tout en œuvre pour que la lumière soit faite sur l'assassinat du commandant Tanguay. Est-ce toujours le cas?

– Avez-vous des raisons d'en douter, enquêteur? C'est mon amitié avec Maurice qui vous pose problème? Sachez que je n'accepterai jamais que quiconque salisse indûment sa mémoire. Par contre, s'il a fait quelque chose de répréhensible, je vous appuierai sans réserve. C'est la vérité qui, ultimement, doit triompher. Si un tel dossier existe, je ferai en sorte que vous puissiez le consulter.

– Dans son entièreté?

Le directeur s'éclaircit la voix. Il tentait tant bien que mal de contenir sa colère.

– Pour qui me prenez-vous, enquêteur? Je ne peux pas vous signer un chèque en blanc et vous le savez très bien. Mais je vous assure que vous pourrez consulter tout ce qui est pertinent pour les fins de votre enquête.

– Y compris la portion qui date de 2003?

Les doigts entrelacés, le directeur inclina la tête et plissa les yeux derrière ses lunettes.

– Que s'est-il passé en 2003?

Se mordant les lèvres, Victor sembla sur le point d'ouvrir son jeu, mais se retint.

– Je préfère attendre d'en savoir plus avant de vous en parler.

– Ce serait beaucoup plus simple si nous pouvions parler franchement, non?

– J'ai encore des vérifications à faire, monsieur. Je préfère attendre.

– Comme vous voulez. Donnez-moi jusqu'à demain pour tout régler avec les affaires internes. Dans l'intervalle, pouvez-vous me parler de l'autre homicide? Où en êtes-vous? Qui était la victime, ce…

Le directeur fouilla dans les papiers étalés sur son bureau, trouva celui qu'il cherchait et le parcourut rapidement.

– … ce Valeri Mardaev?

Le sergent-détective hocha la tête et entreprit de résumer à son supérieur ce qu'ils avaient découvert quelques heures plus tôt.

Lorsque l'enquêteur Lessard sortit de son bureau, le directeur resta un moment prostré, le visage enfoui dans les mains, à ressasser leur conversation. Puis il se leva et alla se poster à la fenêtre. Son regard glissa sur Chinatown, remonta vers le Vieux-Montréal, puis se perdit en contrebas, dans les eaux bleutées du fleuve Saint-Laurent. Se pinçant l'arête du nez, il secoua la tête de dépit. Il avait consacré tant d'énergie et fait tant de sacrifices pour gravir un à un les échelons. Maintenant qu'il était parvenu au sommet, le plus dur restait pourtant à faire. Il fallait y demeurer. Revenant à sa table de travail, Marc Piché prit une clé dans la poche de son pantalon et déverrouilla un tiroir. Il en sortit un téléphone cellulaire et appuya sur une touche. Il y eut une série de déclics, puis on répondit.

Le directeur s'exprima d'un ton calme et posé :

– On a un problème.

SURVEILLER ET PUNIR

Les grands assassinats sont devenus le jeu silencieux des sages.

– Michel Foucault

CHAPITRE 49

La pièce noire (3)

– Vous vous trompez! J'ai choisi librement de faire ce que j'ai fait, ma conscience était à l'origine de mes actes. J'ai exercé mon libre arbitre en toute connaissance de cause.

– Comment pouvez-vous en être certain? Le libre arbitre n'est possible que si vous avez été en mesure de dominer votre inconscient. Vous croyez vraiment avoir agi et pensé librement et sans interférence? Vous pensez que votre volonté n'était pas déterminée dans une certaine mesure par des forces internes, par vos pulsions? Plus fondamentalement même, persistez-vous à croire que vous avez agi pour des motifs valables?

– Arrêtez! Je sais ce que j'ai fait! Et je sais pourquoi je l'ai fait! D'ailleurs, de toutes les théories que vous m'avez exposées à chacune de mes visites, j'en ai retenu une en particulier. Ne disiez-vous pas que, parfois, la résolution de certaines situations exige qu'on coupe la tête et la queue du serpent pour le neutraliser? C'est ce que j'ai fait. Ni plus ni moins.

– Je vous ai peut-être en cela servi d'élément déclencheur. Mais vous semblez oublier que tout était déjà en vous, enfoui dans le limon de votre inconscient. Vous vous servez maintenant de mes paroles pour justifier vos actes *a posteriori.* J'ai seulement éclairé la porte de la pièce noire. Vous y étiez déjà entré de votre propre chef, pour mettre fin à vos souffrances.

Vos pulsions avaient déjà effectué le travail. Votre véritable nature s'est révélée au grand jour. Et c'est très bien ainsi! Trempez vos doigts dans le Graal. Goûtez à l'extase d'être enfin vous-même!

– Vous êtes complètement cinglé! Vous pensez parfois à toutes ces personnes que vous avez tuées? À leurs proches, à leurs familles et à leurs amis?

– Si je pense à ces gens? Mais sachez que j'y pense tous les jours! Je les ai tant aimés! Je les ai étreints, accompagnés jusqu'à l'ultime seconde de leur vie, j'ai posé mes lèvres sur les leurs pour aspirer leur dernier souffle de vie alors qu'ils trépassaient. Je leur ai donné un sens, un but, une utilité. Leur sacrifice n'a pas été vain, leur mort était nécessaire. Ils m'ont permis de me révéler, de devenir moi-même, d'exister sans masque. En nourrissant mes pulsions, en apaisant mon tourment, ils m'ont délivré de mes entraves. J'ai tant aimé les regarder mourir! Ça m'a rendu si heureux de voir glisser les dernières larmes sur leurs joues. Avouez que vous avez ressenti la même jouissance, la même extase.

– Vous voulez entendre la version qui vous confortera dans vos délires ou vous préférez la vérité?

– Ne le prenez pas sur ce ton. J'essaie simplement de vous éclairer. Vous rappelez-vous ce que je vous ai dit lors de notre première rencontre?

– Vous avez dit que nous représentons la somme de nos secrets.

– Précisément. On commence toujours quelque part… Plus vite vous donnerez libre cours à ce qui sommeille en vous, plus vite votre souffrance disparaîtra.

– Vous vous trompez. Je ne ressens aucune souffrance.

– Vous êtes-vous déjà demandé pourquoi Samuel vous conduisait chez moi?

– Parce que vous vouliez m'endoctriner!

– Vous n'y êtes pas du tout. Il vous emmenait parce que je vous avais choisi.

– Si vous le dites. Pourquoi souriez-vous ?

– Ce n'est pas ce qui vous arrive qui est important. C'est ce que vous croyez qu'il vous arrive. Votre propre perception de la réalité. Il ne faut jamais sous-estimer la puissance de la promesse contenue dans un premier baiser.

– Je sais ce que vous essayez de faire. Vous essayez de me déstabiliser, de me provoquer.

– Non. Ce que j'essaie de faire, c'est vous permettre de mieux vous comprendre. Cela dit, vous croyez que je vais vous faciliter les choses, mais vous vous trompez. Je ne vais pas faire le travail à votre place.

– Quel travail? De quoi parlez-vous?

– Oh, arrêtez de vous mentir à vous-même, cher ami. Nier l'évidence vous cause un tort considérable.

– Je peux savoir à quoi vous faites référence ?

– Vous êtes venu pour me tuer.

– C'est ce que vous croyez ?

– C'est ce que je crois que vous vous apprêtez à faire, oui. Je suis convaincu que vous êtes venu pour me tuer, mais que vous avez peur. Et j'affirme que vous allez le faire, non pas parce que vous le décidez consciemment ou que vous y voyez une justification, mais parce que vous en avez besoin. Et nous savons tous les deux que vous le ferez de nouveau après. Ça vous inquiète de savoir que vous y avez pris goût et que vous en tirerez du plaisir ?

– Vous dites n'importe quoi.

– Vraiment? Tous les yeux sont tournés vers vous, à présent. Qu'est-ce que vous allez faire ?

– Ça n'a plus d'importance. Ça n'a vraiment plus aucune importance.

– Peut-être, mais vous êtes mort de peur…

CHAPITRE 25

Prochaine étape

Victor rejoignit Jacinthe, qui faisait les cent pas dans le hall du quartier général du SPVM. Sans échanger une parole, ils sortirent et marchèrent en direction de la voiture banalisée. Le vent soulevait de petits nuages de poussière dans la rue. Le sergent-détective plissa les paupières ; des particules piquèrent la peau de son visage. Il baissa la tête et son regard se cristallisa sur la vapeur blanche sortant du pot d'échappement de la voiture qui se garait devant eux. Il leva les yeux au ciel. Une épaisse couche de smog bloquait le soleil. Tout lui parut entrelacé et sombre : il allait mal, leur enquête allait mal, la planète allait mal. Il fouilla dans sa poche, prit un anxiolytique et l'avala avec sa salive. Jacinthe déverrouilla les portières et le fixa avec intensité par-dessus le toit du véhicule.

– Pis ?

Secoué, Victor se sentait décalé de la réalité. L'aplomb avec lequel le directeur avait réfuté ses allégations – à savoir qu'on leur dissimulait l'existence d'un hypothétique dossier des affaires internes concernant Tanguay – avait ébranlé ses convictions.

Il secoua la tête de dépit et s'assit sur le siège du passager sans dire un mot. Jacinthe prit place derrière le volant mais ne mit pas le contact tout de suite. Elle se contenta d'attraper son sac de crudités sous le siège et d'enfourner carottes, radis et bâtonnets de céleri en attendant que Victor brise le silence. Les muscles du visage crispés, elle croquait dans un quartier de citron lorsqu'il reprit la parole.

– Le directeur dit que si les affaires internes ont un dossier, on va avoir accès aux portions pertinentes. Mais qu'à sa connaissance, ils ont rien sur Tanguay.

Jacinthe éructa.

– Excusez, pardon! «À sa connaissance»? Quand t'es rendu que tu parles comme un avocat, c'est parce que tu te couvres le cul! Pis comment ça, les portions pertinentes? Il nous prend pour des juniors? Qui va décider de ce qui est pertinent?

Victor ferma les paupières et inspira lentement.

– On n'a pas embarqué dans ce débat-là. Donne-moi donc une carotte.

Elle lui tendit le sac. Il en attrapa une et mordit dedans. Ils mâchèrent tous les deux un moment, puis Victor déclara:

– Commençons par voir si les affaires internes ont un dossier sur Tanguay. Ce sera toujours le temps d'en demander plus si on s'aperçoit qu'il est incomplet.

– Mais toi, tu le crois quand il dit que les affaires internes ont pas de dossier?

Il ne put retenir un bâillement. Le manque de sommeil le rattrapait.

– C'est dur à dire. J'ai eu l'impression qu'il disait la vérité, mais parfois on peut mentir par omission.

Par prudence, Victor avait refusé de révéler ses sources à Piché. D'abord, parce qu'il était conscient que la crédibilité d'Yves Gagné et de Duvalier Joseph pouvait être remise en cause. Ensuite, parce qu'il avait fait des recoupements qu'il ne pouvait corroborer. En effet, Yves Gagné avait affirmé que Maurice Tanguay lui avait acheté des informations pour les revendre au crime organisé et que les affaires internes avaient enquêté sur lui. Pour sa part, Duvalier Joseph soutenait que Tanguay était à l'origine du bain de sang de 2003. Deux personnes sans lien apparent entre elles avaient donc parlé à Victor d'activités illicites impliquant le commandant. Cela dit, même s'il s'avérait que les affaires internes avaient enquêté sur Maurice Tanguay et que celui-ci était corrompu, rien ne permettait pour l'instant de conclure que cette enquête avait porté, en tout ou en partie, sur des actes que celui-ci avait pu commettre en 2003.

– Peut-être aussi que Duvalier t'a raconté n'importe quoi. Peut-être que c'est lui ou un de ses hommes qui a tué Tanguay et Mardaev.

Duvalier leur avait fourni un alibi solide pour chaque meurtre. Le sergent-détective avait le sentiment que le métis ne lui avait pas menti, mais il dut admettre cette éventualité.

– Peut-être… Mais dans quel but?

Le rire de Jacinthe résonna dans l'habitacle.

– Il a probablement cinquante-six raisons valables de mentir, mon homme. Ne serait-ce que pour camoufler les vrais motifs pour lesquels Mardaev a été tué. Pis, il y a ces histoires de menaces à son endroit.

Victor modifia sa voix sans y prêter attention:

– « Arrêtez tout… Si vous continuez, j'te tue. »

Sa coéquipière approuva de la tête.

– Si tu veux mon avis, c'est pas très clair, tout ça.

Ils jaugèrent en silence la portée de ce qu'ils venaient d'évoquer. Puis Victor se rappela la conversation qu'il avait eue avec Nadja dans la maison de Baptiste Faustin. Ils devaient arrêter d'échafauder des hypothèses et s'en tenir aux faits: le meurtrier avait désigné Mardaev dans le premier graffiti et l'avait torturé à mort.

– Le tueur ne choisit pas ses victimes au hasard, Jacinthe. Il y a un lien entre Tanguay et Mardaev. Il faut juste trouver lequel, découvrir l'information que le tueur convoitait, celle pour laquelle il l'a martyrisé.

Jacinthe fit craquer ses jointures.

– On tient pour acquis que le lien entre les deux est professionnel, mais as-tu pensé qu'il pourrait être personnel?

Victor eut le sentiment que sa coéquipière tenait quelque chose. Peut-être cherchaient-ils dans la mauvaise direction, peut-être n'envisageaient-ils pas la question sous le bon angle. Et si, effectivement, le lien entre les deux victimes était d'ordre personnel? Une image passa alors dans sa tête. Celle d'un jeune homme en fauteuil roulant. Il était fort peu probable que Simon Tanguay connaisse Mardaev, mais qu'avaient-ils à perdre à le réinterroger à propos des relations de son père, sinon un peu de temps? Victor allait proposer à Jacinthe de se rendre chez le garçon lorsque son cellulaire vibra dans sa poche. Une moue de surprise se peignit sur ses traits lorsqu'il consulta l'afficheur.

– Tiens... bizarre. C'est le Gnome!

Le visage de Jacinthe s'illumina.

– Gilles? Envoye, prends-le!

Aux dernières nouvelles, Gilles Lemaire, un des membres de la section des crimes majeurs, passait un mois de vacances en Virginie du Sud avec sa femme et ses sept enfants. À cause de la petite taille de leur père, ces derniers avaient reçu le surnom «les sept nains». Victor prit la communication. Il entendit un vacarme en sourdine, un maelström composé de cris d'enfants, de tonnerre et de pluie. Bref, l'apocalypse.

– Gilles? Comment ça va?

Un délai rendait la communication aléatoire.

– Maël, lâche ton frère! Salut, Victor!

– Pis, les vacances?

Le Gnome éclata de rire.

– Les vacances? Les miennes, elles vont commencer le jour où je vais rentrer au bureau! Eille, ça fait cinq jours qu'il pleut!

Cinq jours! J'te l'dis, pars jamais en camping avec sept enfants quand il pleut, Victor. C'est des plans pour devenir tueur en série!

– J'ai de la misère à t'entendre, Gilles.

– Mais c'est normal qu'il pleure! Tire-le pas par les cheveux! Bon, c'est brillant, ça! Bravo, mon grand! Après ça, tu te demanderas pourquoi ton iPad est cassé. Oui, c'est très pratique pour frapper ton frère!

– Quoi?

– Non, excuse-moi, je parlais aux gars. Écoute, j'ai lu sur Internet ce qui se passe avec la mort de Tanguay et celle du gars des Red Blood Spillers. Intense! Êtes-vous corrects?

– Oui, oui, inquiète-toi pas. Nadja nous aide.

– Es-tu certain?

Victor perçut de la déception chez son collègue.

– Pourquoi tu me demandes ça, Gilles?

– Écoute, ici, ils annoncent de la pluie pour le reste de la semaine...

– Et?

La voix du Gnome se fissura.

– Je suis au bord de la crise de nerfs! Un mot de ta part, un seul, et je reviens tout de suite vous donner un coup de main.

Il était hors de question que Victor accepte l'offre de son collègue. Chaque jour, il regrettait de n'avoir pas été un père assez présent pour Charlotte et Martin.

– Je te remercie, Gilles, mais tout est sous contrôle ici.

Le sergent-détective sentit du désarroi dans la réponse du Gnome:

– Alors, trouve-moi un prêtre exorciste! Les enfants sont possédés, Victor! Possédés!

Lorsque Jacinthe mit le contact et lança le véhicule banalisé, l'enquêteur Lachaîne, qui les observait depuis le hall d'entrée du quartier général, sortit et marcha lentement jusqu'au trottoir, les mains dans les poches. Il rentra bien après que la voiture eut disparu au bout de la rue Saint-Urbain.

CHAPITRE 26

Le fils

Le loft de Simon Tanguay était situé rue d'Argenson, à cent cinquante mètres du canal de Lachine. Graphiste à la pige, le jeune homme travaillait à la maison. Victor lui avait téléphoné pour le prévenir de leur visite et s'assurer qu'il était chez lui. À leur arrivée, Simon avait insisté pour leur préparer du café. Victor l'avait observé se mouvoir avec son fauteuil roulant, épiant ses gestes précis tandis qu'il manipulait la machine à expresso. Dans un environnement adapté, le garçon était aussi efficace qu'une personne qui se déplaçait sur ses deux jambes. Le sergent-détective s'assit face à lui sur un canapé de cotonnade écrue, tandis que sa coéquipière, qui redoutait les débordements affectifs, préféra se poster à la fenêtre.

– Ça va, tu tiens le coup?

Simon esquissa un mince sourire.

– Oui. Heureusement, il y a eu beaucoup de choses à faire pour organiser les funérailles.

Habité d'une infinie tristesse, il passa la langue sur ses lèvres et ajouta:

– Je crois que mon père aurait mérité des funérailles officielles, mais comme on n'est pas certains qu'il est mort en service, le directeur a été obligé de refuser.

Les yeux de Simon s'embrouillèrent, sa gorge se noua et il ravala un sanglot. Victor se sentit aussitôt responsable.

Derrière chaque victime, il y avait la promesse d'une vie et tout un destin que l'on supprimait. À chaque homicide, il essayait de ne pas songer à cet aspect paralysant des choses, au fait que leur incapacité à élucider rapidement l'affaire prolongeait la souffrance et le chagrin des proches. Pardessus tout, il comprenait la fierté qu'éprouvait le fils pour son père et la déception qu'il ressentait de ne pouvoir lui offrir ce dernier hommage.

– On est là pour toi, Simon. Si tu as besoin de quoi que ce soit, n'hésite pas.

Le jeune homme acquiesça en prenant une grande inspiration et dit d'une voix brisée :

– Je voulais d'ailleurs m'excuser. Je sais que j'ai pu paraître harcelant avec mes appels fantômes… Mais c'était ma façon de m'assurer que vous continuiez de chercher le meurtrier de papa.

Victor affirma qu'il comprenait et continua :

– Je t'avais dit qu'on te ferait signe dès qu'on aurait du nouveau. C'est pour ça qu'on est là. On pense que tu pourrais peut-être nous aider.

Les yeux du jeune homme s'agrandirent et sa poitrine se gonfla d'espérance.

– Vous avez une piste ? Vous savez qui est l'assassin ?

Ce soudain accès d'enthousiasme fit sourire Victor malgré lui.

– Non, pas encore. Mais on a des développements. Il y a eu un autre meurtre et il semble relié à celui de ton père. On pense que c'est le même tueur.

Les mains jointes dans le dos, Jacinthe se tenait à présent debout à côté du canapé. Simon paraissait horrifié.

– Oh non ! C'est… Qui est la victime ?

– Est-ce que le nom de Valeri Mardaev te dit quelque chose ?

Le garçon prit un moment pour réfléchir.

– De prime abord, comme ça, non… C'était un collègue de papa?

– Non, mais on pense qu'ils se connaissaient.

Victor saisit l'enveloppe qu'il avait posée à côté de lui sur le canapé, en tira un portrait de Mardaev et le tendit à Simon.

– Tu l'as déjà vu?

Le jeune homme observa la photographie attentivement.

– Non, désolé.

Victor reprit la photo. L'espace d'une seconde, il se demanda si le garçon n'avait pas tressailli en voyant le portrait. C'était presque imperceptible, mais un doute persistait dans son esprit. Il insista:

– T'es certain? Ça fait peut-être longtemps. Il était peut-être plus jeune à l'époque.

Simon le dévisagea. Quelque chose de sombre était passé dans son regard.

– Jamais vu. C'est qui?

– Un membre d'un gang de rue. Les Red Blood Spillers. Ça te dit quelque chose?

Le garçon s'enfouit le visage dans les paumes et se mit aussitôt à sangloter. Victor mit sa main sur l'épaule de Simon et demanda à Jacinthe de lui apporter la boîte de mouchoirs qui se trouvait sur le comptoir. Elle s'exécuta en roulant les yeux au plafond. Désarmée par la situation, elle préférait camoufler ses émotions en feignant l'agacement.

Victor offrit un mouchoir au jeune homme tandis que sa coéquipière tournait les talons et repartait se poster à la fenêtre.

– Je m'excuse, c'est que… Ne pas savoir ce qui lui est arrivé, et là, apprendre que le même tueur assassine d'autres gens.

Victor ne savait quoi répondre. Il n'avait pas envie de parler à ce garçon déjà éprouvé par la vie de la part d'ombre qui sommeille au plus profond de chaque être humain.

Simon se moucha et sembla se rasséréner un peu.

– Vous avez bien connu mon père, non? Vous avez travaillé pour lui, je pense?

Le sergent-détective pinça les lèvres. Exactement le genre de conversation qu'il n'avait pas envie d'avoir. Le commandant Tanguay et lui s'étaient voué une haine féroce et les récentes révélations d'Yves Gagné et de Duvalier Joseph n'arrangeaient rien.

Il répondit avec prudence:

– Je ne l'ai pas connu personnellement. Mais, oui, il a été mon patron.

– Il était comment? C'était un bon patron?

Victor se sentit déchiré. Il émanait tant de bonté du visage de Simon qu'il ne put se résoudre à lui dire qu'il croyait que son père était un salaud de la pire espèce.

– Le commandant Tanguay était un excellent policier, Simon.

– C'était un excellent père, aussi.

Un instant de flottement salua la remarque. Ce n'était pas la première fois que Victor se trouvait confronté au phénomène, mais il en ressortait toujours aussi médusé: comment un pareil salopard avait-il pu être un père aimant?

Victor secoua sa torpeur et détailla l'appartement: la pièce principale, d'allure industrielle, comportait des aménagements adaptés à la vie en fauteuil roulant. Le lit et la salle de bains étaient dissimulés derrière une paroi de verre, au bout de l'aire réservée à la salle à manger.

– T'as un beau loft, Simon.

– Merci. Je suis très chanceux de pouvoir vivre ici. Je n'aurais pas pu m'offrir ça moi-même.

Le visage du jeune homme s'était éclairé un moment. Il se rembrunit aussitôt.

– C'est papa qui a payé l'hypothèque.

Victor sentit soudain son cellulaire bondir dans sa poche. Il vérifia l'afficheur. C'était Nadja.

– Tu m'excuses un moment, Simon? Il faut que je prenne cet appel-là.

Il s'éloigna vers le milieu de l'appartement et, d'un signe de la main, demanda à Jacinthe d'assurer le relais. Au moment de prendre la communication, il entendit sa coéquipière soupirer bruyamment.

– Vous êtes où?

– On vient d'arriver à l'appartement de Mardaev. L'enquête de voisinage autour de la maison de Baptiste Faustin n'a rien donné. Les gens ont compris depuis longtemps que, pour survivre à Montréal-Nord, il vaut mieux se mêler de ses affaires. En passant, j'ai parlé à Faustin: il est effectivement à l'étranger depuis plusieurs semaines.

– Vous avez du nouveau sur le cellulaire de Mardaev?

– J'ai fait vérifier le numéro que Joseph t'a donné. C'est effectivement un prépayé. Donc, on oublie les relevés d'appels. On a aussi essayé de faire localiser l'appareil, mais ça n'a pas marché. Le tueur a sans doute déjà enlevé la carte SIM ou détruit le téléphone.

– Si on se fie à ce que Duvalier m'a dit, on sait qu'il y a un trou d'environ deux heures entre le moment où Mardaev a quitté son client et l'heure de sa mort. Ça lui donnait le temps de faire autre chose avant d'aller chez Faustin. Ç'a l'air de quoi, son appartement?

– Mardaev? Propre, éclectique, décoré avec goût. Il a même un fauteuil jaune que j'ai pris en photo parce qu'il serait beau chez nous.

Il sourit. Elle se payait sa tête.

– Je te parlais pas de déco…

– Je sais, Lessard. On n'a pas encore commencé à fouiller. Je voulais juste te faire rire.

– T'as réussi! Je colle une étoile dans ton cahier en rentrant à la maison.

– Dans mon cahier ou sur une fesse?

Il rompit la communication en souriant. Nadja Fernandez lui faisait un bien fou. Dieu, qu'il aimait cette femme! Il tourna les talons et revint vers le canapé, où Jacinthe avait pris les commandes de l'entretien. Elle le regarda d'un air entendu, puis se tourna vers Simon, à qui elle posa une nouvelle question:

– Si je te parle de l'année 2003, ça évoque quoi comme souvenirs?

Le jeune homme baissa la tête et une ombre de mélancolie passa sur son visage.

– C'est l'année où j'ai perdu mes jambes. J'avais seize ans. Pourquoi?

Ayant épuisé leurs questions, les deux policiers remercièrent Simon Tanguay et prirent congé. Lorsqu'ils sortirent de l'immeuble, la chaleur les enveloppa et l'air était si humide qu'ils eurent l'impression de respirer de l'eau. Ils commencèrent à marcher sur le trottoir pour rejoindre leur véhicule. Sur leur droite, des gens à vélo filaient sur la piste cyclable bordant le canal de Lachine. Les observant du coin de l'œil, Victor envia leur insouciance.

Ce fut Jacinthe qui parla la première:

– On aurait dû lui demander ce qu'il faisait au moment des meurtres.

– Simon? Pas besoin d'alibi, il est en fauteuil roulant. De toute manière, on a des images du tueur en train de peindre le graffiti à côté de la boulangerie. Comment voudrais-tu que Simon ait fait ça? Et Valeri Mardaev a été tué dans une cave. T'as vu l'escalier comme moi, non? Comment aurait-il pu descendre là? Certainement pas en fauteuil! Et il s'y serait pris comment pour surprendre les victimes?

Jacinthe donna un coup de pied à une bouteille d'eau vide qu'on avait jetée sur le trottoir et l'envoya valser quelques mètres plus loin, sur l'herbe.

– Est-ce qu'on est certains qu'y peut plus marcher? Quelqu'un a vérifié son dossier médical? Je veux dire… peut-être qu'y fait juste semblant.

– Pourquoi tu dis ça? Penses-tu vraiment qu'il jouerait la comédie et s'imposerait de vivre en fauteuil roulant?

Victor se pencha et ramassa la bouteille vide que Jacinthe avait bottée en touche. Cette dernière rétorqua vivement:

– La question se pose, mon homme. J'sais pas si j'ai halluciné, mais tantôt, quand tu parlais au téléphone à Nadja, me semble que je l'ai vu bouger les jambes.

– Et dans quel but il ferait ça?

Elle haussa les épaules:

– Le monde est plein de fuckés.

– Voyons donc! C'est le cas de le dire: ça tient pas debout, ton affaire!

Jacinthe comprit son jeu de mots à retardement et s'esclaffa. Victor reprit:

– De toute façon, une partie du coût des travaux pour adapter un appartement est subventionné. Tu peux pas en bénéficier sans antécédents sérieusement documentés.

Tandis que sa coéquipière continuait d'argumenter, le sergent-détective dépassa la voiture banalisée, marcha jusqu'au coin de la rue, puis jeta la bouteille vide dans une poubelle. Mains sur les hanches, il regarda les gratte-ciel du centre-ville bordés, en arrière-plan, par le mont Royal. Cette histoire le dépassait.

Il essaya de faire le vide dans son esprit, mais la même pensée y tournoyait sans cesse: depuis les révélations de Duvalier Joseph plus tôt dans la journée, le souvenir de ses deux hommes assassinés en 2003 ne cessait de le hanter. Il aurait dû se sentir soulagé, mais il éprouvait plutôt de la colère, de l'indignation et de l'amertume. Il s'efforçait de reléguer ses émotions dans un espace confiné de son esprit et se répétait que s'il n'avait pas commis de faute, il prendrait le temps nécessaire pour en assimiler les répercussions une fois l'enquête bouclée. Mais il avait été tenu responsable de leurs meurtres et en avait porté l'odieux pendant tant d'années qu'il avait maintenant l'impression de perdre pied et de succomber aux charges sournoises de son anxiété.

CHAPITRE 27

Suspension dans le vide

Ils avaient reçu l'appel dans la voiture alors qu'ils rentraient à Versailles. À leur arrivée dans la maison de l'avenue Jean-Girard, le corps pendait au bout d'une corde dont l'autre extrémité était attachée à la balustrade de l'escalier monumental, à l'étage. Les mains de l'homme avaient été entravées dans son dos ; le graffiti, peint sur le plancher de marbre, six mètres plus bas. Après les analyses et les photographies réalisées par l'Identification judiciaire, le cadavre avait été décroché et étendu sur une civière placée au centre du hall d'entrée.

Jacob Berger retira le drap qui recouvrait la victime. Victor, qui avait assisté à l'enlèvement du corps, n'avait pas encore vu le visage de près. Il détourna la tête en grimaçant. Le front, les orbites et le nez avaient disparu, atomisés, remplacés par une masse gluante, encadrée par de longs cheveux gris. Le médecin légiste entrouvrit la bouche du cadavre et, à l'aide d'une pince, attrapa un petit sachet en plastique qu'il déposa au centre d'une gaze déployée sur le chariot métallique où, à côté de la civière, se trouvaient ses instruments.

Puis Berger souleva la langue du mort. Des dents brisées baignaient dans la cavité buccale. Il en retrouverait sans aucun doute dans le fond de la trachée. Sur la gorge, la corde rêche avait imprimé un large et profond sillon bleuâtre.

Devinant la première question qu'on allait lui poser, Berger prit les devants :

– Le tueur s'est arrangé pour que, au bout de la corde, le visage du pendu arrive à la hauteur de la mezzanine. C'est là qu'il s'est installé pour le rouer de coups. On a retrouvé un bâton de golf recouvert de sang et de la matière cervicale sur les marches menant à l'étage.

Jacinthe passa la main dans ses cheveux courts et soupira de dégoût.

– Une *piñata* vivante... Estie de malade !

Le sergent-détective pointa de l'index la limace de chair qui tenait lieu de visage à la victime.

– Ce sont les coups à la tête qui l'ont tué ?

– Non. Les vertèbres cervicales se sont rompues, il a perdu conscience très rapidement. Dans le pire des cas, il a peut-être senti les premiers coups.

Victor eut un haut-le-cœur. Portant la main à sa bouche, il inspira à fond. Quelques secondes plus tard, une fois son malaise dissipé, il dit :

– OK. Le tueur lui passe la corde autour du cou et le pousse dans le vide. Il sait que le gars va mourir. Alors, pourquoi il le frappe au visage comme ça ?

Berger haussa les épaules, l'air placide.

– On dirait qu'il a voulu effacer ses traits, gommer son identité.

Victor acquiesça. L'hypothèse pouvait paraître simpliste, mais c'était aussi ce qu'il avait tout de suite pensé. Jacinthe tira le drap plus bas, exposant le cadavre jusqu'à la taille. L'homme était vêtu d'un veston à rayures marine et d'une chemise blanche dont le col ouvert était maculé de sang.

– Un homme d'affaires. Exactement comme sur le graffiti dans la cave de Faustin.

Victor sortit un calepin et un stylo pour prendre des notes mais n'écrivit rien.

– T'as trouvé ses papiers, Jacob?

– Dans la poche arrière de son pantalon. Un dénommé Clark Wood. Quarante-huit ans.

– On est sûrs que c'est lui? Je veux dire: vu l'état de son visage?

– C'est la première question que je me suis posée. Un des techniciens a trouvé des photos dans le salon qui correspondent à celle de son permis de conduire. Il a des tatouages sur le bras gauche. Une manche complète, comme Loïc.

Le médecin légiste souleva le bras gauche du cadavre et remonta la manche du veston, puis celle de la chemise au-dessus du poignet. L'avant-bras était tatoué d'un lacis de dessins et de formes complexes.

– Je vais te le confirmer à l'autopsie, mais, à première vue, c'est identique aux photos.

– Qui l'a trouvé?

– L'employé chargé de l'entretien extérieur. Il passait l'aspirateur dans la piscine quand il a vu le corps se balancer au bout de la corde par une fenêtre.

– Que dit le message?

Avec précaution, Berger ouvrit le sachet et en sortit le papier avec sa pince. Victor enfila une paire de gants de latex. Le médecin légiste déplia le message et le lui tendit. Le sergent-détective le lut à voix haute:

– « *Clark Wood a été jugé et exécuté le 23 juillet, à 4 h 15. Tanguay était le premier, Mardaev, le deuxième, Wood, le troisième, le dernier sera le père Noël.* »

Ils se regardèrent tous les trois sans rien dire. Il n'y avait dans le message aucun élément de surprise. Uniquement la logique implacable du tueur qui poursuivait de façon méthodique une œuvre qu'ils ne parvenaient pas encore à décrypter.

Victor brisa le silence:

– L'heure de la mort te semble plausible, Jacob?

– Oui. C'est certain qu'il est décédé depuis moins de vingt-quatre heures.

Jacinthe se mit à applaudir lentement et, comme si le tueur lui faisait face, elle dit en ricanant :

– Presque dix jours entre le premier et le deuxième meurtre, pis là, un troisième en moins de quarante-huit heures. Ouin, y se lâche lousse, le graffiteux !

Le sergent-détective acquiesça. L'assassin semblait gagner en confiance, ce qui n'était guère rassurant pour la suite. S'avançant, Victor donna une petite tape compatissante sur l'épaule du médecin légiste. Avec les années, il avait cerné le tempérament de Berger et savait quel levier actionner pour obtenir des résultats rapides : l'homme aimait qu'on reconnaisse qu'il était débordé.

– Effectivement, c'est la deuxième victime en quelques heures. Ça commence à t'en faire pas mal, Jacob.

Berger esquissa un sourire désabusé.

– J'ai presque terminé mon rapport sur Mardaev. Tu auras celui-ci demain, mais, dans les deux cas, ça prendra quelques jours pour les tests toxicologiques.

Puis, se tournant vers Victor, il ajouta :

– Entre nous, j'espère que vous allez arrêter le tueur bientôt. On commence à manquer de place dans la salle d'autopsie.

Accroupi dans le hall, Victor toucha le graffiti du bout des doigts. La fresque étant déjà sèche, aucun résidu de peinture n'adhéra à ses gants de latex. Comme pour les meurtres précédents, les bombes aérosol – toujours de la même marque – avaient été abandonnées sur place. On relèverait sans doute sur celles-ci les mêmes empreintes que sur les bombes trouvées dans la cave de Baptiste Faustin et près de la boulangerie de la rue Duluth, empreintes qu'on avait à ce jour été incapable de relier à un casier judiciaire.

Le squelette aux yeux d'émeraude tenait toujours un bonnet de père Noël et menaçait avec un marteau une silhouette sombre dont il était impossible de discerner les traits. Il s'agissait, selon toute vraisemblance, d'un homme. Fait curieux, derrière cette silhouette apparaissait une autre forme, qui semblait être l'ombre ou le double de la première.

Jacinthe tournait en rond autour du graffiti.

– Malade, hein?

Victor ne répondit pas. Il se contenta d'acquiescer en se disant simplement que c'était le troisième graffiti qu'ils découvraient, qu'il annonçait une quatrième victime et comment elle serait tuée. Il songea aussi qu'ils n'avaient aucune piste permettant de savoir combien d'autres cadavres le tueur avait l'intention de semer sur sa route avant d'arriver à celui qui fermerait la marche, ce fameux père Noël.

Sa coéquipière le tira de ses pensées:

– Ça va être une longue soirée. Pourquoi on irait pas manger, pis on revient après?

Il se massa la nuque, puis se redressa. Elle avait raison. La maison était immense. Ils en auraient pour des heures à tout vérifier.

Vingt minutes plus tard, les deux policiers étaient attablés devant la fenêtre d'un restaurant de la rue Sainte-Catherine Ouest, près de l'ancien Forum. Dans la voiture, Victor avait parlé à Nadja. Loïc et elle viendraient les rejoindre sur la scène de crime pour leur prêter main-forte dès qu'ils auraient terminé de fouiller l'appartement de Valeri Mardaev.

Jacinthe ferma son menu, mais Victor était encore plongé dans le sien. Pestant intérieurement, il n'arrivait pas à se décider. Il détestait ces cartes fourre-tout où il y avait un trop-plein de choix hétéroclites. Pour contourner le problème, il demandait souvent à la serveuse de lui apporter le plat qu'elle préférait.

À part une fois où on lui avait servi des ris de veau immangeables, ça l'avait plutôt aidé. Cette fois-ci, il décida d'opter pour une salade au thon. Pour sa part, Jacinthe commanda un burger avec des frites.

Avant même qu'il n'ouvre la bouche, elle s'empressa de préciser :

– C'est la règle du 80/20, mon homme. C'est correct de dévier de ton régime vingt pour cent du temps.

Il l'écouta se justifier en esquissant un sourire sceptique.

– Ah bon ? Je savais que ça s'appliquait au travail, mais pas aux régimes. J'imagine que c'est Ellen DeGeneres qui a parlé de ça dans son émission ?

– Ellen, pis plein d'autre monde ! C'est super tendance ! Voyons, Lessard le dinosaure... ça serait le temps que tu te mettes à jour !

Voulant juguler toute possibilité de réplique, Jacinthe s'empressa de sortir son bloc-notes et se mit à lire à voix haute :

– Ça fait que la victime s'appelle Clark Wood. Il était fondateur et PDG de EyeProtec Military LLC, une entreprise privée spécialisée dans la fabrication de lunettes de combat militaire qui offrent une protection contre les menaces balistiques et environnementales. En passant, si tu trouves que j'utilise des beaux mots, j'ai sorti ça du Web.

Menton appuyé sur une paume, l'air absorbé, Victor enregistra l'information.

– De l'équipement militaire. Intéressant.

– Je sais pas si c'est intéressant, mais en tout cas, à en juger par sa maison, c'est un domaine payant. Méchant cabanon !

Le sergent-détective esquissa une moue d'approbation.

– Un policier, un membre d'un gang de rue et maintenant un homme d'affaires impliqué dans la fourniture d'équipement militaire. C'est quoi, le lien ?

Jacinthe fit un geste obscène avec la main et la bouche.

– Baisaient peut-être tous les trois la même pute?

Elle avait parlé haut et fort. Trop fort. Deux femmes qui sirotaient un café à une table voisine avaient brusquement tourné la tête vers eux.

Victor s'enfouit le visage dans les mains et murmura:

– Tu me fais honte.

Jacinthe jubilait. Choquer était pour elle un passe-temps, peut-être même une deuxième nature. Elle lui fit un clin d'œil et rétorqua, en toute mauvaise foi:

– Ben quoi!?

Victor attrapa son verre d'eau et le but en quelques gorgées. Puis il sortit son propre calepin et le feuilleta.

– Tu sais qu'en théorie il faudrait réinterroger tous ceux qui ont participé à la soirée-bénéfice à l'AIM pour voir s'ils connaissaient Mardaev ou Wood?

Jacinthe laissa échapper un long soupir ennuyé. Elle n'appréciait visiblement pas l'idée.

– Oublie ça. On peut toujours demander au fils de Tanguay s'il connaissait Wood, mais si y faut réinterroger tous ceux qui participaient à la soirée-bénéfice, on n'est pas sortis du bois.

Elle s'esclaffa en se tapant sur les cuisses.

– Wood... Du bois... La pognes-tu?

Victor força un sourire. Jacinthe prit un morceau de pain dans la corbeille, l'enduisit d'une épaisse couche de beurre et l'engloutit. Elle bafouilla en mastiquant:

– Faudrait aussi qu'on fasse publier les photos des deux derniers graffitis. Au cas où...

La serveuse les interrompit pour leur resservir de l'eau et s'éclipsa aussitôt. Victor réfléchit un instant avant de formuler ce qu'il avait en tête:

– Jusqu'à maintenant, on a trois meurtres. Un quatrième annoncé. Les trois premières victimes sont des hommes. Le tueur a utilisé trois armes différentes. Quelque chose qui ressemble à un sabre, un couteau et une corde de pendu. Le quatrième, si on en croit le dernier graffiti, sera tué avec un marteau.

– Manque juste une *chain saw* pis une chaîne de bicycle.

– Arrête de niaiser, Jacinthe. D'un côté, on a trois victimes sans aucun élément qui les relie entre elles. De l'autre, on a ces révélations non corroborées à propos de Tanguay. Il semble qu'il était corrompu, mais on ne sait pas ce qu'il faisait avec les informations que lui a vendues Gagné, ni pourquoi il nous aurait donnés aux Red Blood Spillers en 2003.

Jacinthe frappa la table du plat de la main. Les couverts bondirent.

– Le plus logique, c'est que Mardaev et lui fricotaient ensemble.

– Duvalier prétend que les Red Blood Spillers ne collaboraient plus avec Tanguay.

– De un, depuis quand on va se fier à la parole d'un chef de gang? Et de deux, as-tu pensé que Mardaev pouvait avoir une double vie dont Duvalier était peut-être même pas au courant?

Jacinthe observait sans cesse du coin de l'œil les allées et venues de la serveuse. Elle se frotta les mains de satisfaction lorsque celle-ci sortit de la cuisine avec deux assiettes, mais déchanta lorsqu'elle les servit à d'autres clients.

– Tu veux dire que Mardaev aurait pu travailler en secret avec Tanguay?

– Pourquoi pas? Ou encore Tanguay le tenait pour quelque chose et le faisait chanter. Ça se tient, non?

Victor approuva. Sa collègue énonçait une possibilité qu'il n'avait pas envisagée.

– OK, mettons que c'est ça qui relie Tanguay et Mardaev: ils travaillaient à une opération secrète. Et Clark Wood, il fitte où, là-dedans? Il participe aussi à l'opération?

Jacinthe haussa les épaules.

– Pourquoi pas? Wood vendait de l'équipement militaire. Des lunettes antiballes, en fait. S'il y a une opération commune, peut-être qu'elle tournait autour de ça.

Victor approuva d'un mouvement de tête et renchérit:

– Et si Wood avait chargé le commandant Tanguay de développer un marché pour équiper les forces de police, dont le SPVM?

Jacinthe, qui allait porter son verre d'eau à ses lèvres, suspendit son geste.

– À grands coups d'enveloppes brunes? Pas fou... Et Mardaev, là-dedans?

– Peut-être que Wood avait besoin de protection, suggéra Victor. Ça doit jouer dur dans ce milieu-là.

Sa coéquipière vida son verre d'un trait. Elle ne semblait pas impressionnée par son hypothèse.

– Si t'as le genre de moyens que Wood avait, tu peux engager des entreprises de protection privées. Ou, à la limite, des mercenaires. Pas un petit plouc des Red Blood Spillers.

Elle avait raison. Il le reconnut tandis qu'elle enfournait un autre morceau de pain. Elle revint à la charge, la bouche pleine:

– C'est toi-même qui as dit que si on savait pourquoi le tueur a torturé Mardaev, on comprendrait ses motivations. C'est de ce côté-là qu'il faut continuer à chercher.

– Alors, Mardaev détenait peut-être un secret concernant l'entreprise de Wood.

Jacinthe acquiesça. Victor rumina en silence encore quelques secondes. À défaut d'entrevoir la solution, il relança la discussion dans une nouvelle direction:

– Et pourquoi le tueur nous annonce ses couleurs? Est-ce qu'il y a une signification cachée dans les graffitis, un sens qui nous échappe, ou, au contraire, ça veut rien dire?

Elle renifla bruyamment, puis se pinça le nez :

– Peut-être qu'il essaie juste de nous envoyer sur des fausses pistes.

Victor leva les yeux vers sa coéquipière.

– En fait, on dirait qu'il s'amuse avec nous. Qu'il joue à un jeu.

Jacinthe mit l'index sur sa bouche, regarda vers le plafond.

– Effectivement. Tiens, aujourd'hui, je vais tuer quelqu'un avec une hache ! Mmm… non, finalement, la hache, ça fait trop 2008. J'ai une meilleure idée !

Avec de grands gestes théâtraux, elle saisit sa fourchette sur la table et la tint en l'air comme un poignard, prête à frapper.

– Tiens, je vais tuer quelqu'un avec une fourchette, ça va être pas mal plus *chill*!

Victor sourit en entendant la tirade, puis redevint grave.

– Outre le lien qui pourrait unir les trois victimes, l'autre question, c'est : tout ça a-t-il un rapport avec l'attaque sur notre planque ou non ?

– Peut-être que le dossier de Tanguay aux affaires internes va nous aider à y voir plus clair. Le directeur t'a dit que s'il y en avait un, on y aurait accès demain, c'est ça ?

– C'est ce qu'il a dit.

Ils restèrent un moment sans prononcer un mot, puis Victor demanda :

– En passant, as-tu progressé concernant Masse et Lachaîne et la petite mission que je t'ai confiée ?

Elle lui fit un clin d'œil. Un air malveillant flottait sur son visage.

– Tu sais ben que matante Jacinthe trouve toujours, quand elle cherche…

CHAPITRE 28

La flèche

– J'étais en train de…

La remarque de Jacinthe fusa, trop forte, trop familière, trop brutale.

– Dis-le donc, Stevenson, que tu faisais un numéro deux.

Faisant fi des récriminations de sa coéquipière qui voulait «manger tranquille», Victor avait répondu à l'appel du technicien de l'Identification judiciaire alors qu'ils se trouvaient au restaurant. Lorsque Stevenson lui avait mentionné avoir «trouvé quelque chose de bizarre», Jacinthe et lui avaient, au grand désarroi de celle-ci, abandonné leur repas sur la table pour retourner à toute vitesse à la maison de Clark Wood.

Le sergent-détective jeta un regard noir à sa coéquipière, puis encouragea Stevenson à poursuivre.

– Effectivement, j'étais assis sur le siège des toilettes. Et là, par pur hasard, mes yeux se sont posés sur le signe. Au début, j'ai pensé que c'était juste une coche dans le mur, puis, en me lavant les mains, j'ai trouvé que ça ressemblait à une flèche. Ça fait partie de mon travail de remarquer des petits détails que les autres ne voient pas et qui, parfois, sont sans importance. Mais, là, j'ai trouvé ça quand même assez étrange.

Les deux enquêteurs et le technicien se trouvaient dans la vaste salle de bains du rez-de-chaussée. Les voix y retentissaient comme dans l'enceinte d'une abbaye. Dallée de marbre noir, la longue pièce comportait en son centre deux alcôves rectangulaires abritant chacune un lavabo de ciment gris anthracite. Le signe auquel Stevenson faisait allusion se trouvait au-dessus de la tablette de marbre qui surplombait le lavabo de droite. Là, une entaille d'environ deux centimètres de hauteur s'ouvrait dans le mur de gypse blanc, en constituant la seule imperfection apparente. Victor ne l'aurait pas remarquée, mais, maintenant qu'il avait les yeux dessus, il ne voyait rien d'autre. Elle avait effectivement l'allure d'une flèche.

– En levant les yeux, je me suis dit que si on suivait la direction indiquée par la flèche…

Le sergent-détective compléta sa pensée :

– C'est là que tu as eu l'idée d'enlever le miroir…

Stevenson acquiesça. De forme circulaire, le miroir de laiton poli reproduisait un hublot de bateau. Après l'avoir décroché du mur, le technicien l'avait déposé sur le lavabo de gauche.

– C'était juste une intuition…

Le pouce en l'air, Victor cligna de l'œil à son intention.

– T'as été très perspicace… Bravo !

Le technicien ébaucha un sourire empreint d'humilité, fier de s'être rendu utile. L'enquêteur pointa l'index vers le mur où, dans l'espace dénudé par le retrait du miroir, quelqu'un avait écrit un message en lettres rouges.

« *Je suis Myriam Cummings. Aidez-m…* »

– C'est bien du sang ?

– Oui. J'ai vaporisé la surface avec du Luminol pour en être certain.

– On dirait que ç'a été écrit avec les doigts, non ?

Stevenson s'éclaircit la voix :

– Possible. Quoi qu'il en soit, il faut une certaine quantité de sang pour tracer des lettres comme ça.

– Et l'entaille ?

– D'après moi, elle a été faite avec la pointe d'un objet, ou encore un ongle.

Ils examinèrent les lettres en silence un moment. Puis le technicien reprit la parole :

– Soit la fille a manqué de temps pour finir d'écrire ce qu'elle voulait, soit elle a manqué de sang. Cela dit, c'était pas évident que quelqu'un allait voir le message.

Victor et Stevenson s'entre-regardèrent.

– Toi, tu l'as vu. Elle a pris une chance. Si elle avait laissé un signe trop facile à repérer, Wood l'aurait découvert tout de suite.

Jacinthe se tourna vers les deux hommes.

– Il faut fouiller la maison.

Le technicien intervint.

– C'est la première chose que les membres de mon équipe et moi avons faite avant que vous arriviez. Elle n'est plus ici, c'est certain. Si elle était encore là, on l'aurait trouvée.

Victor marqua son désaccord en secouant la tête.

– Il va falloir qu'on fouille de nouveau de fond en comble. Rappelle-toi de cette affaire en Autriche. Le père qui a séquestré sa fille pendant vingt-quatre ans. Il y avait un ancien abri antiatomique dans la cave, complètement insonorisé.

Jacinthe, qui se tenait appuyée contre le mur, se redressa.

– On doit sûrement pouvoir trouver les plans de cette cabane-là quelque part.

Nadja, qui venait d'arriver en compagnie de Loïc, entra dans la pièce les yeux fixés sur l'écran de son cellulaire, qu'elle tenait entre ses doigts crispés. Elle y consultait un avis de recherche.

– Myriam Cummings est une fugueuse. Disparue depuis le 15 février. J'ai le numéro et l'adresse de son père. Un certain Grant Emerson. J'ai essayé de l'appeler, mais il ne répond pas.

– Donne-moi son adresse. Je vais aller le voir en personne.

Nadja la transcrivit sur un papier qu'elle lui remit, puis ajouta :

– La jeune fille disparue avait vingt et un ans. Espérons qu'on n'aura pas un autre homicide sur les bras…

Victor cligna lentement des paupières et accusa le coup en silence. Vingt et un ans. Presque le même âge que sa fille Charlotte… Bouillant de colère à la seule pensée qu'une jeune femme puisse être mêlée à cette affaire sordide, il partit un moment dans ses pensées. Il songeait que les gens aiment croire que ce genre d'histoire n'arrive qu'aux autres, alors qu'en vérité le grand public ne se doute pas à quel point la ligne est mince, la différence, ténue, entre le parcours d'une jeune fille qui s'épanouit pour devenir une femme active et celui d'une adolescente dont on abuse, qu'on viole ou, pire encore, qu'on assassine. On ne le dit jamais ouvertement parce que ce n'est pas politiquement correct, pensait-il, mais souvent, dans la bonne société, on croit que ces jeunes filles qui nourrissent les faits divers l'ont cherché. Or, si on s'y attarde, de quoi seraient-elles coupables? Dans la plupart des cas, d'une seule chose : de s'être trouvées au mauvais endroit au mauvais moment. Parce que, parfois, la seule nuance entre un avenir lumineux et une urne dans un mausolée tient à ces gens que vous croisez sur votre route. Et si vous avez un peu de chance, le hasard ne met pas un psychopathe sur votre chemin.

Victor regarda tendrement Nadja. Ses yeux miroitaient.

– J'aime mieux pas penser tout de suite au pire. On va la retrouver.

Elle caressa sa joue du plat de la main.

– C'est certain. Et je vais t'accompagner chez le père.

– Je préférerais que Loïc et toi restiez ici pour coordonner la fouille de la maison avec l'Identification judiciaire, pendant que Jacinthe prend contact avec les enquêteurs chargés du dossier concernant la disparition de la petite. Si Wood l'a séquestrée ici, il doit nécessairement rester des traces.

– S'il y a des traces, on va les trouver.

Victor acquiesça, puis reporta son regard sur le mur où il relut le message tracé en lettres de sang. Un sentiment d'urgence l'étreignit. Myriam Cummings était-elle en train d'agoniser aux mains du tueur? Ou pire encore… Il fallait agir au plus vite. Il ne se pardonnerait pas la mort d'une innocente jeune femme.

– R –

Quelques semaines avaient passé. Et Maxime avait vite compris qu'il valait mieux faire ce que le père Noël lui demandait. Parce que les punitions étaient de plus en plus longues et de plus en plus violentes lorsqu'il désobéissait. Par contre, lorsqu'il obtempérait, le père Noël le traitait comme un roi, passait du temps en sa compagnie et lui offrait des livres. Souvent, il lui faisait même la lecture et ils discutaient ensemble d'une foule de choses. Maxime était très curieux et appréciait ces moments.

Un matin, le père Noël vint le chercher dans sa chambre et l'amena à la cave, dans une pièce très sombre. Debout, l'un des deux autres garçons était enchaîné au mur, des bracelets d'acier lui enserrant les chevilles et les poignets. Sa tête était couverte d'un sac de toile noir et il émettait de petits gémissements étouffés. Maxime se demanda s'il s'agissait de Louis ou de Patrick. Puis le père Noël sortit un objet du tiroir d'une commode et le tendit à Maxime, qui le prit dans sa main sans savoir que c'était une matraque.

– Louis ne m'obéit pas. J'aimerais que tu m'aides à le punir.

Maxime regarda le père Noël, l'air indécis. Il cherchait l'approbation dans son regard. Ce dernier hocha lentement la tête.

– Fais-le… maintenant.

Maxime commença à frapper l'autre enfant. Faiblement au départ, puis, encouragé par la voix douce et calme du père Noël, de plus en plus fort, jusqu'à le marteler sauvagement.

CHAPITRE 29

Père en colère

Victor gara la voiture banalisée devant l'un des immeubles d'habitation, près du coin de Charron et de Frank-Selke. Il coupa le contact et resta un instant sans bouger, le crâne posé sur l'appuie-tête. Préoccupé, il essaya de faire le tri dans ses pensées, puis y renonça. Son polo collait à son corps trempé de sueur. Cette satanée canicule sapait son énergie. Il baissa la vitre et fuma une cigarette en observant les ombres qui remuaient derrière les fenêtres illuminées. Puis, se glissant hors du véhicule, il écrasa son mégot sous son talon.

Une enveloppe à la main, il entra dans l'édifice et emprunta des escaliers mal éclairés. Des odeurs de graisse, de cuisson et de moisissure flottaient dans l'air. Parvenu au deuxième étage, il s'engouffra dans le couloir. Derrière les portes qu'il passait, il percevait des éclats de voix et de la musique. Il arriva à l'appartement de Grant Emerson et frappa à plusieurs reprises. Il s'apprêtait à repartir lorsqu'il entendit finalement une voix à travers le battant:

– Qui est là?

– Monsieur Emerson?

– Vous êtes qui, vous?

Victor consulta sa montre. Déjà 22 h 25. Emerson trouvait sans doute étrange que l'on frappe à sa porte à une heure aussi tardive.

– Sergent-détective Victor Lessard, du SPVM. Ouvrez-moi, s'il vous plaît.

Un cigare éteint en équilibre au coin des lèvres, un visage apparut dans l'entrebâillement. Les traits tirés, une touffe de poils gris émergeant du col de sa camisole sans manches, Emerson avait entrouvert, mais ne semblait nullement disposé à l'inviter à l'intérieur.

– Montrez-moi votre plaque.

Le sergent-détective fouilla dans ses poches, puis brandit l'insigne. Emerson l'examina longuement.

– Vous auriez dû appeler avant de venir.

– Ma coéquipière a essayé plusieurs fois, sans obtenir de réponse.

– Ça se peut. Je décroche parfois le téléphone.

– Est-ce que je peux entrer, monsieur? C'est à propos de Myriam.

– Je… Donnez-moi une minute.

La porte se referma brusquement et Victor, interloqué, resta sur le seuil. Quand le battant se rouvrit, quelques secondes plus tard, l'homme longiligne avait enfilé une robe de chambre turquoise aux coudes élimés. Le policier pénétra dans l'appartement. Dans le capharnaüm qu'il avait sous les yeux, le regard moqueur d'une jeune fille brune qui devait avoir une douzaine d'années capta son attention. L'immense toile occupait, à sa droite, un large pan du mur perpendiculaire à l'entrée. Le portrait était si réaliste que Victor n'aurait pas été surpris que la petite se mette à parler. Et même si elle avait quelques années de moins sur le tableau que sur la photo qu'il avait vue en consultant l'avis de recherche sur le cellulaire de Nadja, il reconnut immédiatement le visage de Myriam Cummings.

Son intérêt n'échappa pas à Emerson.

– Ça vous plaît?

Victor se tourna vers lui.

– C'est magnifique. C'est vous qui l'avez peinte?

– Oui, mais j'ai rangé mes pinceaux ça fait des années.

Tête penchée vers l'arrière, le sergent-détective se mit à examiner les cordes tendues au plafond et les photos de Myriam qui y étaient épinglées.

– C'est aussi vous qui avez pris ces photos?

Emerson débarrassait le canapé des journaux qui le recouvraient.

– J'ai travaillé longtemps comme photographe au *Allo Police.*

– Elles sont splendides.

Victor continua de les admirer un moment, fasciné. Puis il reporta son attention sur l'homme, qui rapprochait un fauteuil du canapé.

– Les photos datées, celles où on voit un avis de recherche sur un poteau, à quoi elles servent?

Emerson tendit la main pour l'inviter à s'asseoir. Le sergent-détective obtempéra et déposa l'enveloppe à ses côtés. Le père de Myriam prit place dans le fauteuil, face à lui.

– J'ai pris une photo de toutes les affiches que j'ai installées dans la ville. Après, je les marque sur une carte. Et pour pas oublier ma fille, j'en installe d'autres chaque jour.

Victor hocha la tête. La détermination de l'homme était touchante. Sans même lui laisser le temps d'expliquer les motifs de sa visite, Emerson demanda :

– Elle est morte?

Le sergent-détective répondit d'une voix résolue :

– On n'a pour le moment aucune information qui va dans ce sens-là.

– Vous avez du nouveau, d'abord?

– C'est la raison pour laquelle je suis ici.

– Parfait, je vous écoute. Mais faites pas comme vos collègues, qui traitent ça comme une fugue et mettent des gants blancs pour répondre à mes questions. Avec eux, y a jamais moyen d'avoir l'heure juste. Ils me parlent comme si j'étais un attardé. Quel est votre nom, déjà?

– Lessard.

– Alors, appelez un chat un chat pis essayez pas de m'épargner, Lessard.

Voilà. Grant Emerson lui remettait les rênes de la conversation, non sans avoir pris soin de préciser les paramètres à l'intérieur desquels il souhaitait qu'elle se déroule. Compte tenu de ce que l'homme venait de dire, Victor décida d'être honnête avec lui.

– Nous enquêtons présentement sur une série de meurtres. Nous croyons qu'il pourrait y avoir un lien entre la troisième victime et votre fille.

– Quel genre de lien?

– On a retrouvé un message chez la victime. On croit qu'il provient de Myriam.

– Qu'est-ce que disait le message?

– C'était un appel au secours. Nous pensons que Myriam a séjourné dans la maison de cet homme… et que, peut-être, elle y a été séquestrée.

Emerson plissa les paupières. Ses poings crispés tremblaient le long de ses cuisses. Victor dit d'un ton empathique:

– Avez-vous besoin d'un moment, monsieur Emerson?

Lorsqu'il rouvrit les yeux, Emerson s'était repris et l'enquêteur eut de la difficulté à cerner les émotions qui habitaient son interlocuteur.

– Depuis le début que je me tue à dire à vos collègues que c'est pas une fugue, que Myriam serait jamais partie sans me prévenir.

– Je comprends votre frustration.

– Vraiment? Je vais pas vous faire de cachettes, monsieur Lessard. J'haïs la police. Parce qu'ils servent la loi et la population, ils en profitent pour taper sur la gueule des gens. Et il y a des jours où je me dis que c'est pas avec des casseroles que le monde aurait dû descendre dans la rue pendant la grève étudiante.

Depuis les événements du printemps 2012, ce n'était pas la première fois que Victor entendait ce genre de récriminations. Cependant, il y avait une telle véhémence dans la voix d'Emerson qu'il dut faire un effort pour répondre d'un ton détaché.

– Il semble que votre expérience avec les enquêteurs chargés des disparitions a été peu concluante. Pour ma part, je vais éviter de vous faire des promesses, sauf une : je ferai tout ce que je peux pour comprendre ce qui est arrivé à Myriam et pour la retrouver.

Emerson soutint son regard un long moment, puis détourna la tête. Victor accueillit le geste comme une marque de confiance. Allongeant le bras, il saisit l'enveloppe à côté de lui et en sortit une photo qu'il avait retirée d'un cadre chez la dernière victime.

Il la tendit au père de Myriam.

– Est-ce que vous connaissez cet homme ? Il s'appelle Clark Wood.

Emerson regarda la photo quelques secondes à peine avant de hocher la tête en signe de dénégation.

– Non. Je devrais ?

L'homme, qui suait abondamment, sortit un mouchoir à carreaux de la poche de sa chemise et s'épongea le front.

– Wood a été retrouvé assassiné chez lui, plus tôt aujourd'hui. C'est lui, l'homme chez qui votre fille aurait été séquestrée.

– Pourquoi « *aurait* été séquestrée » ? Vous êtes pas certain ?

– Pour l'instant, d'après les éléments que nous avons, on peut seulement supposer que Myriam s'est déjà trouvée dans la maison.

– Et vous savez où elle est en ce moment?

– Si je le savais, croyez-moi, je serais déjà parti à sa recherche au lieu de vous embêter avec mes questions.

Emerson le scruta comme s'il sondait son âme.

– Vous avez vraiment aucune idée?

Victor joua franc jeu:

– Aucune.

Le sergent-détective tira une autre photo de l'enveloppe et la lui tendit.

– Avez-vous déjà vu cet homme?

Grant Emerson examina le portrait et le lui rendit.

– Jamais. C'est quoi, son nom?

– Valeri Mardaev. C'était la deuxième victime du tueur.

– Qu'est-ce qu'il faisait dans la vie?

– Il était membre d'un gang de rue.

Une lueur s'alluma dans le regard d'Emerson.

– Bon débarras.

Plutôt que de relever la remarque, Victor prit la dernière photo que contenait l'enveloppe et la lui donna. Un portrait du commandant Tanguay.

– Et celui-ci?

Emerson fit un hochement de tête affirmatif.

– C'est le policier qui s'est fait couper la tête?

– Oui. Vous le connaissiez?

– J'ai vu un reportage à la télé. Vous enquêtez vraiment sur une série de meurtres?

Victor acquiesça. Emerson le fixa et demanda:

– Je m'excuse, mais c'est quoi le rapport avec la disparition de Myriam?

– J'espérais justement que vous pourriez m'aider à y voir plus clair. La dernière victime, Clark Wood, était le PDG d'une entreprise qui fabrique du matériel militaire. Est-ce qu'il y a quelque chose dans ce que je vous ai dit, concernant les trois victimes, ou encore dans les portraits que je vous ai montrés, qui sonne une cloche? Un souvenir qui vous revient, un élément qui vous semble familier, ou qui vous rappelle quelque chose à propos de Myriam?

Emerson fit signe que non, puis demanda:

– Entre nous, vous avez aucune idée de ce qui se passe, pas vrai?

– C'est une enquête difficile. C'est tout ce que je peux vous dire.

Le sergent-détective tourna brusquement la tête sur sa droite. Il lui avait semblé entendre du bruit provenant de derrière une porte close.

– Vous êtes seul?

Emerson n'avait pas bronché.

– Oui, pourquoi?

– Qu'est-ce qu'il y a derrière cette porte? demanda le policier en la pointant du menton.

– Ma chambre noire. Je développe encore mes films à l'ancienne.

– Vous n'avez pas entendu quelque chose?

Les épaules d'Emerson se mirent à tressauter.

– J'ai enfermé le chat avant que vous entriez. Une vraie tête folle. Si je l'avais laissé dans la pièce, il serait en train de faire ses griffes sur vos jeans. Vous seriez ressorti d'ici avec des shorts.

Les deux hommes échangèrent un sourire. Victor sortit son calepin.

– Serait-il possible d'obtenir les coordonnées de la mère de Myriam? J'aimerais bien lui montrer ces photos, peut-être que…

Emerson le coupa:

– Anik est morte, ça va faire cinq ans.

Il marqua une courte pause avant de reprendre:

– Aussi bien vous dire la vérité tout de suite, parce que si vous faites des recherches, vous allez trouver l'info. Anik travaillait comme escorte. Elle a fait une overdose d'héroïne dans une chambre de motel.

Les yeux d'Emerson miroitaient.

– Ça va peut-être vous choquer, mais j'ai été un de ses clients, il y a longtemps. On a été en couple quelques années. J'avais même réussi à la convaincre de changer de métier. Puis elle est tombée enceinte. J'ai jamais voulu avoir d'enfants. J'ai insisté pour qu'elle se fasse avorter. Pour elle, c'était hors de question. Elle voulait garder le bébé. À cause de ça, c'est vite devenu invivable entre nous.

Le sergent-détective hésitait à interrompre le monologue du vieux, qui semblait se libérer d'un poids.

– Comme je voulais absolument pas m'impliquer dans la grossesse, on s'est séparés. Je lui ai laissé de l'argent et l'appartement. Et je suis parti travailler dans l'Ouest. Aussi bien se dire les vraies affaires : je me suis sauvé. J'ai agi comme un vrai trou de cul. Quand je suis revenu à Montréal, dix ans plus tard, j'ignorais complètement ce qu'Anik et le bébé étaient devenus.

Et tandis qu'il parlait, Emerson essayait de dissimuler le trémolo de sa voix.

– La première fois, c'est la petite qui m'a contacté. Elle m'a téléphoné comme ça, un matin. « Salut, je m'appelle Myriam, j'ai neuf ans. Je suis ta fille. Ma maman s'appelle Anik Cummings. J'aimerais te rencontrer. » Pas besoin de vous dire que ç'a été un choc.

Il se mit à sangloter. La gorge de Victor se noua. Emerson essuya ses larmes, puis reprit son récit :

– J'ai fini par accepter de voir Myriam. Au début, ç'a été vraiment bizarre, mais la petite et moi, on a vite développé une relation. Je la voyais seulement les fins de semaine.

Mais comme Anik avait recommencé à travailler comme escorte, je la prenais aussi la semaine. Je l'emmenais au Biodôme, à l'Ecomuseum, des affaires de même. Pis après, quand Anik est tombée malade, elles sont venues vivre ici toutes les deux, avec moi.

– Votre ancienne conjointe était malade?

– Elle a eu un cancer du pancréas qui pouvait pas être traité. L'overdose a été sa façon d'en finir. Elle voulait éviter de devenir un poids pour la petite et pour moi.

Ému par ces destins tragiques, Victor préféra se taire. Le regard plongé dans le vide, Emerson laissa passer quelques secondes avant de poursuivre:

– Quand même étrange, hein? Moi qui voulais pas d'enfants, je me suis retrouvé du jour au lendemain à m'occuper seul d'une ado de seize ans.

Il fouilla dans sa poche et tendit sa paume ouverte vers Victor.

– Une menthe?

Le sergent-détective en prit une. Pendant quelques secondes, on n'entendit plus que le crissement du papier d'emballage que les deux hommes trituraient entre leurs doigts.

– Vous disiez tout à l'heure que vous n'avez jamais cru à une fugue de la part de Myriam. Pourquoi? Comment étaient vos relations avec elle?

Grant Emerson eut un rire franc.

– Pour être honnête, plutôt mauvaises depuis un an. Elle m'accusait d'être trop vieux jeu et dépassé. Myriam est pas une jeune fille typique. Elle a beaucoup de vécu, même si elle a juste vingt et un ans. Le passage de l'adolescence à la vie adulte est jamais facile. On en veut au monde entier et, surtout, à ses parents.

Victor acquiesça.

– Et on passe une partie de sa vie à essayer de ne pas leur ressembler. Soyez sans crainte, j'en connais un bout là-dessus.

– Vous avez des enfants, monsieur Lessard?

– Deux. Une fille de vingt ans et un petit rebelle de vingt-trois.

– J'ai soixante-quatre ans. J'ai jamais été un ange, mais je suis quand même d'une autre génération. Ceci dit, Myriam était libre, ici. Je suis pas un jeune père comme vous, mais elle serait jamais partie sans m'avertir. Vous comprenez? Ma petite fille, ma petite Myriam... Elle est tout ce que j'ai. J'ai jamais aimé quelqu'un autant qu'elle.

Le sergent-détective invita Emerson, qui écrasait quelques larmes avec le pouce, à prendre soin de lui. Puis, rangeant les portraits des victimes dans l'enveloppe, il se leva et lui donna sa carte professionnelle.

– Je vous dérange pas plus longtemps. Je veux pas vous embêter avec des détails que vous avez déjà donnés aux enquêteurs chargés de la disparition. Mais si jamais quelque chose vous revenait, quoi que ce soit, vous m'appelez. Même si ça vous semble être un élément sans importance. De mon côté, je vais vous tenir au courant dès que j'aurai du nouveau.

Emerson tendit la main. Victor y glissa la sienne.

– Merci, enquêteur.

Victor se dirigeait vers la sortie lorsqu'il s'arrêta et se retourna brusquement.

– J'allais oublier. J'aurais une faveur à vous demander, avant de partir. Auriez-vous une brosse à cheveux appartenant à Myriam?

Emerson lui jeta un regard suspicieux.

– Ne vous en faites pas. Simple formalité.

– Attendez-moi une seconde.

L'homme se leva et disparut dans une autre pièce de l'appartement. Il revint avec une brosse en bois et la lui donna. Le policier ne lui mentionna pas que les cheveux allaient servir à des tests d'ADN destinés à confirmer que le sang utilisé pour tracer le message trouvé derrière le miroir était bien celui de Myriam, et

Emerson ne posa pas davantage de questions. Victor le remercia, jeta un dernier coup d'œil aux photos suspendues et sortit.

En marchant dans l'allée pour rejoindre la voiture banalisée, il alluma une cigarette. Il ne savait pas vraiment ce qu'il y avait à tirer de son entretien avec le père de Myriam ni le rôle que celle-ci jouait dans la série de meurtres, mais il avait une certitude: Grant Emerson cachait quelque chose.

CHAPITRE 30

Sous surveillance

À son retour à la maison de Clark Wood, Victor avait rassemblé le groupe d'enquête autour de la table de la salle à manger pour une réunion impromptue. Des gobelets de café et des bouteilles d'eau vides gisaient entre les dossiers ouverts et les piles de papiers. Nadja l'avait d'abord débriefé sur les recherches réalisées en son absence, qui n'avaient pas donné grand-chose. En effet, ils n'avaient toujours pas réussi à découvrir l'endroit où la jeune Myriam Cummings avait pu, le cas échéant, être séquestrée. Les bâtiments secondaires – le garage et l'annexe de la piscine – avaient aussi été fouillés, sans succès. Loïc avait appelé à son domicile l'un des associés du cabinet d'architectes qui avait conçu et réalisé l'immeuble et, par le fait même, l'avait tiré de son sommeil. L'homme était en route pour le bureau afin de récupérer les plans et devait les apporter dès qu'il les aurait en main.

Clark Wood était célibataire et sans enfants. Ses proches vivaient à l'étranger et n'avaient pu, pour l'heure, être joints. Et malgré une discussion téléphonique que Nadja avait eue avec les deux autres actionnaires de son entreprise de fabrication de lunettes militaires, son emploi du temps des derniers jours demeurait encore parcellaire. L'équipe technique avait effectué une fouille en règle du disque dur de son ordinateur portable, laquelle n'avait rien révélé d'anormal. Un technicien épluchait en ce moment même le registre d'appels du cellulaire de Wood, et le relevé complet de ses appels avait fait l'objet d'une requête à son opérateur de services mobiles.

En fait, le seul élément nouveau avait été découvert par accident. En proie à une «légère fringale», Jacinthe avait fouillé dans le frigo de la victime. Là, elle avait trouvé une série de plateaux contenant des repas emballés sous vide en portions individuelles. La nourriture avait été préparée par un traiteur de la rue Atwater. Un coup de fil au commerce en question leur avait permis d'apprendre que, depuis quelques mois, Wood recevait chaque lundi des plats pour la semaine, à raison de trois repas par jour. L'ennui, c'est qu'à ce stade, la présence de ces plateaux ne prouvait pas nécessairement celle de la jeune Myriam dans la maison. Même si cela semblait improbable, Wood avait pu commander ces plats pour lui-même.

Depuis plusieurs minutes, la conversation avait bifurqué sur la manière dont s'était déroulée la rencontre qui avait eu lieu entre Victor et Grant Emerson. Ayant pris le contrôle des opérations, Jacinthe contre-interrogeait avec sa verve habituelle son coéquipier, sous le regard attentif de Loïc, qui mâchait sa gomme à s'en décrocher les mâchoires, et de Nadja.

– Attends, mon homme… j'te suis plus, là. Explique-moi encore pourquoi tu crois qu'il ment? À cause des photos des avis de recherche?

Victor hocha la tête affirmativement.

– Emerson dit qu'il en installe chaque jour, sans exception. Il marque sur chaque photo la date où il a placardé l'avis de recherche. On sait que Clark Wood a été tué il y a moins de vingt-quatre heures. Et là, d'après ce que j'ai vu sur les cordes, il n'y avait pas de photo datée d'hier, ni d'aujourd'hui.

Jacinthe haussa les épaules, perplexe.

– Ouin, pis? Comme je te disais tantôt, ça veut rien dire. Emerson les a peut-être pas encore développées. Est-ce qu'y en a qui sont datées du jour de la mort de Tanguay et de Mardaev?

Le sergent-détective ignorait la réponse.

– Écoute, je pouvais quand même pas demander un escabeau et me mettre à tout examiner.

– Je comprends, mais avoue que c'est mince.

– T'as raison, Jacinthe. C'est vrai que c'est pas une preuve irréfutable. Mais, je te le répète, il y a plusieurs trucs qui clochent.

– Tu veux parler du chat?

– Je sais que tu trouves ça niaiseux, mais demande à Nadja. Je suis tellement allergique depuis deux ans que mes paupières enflent dès que je mets les pieds dans un endroit où il y en a un. Je te garantis qu'Emerson a jamais eu de chat chez lui.

Nadja confirma ses dires d'un hochement de tête. Méthodique, Jacinthe poursuivit son travail de sape :

– OK, mettons que t'as raison et que, comme tu pensais, y avait quelqu'un d'autre dans la pièce à côté. Je suis obligée de te dire que ça pouvait être quelqu'un qu'Emerson avait juste pas envie que tu voies. Il t'a lui-même avoué qu'il a déjà été amateur d'escortes. Celui qui a déjà goûté au fruit défendu voudra en commander une caisse, c'est bien connu !

Le sergent-détective ne put réprimer un sourire et lança, sarcastique :

– C'est une expression d'Ellen, ça?

Complètement largué, Loïc lâcha :

– Ellen? C'est qui, ça, Ellen?

Victor balaya l'air de la main.

– Oublie ça, le Kid. T'as raison, Jacinthe. Ça pouvait être une escorte. Mais ça pouvait aussi être Myriam.

– Pis là, on revient à ta théorie suivant laquelle Emerson aurait délivré sa fille. Il aurait d'abord surpris et torturé Mardaev…

Victor compléta avant elle :

– … pour savoir où trouver Myriam. Puis il se présente ici, tue Wood et la récupère.

Jacinthe haussa le ton pour couvrir la voix de son coéquipier et débita d'un trait :

– Et pourquoi Mardaev aurait eu cette information en sa possession ? Et pourquoi Emerson aurait tué Tanguay ? Et pourquoi il voudrait tuer le père Noël ? Et l'appel anonyme au 911 et celui à Duvalier Joseph, c'était pas la voix d'un jeune ?

Contrarié, Victor se leva et marcha jusqu'à la porte-fenêtre. Jacinthe se radoucit :

– Je dis pas que t'es dans le champ, Lessard. J'essaie juste de me faire l'avocat du diable.

Il resta quelques instants à ressasser ses idées en contemplant le jardin et la piscine. Puis il se retourna et enfonça ses mains dans ses poches.

– Écoute, je suis conscient que ma théorie présente des failles et qu'elle ne répond pas à toutes les questions, mais c'est la seule qu'on a. Ça fait presque dix jours qu'on enquête dans le vide. On a besoin d'un point de départ.

Le visage de Jacinthe affichait une expression neutre.

– Quelle réaction a eue Emerson quand tu lui as parlé de Myriam et du fait qu'elle a peut-être été séquestrée ici ?

De la compassion se peignit sur le visage du policier. La disparition de la jeune femme touchait sa fibre paternelle.

– Au début, ç'a eu l'air de l'atteindre, j'ai senti de la colère. Mais il s'est vite repris. Au point où je me suis demandé par la suite quelle émotion il ressentait. Évidemment, on réagit tous différemment à une situation donnée, mais, outre la colère, tu prendrais ça comment si tu apprenais que ta fille a été séquestrée par un homme qu'on vient de retrouver assassiné ? Et on se comprend : le sous-entendu est qu'elle a été agressée sexuellement.

Jacinthe réfléchit un moment, l'air grave.

– J'imagine que je serais surprise et que j'aurais très peur pour mon enfant.

Le sergent-détective fit quelques pas vers la table.

– Exactement. Une de tes premières réactions serait la surprise. Tu commencerais par nier, par remettre en doute l'information qui t'est divulguée, par dire: «Non, c'est impossible.» Avec le recul, je me rends compte que, après sa réaction initiale, Emerson n'a pas bronché. Il est devenu réellement émotif seulement quand on s'est mis à parler du passé de la petite et de sa mère.

Loïc fit une moue dubitative.

– Oui, mais certaines personnes ont tellement vécu de choses atroces que plus rien ne les surprend.

Nadja approuva la remarque de son collègue et ajouta:

– Et quand ta fille est disparue depuis plusieurs mois, j'imagine que tu t'attends au pire.

Victor scruta le visage de ses enquêteurs à tour de rôle. Il essayait de se convaincre qu'il se trompait, mais il n'y parvenait pas.

– Écoutez, je vais aller plus loin et me mouiller. Emerson savait pour Myriam. La colère qu'il a exprimée était sincère: elle était dirigée contre Wood. Parce qu'il savait que celui-ci avait agressé sa fille. Il *savait,* j'en mettrais ma main au feu.

Ils ne dirent rien pendant quelques secondes. Mais Jacinthe avait encore des munitions:

– Pis, ton p'tit monsieur, là, il a soixante-quatre ans, c'est ça? Est-ce qu'il est capable de s'en prendre physiquement à un *tough* comme Mardaev?

Victor ne put s'empêcher de sourire.

– La soixantaine, c'est la nouvelle quarantaine. Et tu sais comme moi que même une grand-mère peut faire pas mal de dégâts si tu lui donnes une arme.

– Il a une arme?

– Pas à ma connaissance, mais de toute façon, je vais demander qu'on fasse sortir des bases de données son profil complet et celui de son ancienne femme, Anik Cummings.

– Et la vidéo de surveillance qu'on a récupérée à la bijouterie, t'en fais quoi, mon homme? Me semble que Grant Emerson fitte pas. Y a pas pantoute le profil d'un graffiteux!

– Sur la vidéo, on voit le graffiteur de dos. Et son capuchon est relevé. Ça peut être n'importe qui... Emerson est assez grand et mince pour que ça puisse correspondre. Et oublie pas l'immense portrait de Myriam dans son salon. Emerson peint avec une grande maîtrise. J'suis pas expert, mais peindre des toiles et des graffitis, ça doit se ressembler, quelque part.

Jacinthe réfléchit quelques secondes. Victor avait une grande confiance en son jugement. En l'absence de Paul Delaney, le chef de la section des crimes majeurs, elle se livrait à un exercice désagréable, mais nécessaire, pour trouver les failles de ses hypothèses.

Même si elle n'avait pas à le faire, Jacinthe consulta du regard Nadja et Loïc, qui acquiescèrent de la tête.

Alors, elle trancha d'un ton catégorique:

– OK, mon homme. Je suis d'accord avec toi... on a besoin d'un point de départ.

Victor réalisait qu'il ne l'avait pas entièrement convaincue, mais elle n'était pas non plus du genre à lui dire ce qu'il voulait entendre. Si elle l'appuyait, c'était non seulement parce qu'il avait soulevé un doute suffisant dans son esprit, mais aussi parce qu'elle était consciente des enjeux et des conséquences. Il savait que, d'une loyauté à toute épreuve, elle ferait front commun avec lui auprès du directeur en cas de pépin.

Victor se tourna vers Blouin-Dubois.

– Est-ce que tu t'endors, Loïc?

– Ça se toffe... Pourquoi?

– Parce que j'aimerais ça que tu ailles te poster en face de l'appartement d'Emerson et que tu surveilles ses allées et venues. Sans te faire repérer, évidemment. Pas besoin de te dire que tu m'appelles dès qu'il se passe quelque chose d'anormal. De mon côté, je vais m'arranger pour obtenir un mandat de perquisition à la première heure demain matin.

La réponse du jeune enquêteur fusa, sans hésitation :

– Pas d'trouble.

Jacinthe tourna la tête sur le côté et fit craquer ses vertèbres cervicales.

– Pis qui va surveiller la porte d'en arrière? Placer une voiture de patrouille, c'est le meilleur moyen d'attirer son attention.

Victor décocha un clin d'œil à sa coéquipière. Il avait déjà songé au problème et trouvé une solution. S'approchant de Loïc, il esquissa un plan sur la table avec ses doigts.

– L'immeuble est situé au coin de la rue. Tu vas voir, y a un genre de petit parc à côté. Si tu places ta voiture au bout, tu devrais avoir une vue sur l'avant et l'arrière. Tu me prends une photo de tout ce qui entre ou sort de l'immeuble. Ça va te tenir réveillé.

Le jeune homme approuva. Victor s'appuya sur la table et se pencha vers l'avant. Sa voix descendit dans les graves :

– À partir de maintenant, Grant Emerson est notre suspect numéro un.

CHAPITRE 31

Plafonnier

Victor entra dans la chambre avec une serviette enroulée autour des hanches. De fines gouttelettes ruisselaient sur son torse et ses bras musclés. Absorbée par la lecture d'un feuillet, Nadja était assise en culotte et en camisole sur le lit, le dos appuyé contre une pile d'oreillers. Une chemise cartonnée reposait sur la peau hâlée de ses cuisses, et des feuilles étalées en désordre traînaient sur sa droite.

Ils avaient quitté la maison de Clark Wood un peu après minuit. Avant de partir, Victor avait confié la brosse à cheveux à un des techniciens de l'Identification judiciaire. Jacinthe était demeurée sur place pour attendre l'architecte et les plans de la maison. Pour sa part, Loïc était allé se poster devant le domicile de Grant Emerson. L'objectif de Victor et de Nadja était simple : dormir quelques heures, puis aller relever leurs coéquipiers.

Le sergent-détective s'approcha de sa commode, sur laquelle étaient posés des cadres contenant des portraits de Charlotte et de Martin encore enfants ainsi qu'une photo noir et blanc de Ted en uniforme. Des boîtes empilées à côté du meuble attendaient qu'ils trouvent le temps de les vider et d'en ranger le contenu.

Nadja releva la tête de son feuillet.

– Est-ce qu'il faut que je ferme les yeux?

Victor singea un air séducteur.

– À tes risques et périls.

Il laissa tomber sa serviette sur le plancher et enfila un caleçon. Puis il posa un regard interrogateur sur le document qu'elle consultait.

– Qu'est-ce que tu lis?

– Je continue d'examiner les dossiers sur lesquels Tanguay a travaillé pour essayer de trouver un lien.

Victor s'approcha du lit et défit les couvertures du côté droit.

– La nuit va être courte, beauté. Tu devrais prendre une pause.

Le visage de Nadja se crispa. Elle redoutait qu'il réagisse mal à ce qu'elle allait dire, si bien qu'elle avait reformulé la phrase dans son esprit un nombre incalculable de fois tandis qu'il prenait sa douche.

– On a trois meurtres... C'est un nombre suffisant pour envisager la possibilité qu'on ait affaire à un tueur en série, non?

Il se colportait beaucoup de folklore et de faussetés au sujet des meurtres en série. Pour cette raison, Victor détestait qu'on évoque cette hypothèse à tort et à travers. Peut-être redoutait-il à chaque nouveau cas de devoir s'enfoncer dans les ténèbres pour le résoudre. Quoi qu'il en soit, cette fois, la question méritait d'être posée.

Il acquiesça d'un hochement de tête, puis Nadja poursuivit:

– À ton avis, Grant Emerson a-t-il le profil psychologique d'un tueur en série ou s'agit-il simplement d'un père en colère qui a pété les plombs?

Victor réfléchit un instant avant de répondre.

– Plutôt que d'essayer de satisfaire ses fantasmes et la pulsion de tuer qu'on retrouve chez les tueurs en série, Emerson semble avoir un motif rationnel pour au moins un des trois meurtres. En l'occurrence, sauver sa fille des griffes de Wood.

Nadja ramassa les feuilles éparses et tapota le paquet contre ses cuisses pour les aligner.

– Il aurait aussi un mobile rationnel pour le meurtre de Mardaev s'il l'a effectivement torturé pour lui soutirer l'adresse de Wood.

– Exact.

– Donc, tu penses qu'Emerson n'est pas un tueur en série. Alors pourquoi cette mise en scène avec les graffitis et les messages laissés dans la bouche des victimes?

Victor se pencha pour placer ses oreillers à la verticale du mur. L'année précédente, il avait participé à un symposium sur les tueurs en série à l'Académie du FBI, à Quantico, en Virginie. Une discussion tenue durant une table ronde lui revint en mémoire.

– Attention, je n'exclus pas qu'il soit un tueur en série. À la fin des années quatre-vingt, un criminologue américain a déterminé quatre sous-catégories de tueurs en série. Selon lui, certains d'entre eux poursuivraient une mission en s'attaquant à des groupes de personnes qu'ils jugent indignes de vivre. S'il s'avérait qu'Emerson est un tueur en série, il entrerait à mon avis dans cette catégorie.

Nadja tambourinait au dos du paquet de feuilles. Elle réfléchit un moment.

– Intéressant. Ça expliquerait pourquoi, au lieu de choisir ses victimes au hasard, il connaît les siennes à l'avance et annonce ses intentions à leur égard.

Victor s'assit sur le lit, passa la paume de sa main sous la plante de ses pieds pour en enlever les poussières, puis se glissa sous les couvertures.

– C'est une hypothèse parmi d'autres.

Nadja continua:

– OK… admettons un instant qu'Emerson est un tueur en série. Alors, pourquoi modifier son mode opératoire de façon aussi radicale? Tanguay a été décapité, Mardaev, poignardé à mort, et Wood, pendu. Et si on se fie au dernier graffiti, le prochain meurtre se fera à l'aide d'un marteau. Qu'est-ce que ça veut dire, selon toi?

– Y a pas toujours de logique derrière les actes d'un tueur en série et, dans la plupart des cas, il y a des différences, même infimes, entre les meurtres d'une même série. Alors, si Emerson correspond au profil que j'ai évoqué, ses actes suivent une progression, et chaque changement de son mode opératoire lui apporte quelque chose de plus dans la satisfaction de ses pulsions.

Il fit une pause et s'humecta les lèvres avant d'ajouter:

– Et, normalement, il espère que la série lui ouvrira les portes d'une jouissance sans restriction. Sauf qu'ici ses actes partent dans trop de directions. Quelque chose cloche. Les différences sont trop importantes.

Il s'adossa confortablement contre ses oreillers. Nadja posa sa main libre sur son torse et dit:

– Justement. C'est plutôt rare qu'un tueur en série communique avec la police, non? Puisque j'imagine que c'est à nous qu'Emerson s'adresse à travers ses graffitis et ses messages. Crois-tu qu'il tire une partie de sa jouissance dans le fait de nous mettre au défi de l'arrêter?

Victor haussa les épaules en soupirant.

– Je comprends pas ses motivations, mais, chose certaine, il agit clairement de façon à attirer notre attention alors que, normalement, un tueur en série déploie des efforts considérables afin de passer inaperçu.

Ils demeurèrent quelques secondes sans parler, chacun essayant de clarifier ses pensées. Puis Nadja remit le feuillet dans la chemise cartonnée et la déposa à côté du lit. Elle se tourna ensuite vers lui, tête dans la paume, le coude en appui contre le matelas.

– Savais-tu qu'en plus d'être sexy, t'es parfois pas mal intéressant, Lessard?

Victor rit en réprimant un bâillement. Se blottissant contre lui, Nadja plissa les yeux. Trop vive, la lueur du plafonnier l'agaçait. La jeune femme descendit une main le long de sa cuisse, frôlant son pénis.

– Va fermer la lumière et fais-moi jouir, mon amour.

Il s'étira en soupirant bruyamment.

– T'as encore de l'énergie, toi?

– Toujours…

Trente secondes plus tard, ils dormaient tous les deux. Le plafonnier resta allumé.

– *E* –

Le père Noël avait détaché l'enfant et retiré le sac de toile qui lui couvrait la tête. Le visage de Louis apparut, horriblement tuméfié. À bout de souffle, le front moite, Maxime contemplait l'enfant ensanglanté qui gisait à ses pieds, inconscient. Il ressentait un curieux mélange de peur et d'excitation, et son cœur cognait à tout rompre dans sa cage thoracique. Ses doigts étaient toujours crispés sur la matraque.

– La fin d'une vie est le début d'une autre. C'est la tienne qui commence ici.

Sans en prendre conscience, le garçon commença à se triturer nerveusement la lèvre inférieure avec les doigts. Le père Noël enserra avec ses mains puissantes le cou de Louis, qui respirait à peine.

– Regarde bien, je vais te montrer comment faire, Maxime…

DIXIÈME JOUR

(Mercredi 24 juillet)

CHAPITRE 32

Fin de course

Sa main gantée en appui sur le comptoir de la salle de bains exiguë, il se masturbait avec vigueur depuis plusieurs minutes au-dessus du lavabo. La friction du latex contre son sexe en érection commençait à l'irriter, l'orgasme tardait à venir. Les images du meurtre qu'il venait de commettre défilaient dans sa tête et s'entortillaient aux autres, plus anciennes. Le souffle court, le front trempé de sueur, il revoyait la base du cou de l'homme, puis ses propres mains qui l'enserraient, les veines de la victime qui gonflaient sous la pression exercée par ses doigts et, enfin, quelques secondes avant le moment fatidique, les yeux révulsés, d'où débordait la vie.

Finalement, un grand spasme le terrassa et il éjacula dans le lavabo. L'espace d'un instant, tout redevint pur et immaculé. Et cette détente lui procura la sensation qu'il recherchait, lui donna l'impression fugace et immatérielle de renaître. Il rinça brièvement son pénis et se reculotta. Ensuite, il ouvrit le robinet à fond et laissa l'eau chaude couler tandis que, avec les doigts, il poussait le sperme vers la bonde pour être certain qu'il n'en reste pas la moindre trace. Puis il se pencha et vérifia de façon méthodique s'il n'avait pas laissé de poils pubiens sur le sol.

En passant devant la pièce où il avait commis son crime, il baissa les yeux et détourna le regard. Il ne voulait pas voir le cadavre de l'homme, qui lui rappelait cette vie prise plus tôt. Enfin, il passa la tête par l'entrebâillement et, après s'être assuré que le couloir était désert, il sortit de l'appartement. Dans la cage d'escalier, il retira ses gants et les couvre-chaussures en polyéthylène qui enveloppaient ses souliers de course. Il glissa le tout dans le sac de plastique qu'il avait prévu à cette fin.

Dehors, il enfonça les mains dans les poches de son blouson de cuir et, tête basse, se mit à marcher tranquillement. Sentir le pistolet tressauter contre ses reins le rassurait. Il longea trois pâtés de maisons sans croiser âme qui vive et arriva à l'endroit où il avait garé la voiture. Il jeta le sac dans la poubelle qui se trouvait près du véhicule, puis actionna le système de déverrouillage à distance. Prenant place derrière le volant, il mit le moteur en marche. Puis, tandis qu'il conduisait avec prudence, des larmes roulèrent sur ses joues.

S'il avait pris plaisir à tuer, à descendre de nouveau dans la pièce noire pour affronter les démons qui y dansaient en le narguant, le retour à la réalité était toujours brutal. Toujours trop brutal. Une vie de misère pour un si bref moment de paix... Après, il éprouvait de la colère et un profond dégoût envers lui-même. Et, à cet instant précis, il aurait eu envie de mourir à la place de l'homme qu'il venait d'étrangler. Mais c'était toujours ainsi et ça se reproduirait encore. Bientôt, la fièvre le reprendrait et, sans être en mesure de se contrôler, il recommencerait. Sauf que, cette fois-ci, il n'avait pas eu le choix.

Pour se réconforter, il songea qu'il se ferait du thé. Chaque fois qu'il tuait, il observait le même curieux rituel en rentrant : il se tenait près de la théière et en humait les vapeurs. Les effluves de thé l'aidaient à chasser l'odeur amère qui restait imprégnée dans les fibres de ses vêtements et sur ses parois nasales : les premiers miasmes de la mort.

Il gara la voiture en face de son immeuble, coupa le moteur et resta prostré dans l'habitacle. Sa main couvrait ses yeux mouillés tandis que ses épaules tressautaient.

Il monta à son appartement, ouvrit la porte, enleva ses chaussures et se pencha pour caresser le chat, qui se frottait en ronronnant contre sa jambe. Même en plein jour, l'endroit demeurait plongé dans l'obscurité, d'épais rideaux entièrement opaques couvrant le moindre millimètre de chaque fenêtre. Vivre dans la pénombre lorsqu'il se retrouvait chez lui était essentiel à ce qui lui restait d'équilibre mental. Connaissant par cœur la configuration des lieux, il marcha vers la cuisine, retira le chargeur du pistolet et déposa l'arme dans une boîte métallique qui se trouvait sur le comptoir. Il se préparait à sortir sa théière d'une armoire lorsqu'une voix derrière lui le fit sursauter :

– Bonjour, Samuel. Je t'attendais…

Il se retourna brusquement : une ombre se tenait dans l'embrasure de la porte. Même s'il ne distinguait pas ses traits, il avait aussitôt reconnu la voix de l'intrus.

Les yeux fixant le sol, il répondit avec douceur :

– Quelle surprise ! Tu m'as fait peur… Qu'est-ce que tu fais ici ?

La vérité, c'est que Samuel espérait voir l'autre se manifester. En fait, l'homme qu'il avait étranglé plus tôt dans la nuit était mort pour cette raison : forcer celui qui était maintenant devant lui à faire une erreur et à s'exposer. Sauf qu'il n'avait pas prévu une réaction aussi prompte. Et encore moins qu'il se ferait surprendre chez lui.

L'ombre déclara d'une voix calme, presque funèbre :

– J'ai pensé qu'on pourrait parler un peu, tous les deux.

Attrapant sa lèvre inférieure entre le pouce et l'index, Samuel souffla :

– Je savais que tu viendrais. C'est lui qui t'a tout raconté ?

– Qui?

– Allons, ne fais pas l'idiot. Le père Noël.

L'ombre rétorqua:

– J'aurais fini par comprendre et par faire les liens. Tanguay, Mardaev et toi... Simple question de logique. Mais la question que je me pose, c'est: pourquoi? Je te faisais confiance, tu étais mon ami... Tu savais tout. Tu aurais pu les en empêcher!

Samuel répondit d'une voix douce, comme s'il s'adressait à un enfant malade:

– Tu te poses les mauvaises questions. Celle que tu devrais te poser, c'est: pourquoi le père Noël t'a mis au courant de tout? Quel était son intérêt?

– J'ai très bien saisi ce qu'il essaie de faire.

– Alors, tu crois vraiment qu'il te laissera partir? Tu es maintenant dans son orbite, tu ne pourras plus échapper aux forces de son attraction.

L'ombre riposta d'un ton chargé de mépris:

– Tu parles de lui comme s'il était doté de pouvoirs surnaturels. Ce n'est qu'un homme.

Continuant à se triturer la lèvre, Samuel ressentit un picotement dans son bas-ventre et à la base de sa nuque. Son instinct avait déjà commencé à anticiper la suite de la conversation. Presque en chuchotant, il dit:

– À cause du chemin que tu as emprunté, tu as commencé à souffrir et tu souffriras toujours davantage. Tu as atteint un stade où il n'est plus possible de revenir en arrière. Il n'y aura donc pas de limites à ta souffrance parce que tu ne pourras pas satisfaire toutes les pulsions que tu as libérées. Et, crois-moi, le père Noël se nourrira de ta souffrance comme il s'est nourri de la mienne pour te pousser à l'agression. Malheureusement, la nature nous a dotés de mécanismes et de facultés que la société, sa culture et ses interdits restreignent en nous. La conscience humaine est une erreur de parcours.

L'ombre soupira et répondit :

– On croirait l'entendre.

Écrasant sa lèvre entre ses doigts, Samuel allongea le bras et, de l'autre main, ouvrit l'armoire. Une bosse commençait à grossir dans son pantalon. À la pensée de ce qui allait se produire dans les prochaines secondes, il sentait monter en lui une excitation de plus en plus puissante.

Avec l'ongle de son index, il entailla la peau de sa lèvre inférieure. Il essaya de se contenir et de maîtriser sa voix :

– Tu veux boire quelque chose ? J'allais faire du thé.

Du sang se répandait peu à peu dans sa bouche. Il sortit la théière de fonte, la remplit d'eau et la posa sur la cuisinière. Il avança ensuite la main vers la boîte métallique pour saisir le pistolet.

La voix de l'ombre lança un avertissement :

– Ton thé n'est pas dans cette boîte. N'y touche surtout pas !

Il sourit et leva les mains, paumes ouvertes. Puis il caressa discrètement son pénis à travers le tissu de son pantalon. Son érection était violente et douloureuse. Il se mit à saliver abondamment et à s'humecter les lèvres avec la langue. Le goût ferreux du sang le dopait. Jamais il ne s'était alloué un aussi court laps de temps entre deux meurtres.

L'ombre reprit :

– D'ailleurs, d'où revenais-tu avec ton pistolet ?

À ce moment, Samuel comprit, et son excitation se décupla : l'autre n'était pas au courant de la mort de l'homme qu'il venait tout juste d'étrangler.

Un sourire sardonique se dessina sur son visage. Il dit :

– Tu ne devineras jamais…

Il appuya sur sa lèvre pour faire gicler le sang dans sa bouche et murmura le nom de sa victime. Malgré la noirceur de la pièce, il sut que l'ombre venait de tressaillir.

– Mais il ne t'avait rien fait ! Pourquoi ?! Pourquoi tu l'as tué ?

Poussant avec sa langue, il fit passer son sang et sa salive entre ses dents. Sa voix fut soudain plus puissante, plus assurée, et son ton devint condescendant. À travers l'étoffe, sa main droite empoignait à présent son sexe durci.

– Parce que c'est ce que je fais dans la vie… Et aussi parce que je n'arrivais pas à te trouver, qu'il refusait de me dire où tu étais et que je voulais te forcer la main.

L'ombre répliqua d'une voix froide et dure :

– Tu devais bien te douter que, tôt ou tard, je viendrais pour toi.

– Je voulais te forcer à faire une erreur et ainsi éviter de me faire surprendre.

– Dans ce cas, c'est raté.

Il se mit à rire doucement en se mordillant la lèvre.

– Tu crois ? Vraiment ?

Son excitation atteignit son paroxysme. Brusquement, il s'élança avec violence vers l'ombre. Mains en avant, doigts crispés, il était prêt à étrangler de nouveau.

CHAPITRE 33

Menaces de mort

À 5 h du matin, Victor sortit de son appartement et dévala les marches. Le jour se levait, une pâle lueur commençait à blanchir l'horizon. Il s'était réveillé trente minutes plus tôt, avait pris une douche en vitesse et avalé un déca noir. Une juriste du ministère de la Justice lui avait laissé un message. La requête de mandat qu'il avait soumise pour obtenir la permission de perquisitionner l'appartement de Grant Emerson avait été approuvée par un juge. Le sergent-détective se dépêchait pour aller le récupérer à Versailles et irait ensuite rejoindre Loïc, à qui il venait de parler et qui tombait de sommeil.

Victor avait pensé requérir l'assistance des enquêteurs du SPVM spécialisés dans les perquisitions ou des membres du groupe tactique d'intervention. Toutefois, compte tenu de la nature de l'opération et du profil du suspect, qui ne lui semblait pas présenter un danger imminent pour eux, il avait décidé d'exécuter le mandat en compagnie de Loïc.

Pour sa part, Nadja était partie quelques minutes plus tôt rejoindre Jacinthe, qui était toujours à la maison de Clark Wood avec l'architecte.

Le policier allait s'engouffrer dans la voiture banalisée lorsqu'un sifflement attira son attention. Il releva la tête et regarda en face, de l'autre côté de la rue. La vitre d'une rutilante

Ferrari rouge garée près du trottoir s'abaissait. Un visage familier, celui de Giacomo Talone, apparut. Portant des lunettes de soleil d'aviateur, l'Italien avait le côté gauche du visage tuméfié. Victor s'approcha.

Les mains sur le volant, Talone fixait la rue devant lui.

– Embarque, on va faire un tour.

Le sergent-détective contourna le véhicule par l'avant, y monta et s'assit sur le siège du passager. Talone démarra sur les chapeaux de roues.

L'Italien enfila à toute vitesse les rues étroites du quartier Notre-Dame-de-Grâce. Longeant la voie ferrée qui balafrait le quartier et séparait les classes sociales, il entra en trombe dans un lave-auto à la main du boulevard de Maisonneuve Ouest. Un monde beaucoup plus dur grouillait au sud du chemin de fer. Nick Rizzuto, le fils de l'ancien parrain de la Mafia, y avait été assassiné par un tueur à gages, en 2009.

Un employé chaussé de bottes de caoutchouc lui montant aux cuisses s'empressa de fermer la porte de garage derrière eux, puis Talone coupa le moteur pétaradant de la Ferrari. Par la vitre, le sergent-détective jeta un coup d'œil sur sa droite : la lumière crue des néons révélait des murs de béton fissurés, des boyaux d'arrosage, un compresseur, des tubes d'aspirateur, des tablettes où reposaient pêle-mêle des éponges et des brosses, une essoreuse et des seaux remplis de cire liquide.

Trois hommes surgirent soudain d'une porte devant eux et s'approchèrent de la voiture. Victor croisa les bras et, à travers l'étoffe de sa veste, crispa les doigts sur la crosse de son Glock, glissé dans son holster, sur son flanc gauche.

Il se détendit lorsqu'un jet d'eau recouvrit le pare-brise, puis regarda Talone.

– T'as l'air de faire partie des habitués, Giacomo.

– On a cinq lave-autos dans le coin, mon associé et moi.

L'Italien retira ses lunettes et tourna la tête vers lui. Violacées, son arcade sourcilière et sa paupière gauche étaient enflées au point de l'empêcher d'ouvrir son œil.

– Merde, qu'est-ce qui t'est arrivé?

Talone esquissa ce qui ressemblait davantage à une grimace qu'à un sourire.

– Oh, ça? Juste glissé dans la douche.

Victor émit un petit rire et dit d'un ton railleur:

– Une douche avec de méchantes grosses jointures!

Un toc sur la vitre du côté conducteur se fit entendre. Talone appuya sur un bouton pour l'abaisser. Une main gantée de caoutchouc jaune lui tendit deux tasses à espresso. Il en offrit une à Victor.

– Café?

Le sergent-détective prit la tasse et remercia l'Italien, qui remonta la vitre. Ils sirotèrent la boisson fumante pendant quelques instants, sans prononcer un mot.

Puis Talone dit:

– J'ai fait ma petite enquête, comme tu me l'as demandé.

Victor attendit la suite. L'autre planta son regard dans le sien.

– L'assassinat de Tanguay vient ni de notre famille ni d'une autre. Personne n'a passé de commande. S'il y a eu un contrat sur sa tête, ça s'est fait à l'insu de la Mafia.

– À ton avis, est-ce que ça pourrait venir des motards, ou des gangs de rue?

Le sergent-détective guetta la réaction de Talone, qui secoua la tête négativement.

– Je suis certain à 99,9% que ça vient pas de là.

Victor sut que l'Italien disait la vérité. Devant eux, un employé savonnait le pare-brise.

– Et pour les noms sur la liste que je t'ai donnée, qu'est-ce que t'as obtenu?

Talone déposa sa tasse dans le porte-verre et attrapa une flasque sous son siège.

– Rien.

Le policier dévisagea son interlocuteur tandis que celui-ci dévissait le bouchon.

– Me mens pas, Giacomo.

L'Italien pointa sa blessure du doigt et dit avec amertume :

– Comme tu peux le constater, certaines personnes n'aiment pas qu'on leur pose certaines questions sur certains sujets.

Victor affecta un air contrit.

– Désolé pour ton œil, vieux. Mais j'ai vraiment besoin de savoir.

– Écoute, là-dessus, il va falloir que tu me fasses confiance. Je te donne ma parole que ça n'a rien à voir avec la Mafia. Par contre, j'peux pas t'en dire plus.

Talone but une rasade et tendit la flasque à Victor. Celui-ci huma les effluves de cognac, puis la rendit à l'Italien.

– Je bois juste la semaine des quatre jeudis.

Talone leva la flasque en l'air.

– À la tienne, alors.

Deux employés du lave-auto séchaient le pare-brise avec un linge absorbant. Le sergent-détective essaya d'en apprendre davantage à propos de la liste, mais pour toute réponse, l'Italien déverrouilla les portières.

– Un de mes gars va te raccompagner chez toi, Lessard.

Victor sortit de la Ferrari. Baissant les yeux pour détailler le véhicule, il leva le pouce en l'air à l'intention de Talone et lança :

– Impeccable, ta Pinto !

Au volant d'une vieille familiale, un employé du lave-auto avait déposé l'enquêteur en face de son appartement. Ayant récupéré sa voiture, celui-ci empruntait la bretelle menant à l'autoroute Ville-Marie lorsque la sonnerie de son cellulaire retentit dans les haut-parleurs du véhicule, qui était équipé d'un système mains libres.

Une pointe d'excitation perçait dans la voix de Jacinthe.

– On a trouvé la place où Wood séquestrait Myriam. C'est l'architecte qui, en analysant les plans, a découvert que quelque chose clochait au sous-sol: une porte était dissimulée derrière le mur où est installé l'écran de cinéma maison. Tu devrais voir la place: c'est horrible. Pas de fenêtre, tout en béton, parfaitement insonorisée. Un vrai bunker. En fait, à bien y penser, on dirait un donjon. Y a même une table de supplices avec des anneaux pour attacher les chevilles et les poignets.

Une image passa devant les yeux de Victor; des gouttes de sueur froide se formèrent à la racine de ses cheveux. Ce que sa coéquipière évoquait lui rappelait la pièce secrète qu'il avait découverte dans le cadre de l'enquête sur le Roi des mouches.

Jacinthe poursuivit son compte rendu:

– Il y a des draps tachés de sang dans la chambre. Les techniciens de l'Identification judiciaire sont en train de gosser là-dedans. Il y a une salle de bains aussi. Ils disent qu'ils vont relever l'ADN sur les accessoires qui sont là.

– Quand tu dis «du sang»... qu'est-ce que tu veux dire, au juste? Assez de sang pour penser que Myriam est...

Elle l'interrompit:

– Non, non, pas morte. Ça fait une bonne tache, mais les techniciens disent que ça représente quasiment juste une tasse de sang.

Victor se tint coi. Ce qu'il venait d'apprendre lui retournait l'estomac.

– Pis toi, mon homme, t'en es où?

– Je passe au bureau récupérer le mandat et, ensuite, je file rejoindre Loïc pour perquisitionner l'appartement d'Emerson.

Ils échangèrent encore quelques phrases. Victor déclina l'offre de sa coéquipière de venir les assister. Il préférait que Nadja et elle restent chez Wood pour continuer de fouiller le bunker et essayer de trouver une piste.

Au moment où Jacinthe mit fin à la communication, le sergent-détective émergeait du tunnel et dut immobiliser son véhicule au feu rouge situé à la hauteur de la Maison Radio-Canada et de la brasserie Molson. Soudain, il donna un violent coup de poing sur le tableau de bord. Sa tête s'emplissait malgré lui des images de ce que Myriam Cummings avait dû subir. Les mains crispées sur le volant, les mâchoires serrées, il resta un moment à haleter, les yeux dans le vide. Puis il détacha sa ceinture, ouvrit la portière juste à temps et vomit sur l'asphalte.

Le trafic dans la rue Wellington enragea Victor. Il actionna les gyrophares de la lunette arrière et mit la sirène en marche. Appuyant sur l'accélérateur, il engagea la voiture dans le corridor qui s'ouvrit devant lui. Il dépassait le bouchon de véhicules lorsque son cellulaire sonna de nouveau. Au ton de Nadja, il comprit qu'elle était préoccupée.

– Je viens juste de recevoir le profil qu'on a demandé sur Grant Emerson.

– Ils ont trouvé quelque chose?

– La semaine dernière, il a appelé sur la ligne ouverte de *Fabi la nuit.*

– L'émission de radio?

– Oui. Tu connais?

Victor répondit par l'affirmative. Jacques Fabi l'avait accompagné trop souvent dans ses nuits d'insomnie. Celui qu'il considérait comme le veilleur de nuit de la province était à ses yeux un as de la communication qui entretenait, la plupart du temps, un dialogue sincère avec les laissés-pour-compte de la société, ceux que personne d'autre ne voulait écouter.

Nadja éternua, puis elle continua:

– Emerson a parlé de l'enquête sur la disparition de Myriam en ondes, puis il a proféré des menaces de mort contre la police et les gangs de rue. Un auditeur a porté plainte. Quelques jours après, Teague, un enquêteur du poste 15, a rencontré Emerson.

Victor klaxonna et dépassa un véhicule garé en double file.

– Qu'est-ce qu'il a dit, au juste?

Nadja lui lut une transcription d'un extrait de l'émission. Victor demanda:

– On a déposé des accusations?

– Emerson a dit à Teague que ses propos avaient dépassé sa pensée. Teague a remis un rapport au Bureau des poursuites criminelles. Je viens de parler au procureur en charge du dossier: ils n'ont pas assez de matière pour déposer des accusations.

Victor jeta un coup d'œil dans son rétroviseur, puis changea de voie. Il n'était pas étonné qu'aucune accusation ne soit portée. À juste titre, le cas d'Emerson suscitait la sympathie.

Il opina:

– Ça va dans le sens de notre hypothèse. Emerson croyait avoir de bonnes raisons de s'en prendre à un policer et à un membre d'un gang de rue.

Victor perçut de l'hésitation dans la voix de Nadja:

– Oui, mais ce serait quand même bizarre qu'il s'en soit pris à Tanguay alors que la disparition de Myriam relevait d'un autre commandement que le sien.

Cette partie de l'équation continuait de lui échapper et il l'admit volontiers:

– Je sais que l'implication de Tanguay reste nébuleuse. Il s'est peut-être juste trouvé au mauvais endroit au mauvais moment.

Les deux enquêteurs restèrent quelques secondes sans prononcer un mot, puis Nadja demanda:

– T'as le mandat?

Victor donna une petite tape sur l'enveloppe qu'il avait déposée sur le siège du passager.

– Oui, juste à côté de moi.

– Tu penses que Myriam se cache chez son père?

– On va savoir ça bientôt.

Nadja s'éclaircit la voix:

– En passant, Jacinthe m'a dit que tu voulais faire la perquisition seul avec Loïc. Es-tu certain que c'est la bonne décision? On parle quand même ici d'un homme qu'on soupçonne d'être l'auteur des meurtres de trois personnes. J'aimerais mieux qu'on soit là, ou, au pire, que t'appelles des patrouilleurs pour vous assister.

Victor se fit rassurant:

– Écoute, quand j'étais dans son appartement, il aurait eu toutes les chances possibles de tenter quelque chose, mais il n'a rien fait. Maintenant, s'il a bien libéré Myriam, je doute qu'il soit dangereux.

Puis il ajouta, à la blague:

– De toute manière, ces menaces de mort veulent pas dire grand-chose: tu sais, à peu près tout le monde a déjà eu envie de tuer un policier.

Nadja répliqua du tac au tac:

– Ah oui? Je savais pour les avocats, mais pas pour les policiers.

Ils rirent tous deux un bon coup. Avant de mettre fin à la communication, il lui promit de demander l'assistance d'une voiture de police pour exécuter le mandat.

Sourire aux lèvres, il arriva en vue de l'immeuble où habitait Grant Emerson. Lorsqu'il gara la voiture banalisée derrière celle de Loïc, il se renfrogna. Le véhicule de son collègue était vide, et les portières, verrouillées. Il tenta de joindre le jeune homme sur son cellulaire, mais en vain.

À l'aide de l'émetteur de sa voiture, Victor lança un appel pour obtenir des renforts. Puis il attrapa sa lampe de poche, arma son Glock et le cœur cognant dans sa poitrine, se mit à marcher à grandes enjambées vers la porte de l'immeuble.

Au pied de l'escalier, il murmura entre ses dents :

– Merde, qu'est-ce que tu fous, le Kid ?

CHAPITRE 34

Solution de rinçage

La porte de l'appartement de Grant Emerson était ouverte. Victor retint son souffle et surgit dans le cadre, prêt à ouvrir le feu. Il fit quelques pas dans la pièce principale, où il s'était assis en compagnie de l'homme la veille. Les rideaux tirés plongeaient la pièce dans un demi-jour et un cognement sourd, comme deux pièces de métal qui s'entrechoquent, se faisait entendre.

À présent, l'endroit lui donnait l'impression d'un univers figé, privé d'oxygène.

– Loïc?

Victor avança dans la pièce avec prudence, l'index crispé sur la détente. Une des cordes sur lesquelles pendaient des photos de Myriam Cummings oscillait. S'agissait-il d'un courant d'air ou quelqu'un était-il passé là quelques secondes plus tôt? Il appela de nouveau son collègue, mais celui-ci ne donna aucun signe de vie. Il y avait une porte au fond, à sa gauche, et d'autres à sa droite. Il marcha vers la première. Celle que Grant Emerson avait désignée comme menant à sa chambre noire. Un œil rivé sur la pièce principale, adossé au mur, le sergent-détective ouvrit brusquement le battant et guetta une réaction qui ne vint pas. Après quelques secondes, il passa la tête dans l'entrebâillement, puis la retira aussitôt. Il avait aperçu une silhouette dans la pièce obscure, immobile. Lointain, le cognement persistait.

Victor fit irruption dans la pièce en pointant son arme et sa lampe de poche. Le faisceau éclaira le corps d'un homme assis dans un fauteuil sur roulettes, bras en croix. Le haut de son corps était renversé sur une table, et son visage trempait dans une cuvette remplie d'un liquide incolore. Le policier n'avait pas besoin de voir les traits de l'homme pour savoir que c'était Grant Emerson et qu'il était mort. Il réprima un haut-le-cœur et se força à détacher son regard du cadavre : il ne pouvait plus rien pour lui et devait, avant toute chose, sécuriser l'appartement. Il pivota sur ses talons et reprit son exploration. Victor marcha jusqu'à la deuxième porte et inspecta la pièce, une chambre en désordre. Il fit de même avec la troisième pièce, une autre chambre, celle-là presque vide, à part un lit et une commode.

– Loïc?

Ne restait plus qu'une porte, au fond de l'appartement, celle qui devait logiquement donner sur la cuisine. Il franchit la distance à pas feutrés. Signe que le son provenait de la pièce, le cognement lui paraissait maintenant amplifié. Se plaquant contre le mur, à droite du battant, Victor tourna la poignée. La porte s'entrouvrit de quelques centimètres, puis rencontra de la résistance. Quelque chose de solide, de lourd, la bloquait. Le policier eut beau jeter un coup d'œil par l'interstice, il ne vit que le coin d'une armoire.

– Loïc? T'es là, le Kid?

Appuyant l'épaule contre le battant, il poussa de toutes ses forces et parvint à glisser le haut de son corps par l'entrebâillement. Il vit immédiatement ce qui l'empêchait d'ouvrir la porte. Loïc gisait sur le sol, face contre terre, le derrière du crâne ensanglanté.

Victor releva la tête trop tard. Un objet lourd le cueillit près de la tempe. Le policier tomba à genoux. Il vit une ombre se diriger vers la fenêtre, puis tout devint noir.

CHAPITRE 35

Photos du meurtrier

Malgré la gravité de la situation, Jacinthe ne put s'empêcher de plaisanter.

– Arrête de bouger, le Kid. D'habitude, quand Burgers fait de la couture, ses patients restent complètement immobiles.

Dans la cuisine de l'appartement de Grant Emerson, Jacob Berger esquissa un sourire résigné. Jacinthe avait toujours prononcé son nom à l'anglaise et il avait renoncé, des années plus tôt, à essayer de la corriger. Concentré sur sa tâche, debout derrière Loïc stoïquement assis sur une chaise, le médecin légiste pratiquait des points de suture sur le crâne du jeune homme. En dépit du fait qu'il avait perdu connaissance pendant quelques minutes, celui-ci avait catégoriquement refusé d'être transporté à l'hôpital avant d'avoir pu parler à ses collègues. Dans le corridor, des ambulanciers d'Urgences-santé équipés d'une civière à roulettes attendaient qu'il soit prêt à partir. Pour sa part, le sergent-détective avait été sonné par le coup qu'il avait reçu, mais il ne s'était pas évanoui.

Berger renchérit :

– T'es chanceux, c'est pas si pire. Cela dit, j'ai l'habitude de faire des points sommaires. Je garantis pas le résultat au niveau esthétique.

Ses longs cheveux blonds maculés de sang, Loïc haussa les épaules pour signifier qu'il s'en balançait. Victor, lui, tenait un sac de glace contre le côté de sa tête, qui présentait une enflure importante. Nadja lui tendit un verre d'eau qu'il vida d'un trait. Jacinthe le prit délicatement par le menton et tourna son visage vers la lumière. Elle grimaça en observant l'ecchymose violacée.

– Veux-tu ben m'dire avec quoi il vous a fessés ? Tu fais peur ! T'as la face plus large que Shrek !

Le sergent-détective montra le comptoir en grommelant :

– Poêle en fonte, je pense... Et merci pour ta compassion.

Le médecin légiste s'impatienta :

– Arrête un peu de mâcher ta gomme, Loïc. Sinon je vais manquer mon point.

Arrivés en même temps que Berger, les techniciens de l'Identification judiciaire étaient déjà à l'œuvre dans la chambre noire, où gisait le cadavre de Grant Emerson. Les patrouilleurs qui avaient répondu à l'appel lancé par Victor avant qu'il ne pénètre dans l'immeuble avaient établi un périmètre et, assistés par des collègues, interrogeaient les locataires. À leur arrivée sur les lieux, ils avaient trouvé le sergent-détective en train d'appliquer une compresse sur le crâne de Loïc pour enrayer l'hémorragie, mais l'agresseur s'était volatilisé. Informées par un appel de Victor, Nadja et Jacinthe étaient accourues.

Le sergent-détective récapitula :

– Donc, t'as pas vu ton agresseur. Moi non plus, d'ailleurs. Mais pourquoi es-tu entré, Loïc ? Je t'avais dit de m'appeler s'il se passait quelque chose !

Penaud, le Kid baissa les yeux.

– Parce que je me suis endormi dans le char...

Il releva la tête et, l'air contrit, chercha le regard de son supérieur.

– J'ai pas dormi très longtemps, j'te jure... peut-être une quinzaine de minutes, peut-être moins. Mais quand j'me suis réveillé, j'ai commencé à freaker, à m'imaginer qu'Emerson était sorti pendant que je dormais. Je sais que c'était pas très brillant de ma part, mais, pour me rassurer, j'ai décidé d'aller voir si je pouvais entendre du bruit à travers sa porte. Quand je suis arrivé, j'ai remarqué qu'elle était entrouverte de quelques centimètres. C'était juste un réflexe: j'ai sorti mon arme et je suis entré. J'ai aperçu de la lumière dans la cuisine. Après, tout ce que je me rappelle, c'est que tu m'as aidé à me relever. Je suis vraiment désolé.

Ce n'était pas la première fois que Loïc gaffait. Déjà, à son arrivée dans la section, il avait contaminé une scène de crime. Victor posa une main sur son épaule pour lui signifier qu'il ne lui tenait pas rigueur de ce qui s'était passé. Lui-même avait déjà fait pire.

– Oublie ça, on commet tous des erreurs.

Jacinthe approuva d'un ton solennel:

– T'as fait de ton mieux, le Kid. C'est ça qui compte. Mais la prochaine fois, tu mettras ton casque de vélo.

Loïc secoua lentement la tête et sourit. Berger, qui était en train de terminer ses points, lui demanda encore une fois de cesser de bouger.

– Est-ce qu'il faut vraiment que j'aille à l'hôpital? Je suis correct!

Victor posa une main sur l'épaule de son collègue.

– Écoute, Loïc, t'as perdu connaissance. Ils vont te faire des radiographies et te garder sous observation. Niaise pas avec ta santé.

La voix de Jacinthe retentit, sarcastique:

– Bon, regarde-moi donc qui c'est qui donne des conseils!

Par-dessus son épaule, Victor lança un regard torve à sa coéquipière. À côté d'elle, bras croisés contre la poitrine, Nadja hocha la tête pour marquer sa désapprobation. Quelques minutes plus tôt, elle lui avait suggéré de consulter lui aussi un médecin, ce qu'il avait catégoriquement refusé.

Il préféra ignorer leurs remontrances et concentrer son attention sur Loïc.

– T'as pris des photos, comme je te l'avais demandé?

Le jeune homme fouilla dans sa poche et lui tendit ses clés.

– Tiens. L'appareil est dans mon char.

Victor se leva et marcha jusqu'à la fenêtre ouverte. Il tira sur le cordon pour relever le store de métal qui, à cause du vent, heurtait le cadre sans arrêt. Le cognement qu'il entendait depuis son arrivée dans l'appartement cessa enfin. Était-il le seul que ce bruit rendait fou? Il jeta un coup d'œil par la fenêtre. Son agresseur avait sauté du deuxième étage. Ayant achevé ses points de suture, Jacob Berger coupa les fils. Loïc se leva à contrecœur. Les ambulanciers voulurent le faire allonger sur la civière, mais le jeune policier s'y opposa et franchit le seuil sur ses deux pieds.

Victor enfourna les quatre comprimés d'ibuprofène qu'il avait pris dans le tube que Nadja gardait dans son sac à main et les avala sans eau. L'épaule appuyée contre le cadre de porte, il se tenait sur le seuil de la chambre noire, où se trouvait la dépouille de Grant Emerson. Pendant que Jacinthe et Nadja passaient l'appartement au peigne fin, il avait examiné la pièce, fait les constatations d'usage. Comme s'il redoutait de croiser un fantôme, il préférait maintenant rester en retrait. Un technicien de l'Identification judiciaire était accroupi et passait minutieusement un pinceau sur la table de travail. Les mains gantées de latex, Jacob Berger se mouvait avec aisance dans la pièce exiguë, s'activant autour du corps de la victime.

– Il a été étranglé à mains nues. Simple, propre et efficace.

Le sergent-détective hésita, puis regarda en direction du cadavre.

– Le liquide où baigne sa tête dans la cuvette... Ç'a quelque chose à voir?

– C'est une solution qu'on appelle le révélateur, le produit qui permet le développement des photos. On en saura plus à l'autopsie, mais, à première vue, Emerson était déjà mort quand le tueur a plongé son visage dedans.

L'enquêteur émit un sifflement, impressionné.

– T'as l'air de t'y connaître, en photographie…

Penché sur la victime, le médecin légiste releva la tête et, esquissant un petit sourire, croisa le regard du sergent-détective.

– J'étais dans un club de photo à l'université. Au début, c'était pour impressionner une fille, puis après, j'ai commencé à vraiment aimer ça. Plus que la fille, en fait.

– Je sais pas si tu vas être d'accord, mais j'ai l'impression qu'Emerson a été tué dans cette pièce et qu'il s'est débattu. Il y a des traces d'impacts sur le mur et un trou dans le plâtre qui semble correspondre aux appuie-bras du fauteuil.

– T'as raison. On dirait qu'il a été surpris ici, en plein travail, pendant qu'il développait des photos.

Victor imagina le tueur se glissant furtivement dans l'appartement, sans faire le moindre bruit. Puis, ouvrant brutalement la porte de la chambre noire, il fondait sur Emerson avant même que celui-ci n'ait le temps de comprendre ce qui lui arrivait.

– T'as vérifié, pour le film qu'il développait?

– Il n'y avait rien dans les cuves ni dans son appareil. S'il était effectivement en train de développer au moment où il a été tué, tout a disparu: la cartouche, les négatifs et, le cas échéant, les tirages.

Jacinthe vint se poster à côté de Victor. Nadja poursuivait les recherches dans les chambres, mais elle n'avait rien trouvé d'intéressant jusque-là.

Avec des gestes précis et calculés, Berger ouvrit habilement la bouche du mort et éclaira la cavité buccale. Il secoua la tête négativement en regardant les deux policiers.

– Pas de sachet.

Victor enfonça les mains dans les poches de ses jeans et soupira.

– Pas de message et pas de graffiti. Bizarre, ça...

Jacinthe tira sur l'élastique de sa culotte pour la remettre en place.

– C'est pas toi, l'expert des tueurs en série, qui dis toujours que le *modus operandi* peut évoluer au fil de la série?

– Effectivement. Mais là, aucun élément des meurtres précédents n'est repris. Le tueur avait l'habitude de nous annoncer le mode de mise à mort de sa prochaine victime; pourtant, le meurtre d'Emerson ne correspond en rien au graffiti découvert chez Wood. Rappelle-toi: le squelette menaçait une silhouette noire avec un marteau.

Montrant le corps du doigt, Berger précisa, à l'intention de Jacinthe:

– Pour ton info, il a été étranglé.

Elle s'écarta du battant avant de dire, l'air contrariée:

– Peut-être que le tueur a été dérangé par votre arrivée? Qu'il a pas eu le temps de compléter sa mise en scène?

Victor haussa les épaules. Il ne savait que penser de tout ça.

– Peut-être. En tout cas, il aurait pu nous tuer tous les deux, Loïc et moi, et prendre nos armes, mais il ne l'a pas fait.

Puis, s'adressant au technicien affairé à relever des empreintes, il demanda:

– Avez-vous trouvé une litière, de la nourriture ou autre chose qui laisserait supposer que la victime gardait un chat?

Sans lever la tête de sa tâche, le technicien répondit par la négative. Jacinthe demanda à son tour:

– Des traces de la présence de la petite?

Nouveau signe de dénégation du technicien.

Victor frappa le cadre de porte du poing pour passer sa colère et sa frustration.

– Je me suis trompé sur toute la ligne.

Mâchoires crispées, il jeta un coup d'œil en direction de sa coéquipière et lâcha :

– Tu sais ce que ça implique si c'est pas Emerson qui a tiré sa fille des griffes de Clark Wood, hein ?

Jacinthe secoua la tête de dépit.

– Pauvre petite chouette. Passer des mains d'un violeur à celles d'un tueur. T'sais, quand tout va mal.

Les trois enquêteurs et le médecin légiste étaient réunis autour de la table de cuisine. Jacinthe avait posé son sac de crudités au centre, invitant ses collègues à se servir. Un technicien avait téléchargé les photos prises par Loïc sur un ordinateur portable de l'Identification judiciaire. Victor se tourna vers Nadja, qui les avait examinées attentivement, et lui demanda de résumer la situation.

– Bon, si on prend pour acquis qu'Emerson a été tué dans la fenêtre temporelle que nous donne Jacob, ça veut dire qu'il est mort pendant que Loïc surveillait l'appartement. On devrait donc avoir une photo du tueur.

Tout le monde approuva. Nadja reprit le fil de ses explications :

– L'appareil de Loïc indique à la seconde près l'heure à laquelle chaque photo a été prise. Parmi les trois personnes à être entrées ou sorties durant la surveillance, une seule a été photographiée dans la fenêtre établie par Jacob. En effet, un homme aux cheveux noirs est entré à 1 h 30, puis est ressorti à 2 h 24.

Elle marqua une pause, le temps de consulter ses notes.

– Par ailleurs, on sait que Loïc s'est endormi une quinzaine de minutes, disons trente pour être prudents, donc entre 6 h et 6 h 30.

Nadja regarda en direction de Victor.

– On sait aussi que Loïc et toi avez été agressés à quelques minutes d'intervalle, soit autour de 7 h.

Les bras croisés contre la poitrine, Jacinthe esquissa une moue sceptique.

– Attends, attends. Pas logique pantoute, c't'affaire-là. L'homme aux cheveux noirs est ressorti à 2 h 24. À moins d'être rentré une autre fois pendant que Loïc dormait, il pouvait pas les agresser à 7 h. Pis, pourquoi y serait revenu? Il risquait de se faire surprendre. C'est d'ailleurs ce qui semble être arrivé.

Visiblement, quelque chose clochait. Victor réfléchit à voix haute:

– Peut-être parce qu'il cherchait quelque chose? Des photos, un rouleau de film?

Puis il se tourna vers Berger.

– T'es certain de la fenêtre que tu nous as donnée pour l'heure de la mort, Jacob?

Lorsqu'il s'agissait de les promener dans les méandres de la médecine légale, Berger n'était jamais avare de son expertise.

– Absolument. Si tu veux, je peux t'expliquer les raisons pour lesquelles je…

Jacinthe leva la main pour l'arrêter. Elle travaillait avec des faits. Le reste, qu'elle considérait comme du bavardage, l'ennuyait.

– Si Burgers dit qu'y est sûr, y est sûr.

Le sergent-détective fit signe à Nadja de reprendre.

– Les deux autres personnes photographiées par Loïc sont entrées dans l'immeuble ensemble, vers 5 h 30, sans en ressortir. Donc largement à l'extérieur de la fenêtre donnée par Jacob. Sous réserve qu'elles soient identifiées par l'enquête de voisinage, je les exclus de l'équation pour l'instant. Par conséquent, l'hypothèse qui paraît la plus plausible serait effectivement que l'homme aux cheveux noirs soit revenu pendant la sieste de Loïc.

Victor retira le sac de glace et palpa le côté de son visage. La douleur lui vrillait le crâne, et il avait l'impression que son cœur battait dans son arcade sourcilière.

– Je suis d'accord. Mais il est quand même possible que l'assassin d'Emerson soit pas l'homme aux cheveux noirs.

Ses collègues le considérèrent avec attention. Il s'éclaircit la voix :

– Imaginez que le tueur soit entré avant que Loïc commence sa surveillance. Il n'apparaîtrait donc sur aucune photo. Ensuite, il se cache quelques heures dans l'immeuble, puis tue Emerson dans la fenêtre temporelle établie par Jacob. Après, il reste dans l'appartement jusqu'à ce que, le Kid et moi, on le surprenne.

Jacinthe avala une tige de céleri entière croquée en rafales. Puis elle déclara d'un trait :

– C'est tiré par les cheveux. Lâche le sac de glace, t'es en train de te geler le cerveau.

Elle avait sans doute raison, mais il était de mauvais poil et s'accrocha à son idée.

– Peut-être, mais c'est quand même une possibilité.

Il posa la glace sur la table et attrapa une carotte entre ses doigts, qu'il cassa en deux. Jacinthe continua :

– T'sais, tant qu'à émettre des hypothèses farfelues, on pourrait aussi prétendre qu'Emerson s'est étranglé lui-même !

Victor n'entendait plus. En l'espace de quelques secondes, tandis qu'il contemplait les deux morceaux de carotte qu'il tenait dans chaque main, il eut un flash :

– Et s'ils étaient deux ?

Jacinthe mordit en grimaçant dans un quartier de citron et, pendant un instant, elle sembla lutter pour sa survie.

– Qu'est-ce que tu veux dire ?

– Jusqu'ici, on prend pour acquis que l'assassin d'Emerson et l'homme qui nous a agressés, Loïc et moi, ne font qu'un, exact ?

Jacinthe recracha un pépin dans sa paume.

– Effectivement, on assume que l'homme aux cheveux noirs et l'homme au poêlon sont un seul et même *dude*. Pis que c'est lui qui a tué Emerson et les trois autres victimes. Qu'est-ce que tu comprends pas là-dedans, mon homme?

Victor ignora la pointe.

– Pas trop vite, Jacinthe. Une chose à la fois… Suppose que l'homme aux cheveux noirs est bien l'assassin d'Emerson. Il entre à 1 h 30, puis ressort à 2 h 24 et se perd dans la nature. Une deuxième personne, l'homme à la poêle en fonte, entre dans le bâtiment pendant que Loïc dort. Il n'a rien à voir avec le meurtre d'Emerson, mais c'est lui qui nous assomme, le Kid et moi.

Jacinthe esquissa une moue sceptique.

– Ça serait qui, alors? Un Jo Bine qui a trouvé le corps d'Emerson et qui voulait pas être arrêté sur les lieux d'un meurtre?

– Première possibilité. Mais il y en a une autre.

Avec un ongle, Jacinthe essayait de déloger un morceau de céleri coincé entre ses dents.

– Eille, Lessard, lâche-moi les devinettes. Ça serait qui, l'homme au poêlon? Le beau Ricardo?

Elle s'esclaffa et se tapa sur les cuisses, fière de sa blague. Victor reprit, l'air grave:

– Non. Mais ça pourrait être le tueur qu'on traque depuis dix jours.

Nadja plissa les yeux. Elle semblait vivre la scène en direct.

– Intéressant. Ça expliquerait le changement radical de mode opératoire.

Jacinthe s'étrangla avec la carotte qu'elle venait de croquer. Cramoisie, elle réussit à croasser, entre deux quintes de toux:

– Ben, cibole! Manquerait pus juste ça, qu'on ait affaire à deux tueurs!

– N –

Quelques années après qu'il eut tué Louis, Patrick et les autres, Maxime se tenait devant la porte d'une maison de campagne isolée, à flanc de montagne. Calme et en parfaite possession de ses moyens, il n'entendait que la stridulation continue des criquets et la respiration régulière de l'homme qui l'accompagnait. Le visage dissimulé par une cagoule, l'adolescent enfila sans se presser des chaussons de feutre par-dessus ses chaussures de course et se ganta de cuir.

Lorsqu'il fut prêt, le père Noël murmura à son oreille:

– Souviens-toi de ce que je t'ai montré, Maxime. Approche-toi sans faire de bruit.

Le garçon sortit une tige métallique de sa poche et mit un peu plus d'une minute à crocheter la serrure. Le père Noël posa une main sur son épaule et dit, d'un ton paternel:

– Et surtout… jouis du moment, Maxime.

Un grand cri monta dans le silence, puis se répercuta contre les parois de la montagne. Le cri d'horreur d'une femme terrifiée. L'écho ricochait encore lorsqu'elle en poussa un autre, encore plus aigu, encore plus désespéré.

Tranquillement assis dans l'herbe à l'extérieur de la maison, le père Noël attendait que Maxime achève sa proie. Il frissonna de plaisir en entendant les hurlements.

CHAPITRE 36

Un coup d'épée dans l'eau

Jacinthe et Victor sortirent de la salle de conférences qu'on avait mise à leur disposition afin de consulter le dossier des affaires internes qui concernait le commandant Tanguay. Même si les enquêteurs Masse et Lachaîne avaient initialement affirmé qu'un tel dossier n'existait pas, Victor avait reçu une heure plus tôt un message texte laconique de Masse lui indiquant qu'ils pouvaient passer pour en prendre connaissance. À l'évidence, l'intervention du directeur Piché n'était pas étrangère à ce revirement de situation.

Ils avaient donc quitté l'appartement de Grant Emerson en laissant derrière eux l'équipe de l'Identification judiciaire et Nadja. Cette dernière passerait en revue une copie complète du rapport d'enquête concernant la disparition de Myriam Cummings, qui venait de leur être acheminée.

Ils marchaient dans le couloir menant à la sortie lorsqu'ils croisèrent Lachaîne. Adossé au mur, les bras croisés contre la poitrine, celui-ci eut un petit sourire sarcastique. Quand ils arrivèrent à sa hauteur, il se permit de crâner :

– Pis, les amoureux ? Satisfaits, maintenant ?

Tandis que Victor poursuivait son chemin, Jacinthe s'arrêta devant l'enquêteur des affaires internes et l'examina lentement, de la tête aux pieds. Puis elle se tapa le front.

– Fuck, je viens de réaliser c'est quoi, ton problème, Lachaîne. Ça vient juste de me sauter aux yeux. C'est ta face! Sérieux, on dirait que t'as été embaumé. Tu devrais sortir dehors, au lieu de passer ton temps à brasser d'la marde. Faudrait que tu prennes des couleurs un 'tit peu.

Tenant la porte vitrée ouverte, le sergent-détective lança d'une voix lasse:

– Laisse faire, Jacinthe.

Le sourire de Lachaîne mourut et, l'air mauvais, il approcha son visage à quelques centimètres de celui de Jacinthe.

– Pis toi, sais-tu c'est quoi ton problème, Taillon? T'aurais besoin de sucer un gros engin de temps en temps, au lieu de manger des touffes.

– En tout cas, ça risque pas d'être le tien, hein, mon *big*? Pourquoi tu penses que tout le département est passé sur ton ex? Je vais te donner un indice: le clitoris de ma blonde est plus long que ton micropénis.

Le visage de Lachaîne s'empourpra sur-le-champ. Des rumeurs avaient circulé, quelques années plus tôt, à propos des infidélités de son ancienne conjointe.

Craignant que la situation ne dégénère, Victor revint sur ses pas.

– Ça suffit!

Faisant des efforts pour contenir sa colère, Lachaîne agita un index menaçant sous le nez de Jacinthe.

– Qu'est-ce que tu viens de dire, ma grosse truie?

– Tu m'as bien entendue, 'tite queue...

Le poing crispé de Lachaîne oscillait le long de sa cuisse, ce qui n'échappa pas à Jacinthe. Elle enfonça alors le clou de son ton le plus méprisant:

– Tu vas faire quoi, là? Perdre les pédales, pis me cogner? Comme ton ex?

Une lueur folle se mit à danser dans les pupilles de l'enquêteur des affaires internes, qui poussa brutalement Jacinthe. Cette dernière recula de quelques pas sous la violence de la secousse. Les mains en l'air, Lachaîne s'apprêtait à la prendre par le revers de sa veste lorsque Victor s'interposa et réussit à lui agripper un bras. Pivotant sur lui-même pour se retrouver dans le dos de Lachaîne, le sergent-détective lui fit une clé de bras, forçant son coude à son maximum d'amplitude dans l'axe contraire de l'articulation.

Complètement hors de lui, Lachaîne grimaçait de douleur et fulminait :

– Va chier, ma grosse truie ! J'vais t'arracher la tête !

Victor lança un regard noir à sa coéquipière.

– Sors, Jacinthe !

Du revers de la main, elle s'épousseta théâtralement les épaules, puis, avant de tourner les talons, cracha une dernière giclée de venin :

– Voies de fait sur une femme. T'es vraiment tout un *tough*, mon homme.

– Décâlisse, Jacinthe !

Lachaîne se mit à frapper dans le mur de sa main libre.

– On va se revoir, ma grosse vache ! Fais ben attention ! On va se revoir !

Alertés par les cris, quelques employés de bureau interloqués commençaient à s'agglutiner à l'entrée du couloir.

– Lâche-moi, Lessard ! Tu me fais mal !

Perclus de douleur, Lachaîne essayait de se dégager, mais Victor maintint la prise. L'articulation était à la limite du point de rupture.

– Si tu continues de forcer, tu vas te casser le bras.

– Lâche-moi, Lessard !

– Je te laisse aller dès que tu te calmes.

Victor entendit des pas et tourna la tête vers le bout du corridor. Jacinthe avait disparu, mais l'enquêteur Masse s'amenait vers eux à toute vitesse. Pendant quelques secondes, le sergent-détective craignit que l'autre ne veuille lui faire un mauvais parti, mais dès qu'il les rejoignit, Masse agrippa fermement son coéquipier par les épaules.

– Arrête de déconner, Frank!

– La grosse truie! J'vais la t…

Masse lui mit une main sur la bouche pour le forcer à se taire.

– Écoute-moi bien, Frank! Tu vas te calmer pis fermer ta gueule, OK? On va régler ça autrement.

Les paroles de Masse firent mouche. Le sergent-détective sentit Lachaîne se détendre d'un coup. Se tournant vers lui, Masse ajouta:

– C'est beau, Lessard, tu peux y aller, je m'occupe du reste.

Victor hocha la tête et relâcha sa prise. Puis il marcha sans se hâter vers la sortie et appuya sur le bouton d'appel de l'ascenseur avec plus de force que nécessaire.

Jacinthe l'attendait au rez-de-chaussée, un sourire triomphant sur les lèvres.

– Pis? Tu l'as pas trop magané, j'espère!

Il serra les mâchoires et passa devant elle. Sans dire un mot, il se dirigea vers les portes donnant sur la rue Saint-Urbain. Elle lui emboîta le pas.

– Eille, méchante perte de temps! Nous faire déplacer pour apprendre que Tanguay a été réprimandé en 2007 parce qu'il a détourné dix mille piasses de son budget de formation pour rafraîchir le matériel informatique du poste 11. C'est sûr qu'ils nous niaisent!

Craignant que leur conversation ne soit écoutée, ils n'avaient pas échangé une seule parole durant tout le temps qu'ils avaient consulté le dossier. Victor inspira profondément et, continuant d'avancer en serrant les mâchoires, sortit son paquet de cigarettes.

Pressant le pas pour rester à sa hauteur, sa coéquipière demanda:

– As-tu remarqué qu'au début du dossier il manquait des pages?

Elle avait raison. La pagination permettait de se questionner. Y avait-il eu des entrées antérieures à celles auxquelles ils avaient eu accès?

Jacinthe s'arrêta et haussa la voix:

– Eille, Lessard, es-tu sourd? J'te parle!

Victor fit encore quelques pas avant de s'immobiliser à son tour. Exaspéré, il pivota sur ses talons et s'approcha de sa coéquipière. Il parla du ton calme et grave qu'il utilisait lorsqu'il était très en colère:

– Effectivement, il manque peut-être des pages. Mais veux-tu m'expliquer ce qui t'a pris avec Lachaîne? T'as pas d'allure! C'est sûr que ça va nous causer des problèmes!

Jacinthe répondit sans la moindre hésitation:

– Je préparais la suite.

Il fronça les sourcils, l'air méfiant.

– La suite? Quelle suite? De quoi tu parles?

– Tu m'as demandé de trouver quelque chose qu'on pourrait utiliser contre un de ces deux bozos-là, pas vrai?

– J'suis pas certain de te suivre, là...

– Fais-moi confiance, mon homme. Va falloir utiliser notre plan B.

Victor allait répliquer lorsqu'une voix autoritaire retentit dans leur dos:

– Enquêteur Lessard?

Il jeta un coup d'œil par-dessus son épaule, puis se retourna. Visage fermé, droit comme un I, un policier en uniforme se tenait devant eux. Le sergent-détective reconnut aussitôt le commandant Rozon, responsable des relations publiques, qu'ils avaient rencontré avec le directeur le jour de la découverte de la tête de

Maurice Tanguay. Il se figea. La nouvelle de leur altercation avec Lachaîne avait-elle déjà filtré dans les bureaux de l'état-major?

– Qu'est-ce que je peux faire pour vous, commandant?

– Le directeur aimerait vous parler.

Victor acquiesça d'un mouvement de tête. Jacinthe se préparait à les suivre lorsque le haut gradé l'arrêta:

– Le directeur veut voir seulement le sergent-détective Lessard.

Elle expira en gonflant les joues et leva les mains.

– *No problemo, chief!* De toute façon, j'ai trois ou quatre niveaux en retard à Candy Crush.

Elle pointa le doigt en direction de la rue Saint-Urbain et décocha à Victor un regard qui se voulait rassurant.

– Je t'attends dans le char, mon homme.

Le commandant Rozon, qui n'avait pas adressé la parole à Victor dans l'ascenseur, l'abandonna à la porte du cubicule de l'adjointe du directeur. Sans perdre une seconde, celle-ci l'introduisit dans le bureau de son patron. Lorsque le sergent-détective pénétra dans le saint des saints, Marc Piché parlait au téléphone, debout derrière sa table de travail.

Plaquant une main sur le combiné, il chuchota à son intention:

– Assoyez-vous. J'en ai seulement pour une minute.

Victor prit place dans un fauteuil et grimaça. Il n'avait pas pris de cachet contre le reflux gastrique depuis quelques jours et sentait une brûlure amère dans l'œsophage. Téléphone à l'oreille, Piché marcha jusqu'à la fenêtre. Il se contentait de répondre à son interlocuteur par monosyllabes. Lorsqu'il mit fin à la conversation, le directeur revint vers Victor, qui se leva pour serrer la main tendue.

– Comment allez-vous, sergent-détective?

Le ton était cordial, mais les traits de Piché trahissaient son irritation. Sur la défensive, Victor se rassit et limita sa réponse à l'essentiel:

– Bien, merci.

Piché ne tenta pas de préserver les apparences et alla droit au but :

– On est rendus à combien de meurtres, au juste ?

Victor fit le décompte dans sa tête : Tanguay, Mardaev, Wood et Emerson.

– À quatre, monsieur.

– Vous avez un suspect ?

Le sergent-détective faillit répondre qu'ils en avaient un mais qu'il venait de se faire dégommer. Il simplifia :

– Nous avançons en parallèle sur plusieurs pistes.

Le directeur le dévisagea intensément, puis poursuivit du même ton calme mais chargé de reproche :

– Votre devoir envers votre collègue assassiné et les autres victimes est d'obtenir des résultats. Jusqu'ici, votre équipe et vous n'en avez obtenu aucun.

Victor ne répondit rien. L'expression de son visage confirmait qu'il acceptait sans le réfuter le verdict de son supérieur.

– Le maire Coderre s'énerve. Les médias aussi. Vous savez comment ils ont présenté le tueur dans *La Presse* de ce matin ?

Victor fit non de la tête. Il n'avait pas eu le temps de prendre connaissance des nouvelles.

– Le graffiteur… L'information a filtré qu'il laisse des graffitis sur chaque scène de crime et des messages dans la bouche de ses victimes. C'est partout sur les médias sociaux à l'heure où on se parle. Et c'est juste une question de temps avant que d'autres détails ne se mettent à circuler. Vous savez ce que ça fait, dans l'inconscient collectif, quand les médias s'emparent d'une affaire et commencent à personnaliser un tueur en série ? Ça crée de l'incertitude, des craintes injustifiées et, finalement, de la panique. Et c'est comme ça qu'on construit des mythes. De mémoire, c'est une des premières fois, sinon la première, qu'un meurtrier laisse des traces pour qu'on l'identifie. William

Fyfe n'a été connu du public qu'une fois qu'on a procédé à son arrestation.

– Je ne suis pas certain que nous ayons affaire à un tueur en série au sens classique du terme, monsieur. Notre tueur poursuit un objectif. Il a une mission.

Piché n'était visiblement pas d'humeur à discuter sémantique avec son enquêteur. Il posa les mains à plat sur son bureau et se pencha vers lui.

– Quoi qu'il en soit, je n'aime pas qu'on parle de lui dans les journaux, qu'on s'intéresse à lui au point de lui donner un nom et une identité. Ça risque de gonfler son ego, de l'influencer et, surtout, de lui donner confiance. C'est pour ça que le temps presse, vous comprenez?

Piché se redressa et s'appuya contre le dossier de son fauteuil. Son visage avait une expression grave mais dénuée d'émotions.

– Et j'ai cru comprendre qu'il y a le sort d'une jeune fille qui complique maintenant le portrait.

Victor baissa la tête. Le directeur avait déjà été mis au courant. Avait-il parlé à Berger, à un technicien de l'Identification judiciaire? Qu'importe. Le sergent-détective n'aurait su dire si c'était de la peur, de l'anxiété ou de la haine, mais la simple pensée que Myriam Cummings était aux mains d'un tueur nouait une boule dans son estomac.

Marc Piché croisa les mains sous son menton et continua :

– Peut-être que ça vous aiderait si j'essayais de joindre Paul Delaney…

Victor crispa ses doigts sur les appuie-bras. Le directeur savait très bien que la dernière chose qu'il voulait, c'était de déranger son patron pendant sa seconde lune de miel.

– Il est en Italie, monsieur.

– Ils ont le téléphone en Italie, vous savez.

Victor s'avança sur le bout de son siège.

– Donnez-nous encore un peu de temps. Nous progressons. Lentement, mais sûrement.

– Je ne suis pas du genre à donner des ultimatums, à dire d'une voix autoritaire: «Je vous donne soixante-douze heures.» Mais laissez-moi vous raconter une anecdote. L'autre jour, une journaliste est venue m'interviewer. Au cours de l'entretien, elle m'a demandé si je croyais davantage au talent ou à la méthode pour résoudre une affaire. Et vous savez ce que je lui ai répondu?

Le directeur marqua une pause. Il attendait une réponse, même si la question était purement théorique. Le sergent-détective fit non de la tête.

– Je lui ai répondu que je croyais seulement à trois choses: au travail acharné, à la persévérance et au café.

Piché approcha une pile de papiers et s'empara d'un stylo. La leçon était terminée. Victor se leva. Si le directeur affirmait qu'il n'était pas du genre à donner des ultimatums, c'est pourtant précisément ce qu'il venait de faire. Et le sergent-détective avait très bien compris le message: il disposait de soixante-douze heures pour boucler l'enquête et procéder à une arrestation. Sinon, Piché appellerait Paul Delaney et lui demanderait de rentrer au pays.

Ils se serrèrent la main et se saluèrent poliment. Ayant pivoté sur ses talons, Victor allait franchir le seuil de la porte lorsque le directeur le rappela.

– Au fait, ça s'est bien passé, en bas, avec vos collègues Lachaîne et Masse?

Victor se retourna. Il était incapable de décoder son supérieur. Soit Piché le testait, soit il n'avait pas encore entendu parler de l'accrochage. Le sergent-détective hésita, jongla un instant avec l'idée de lui demander des explications à propos des pages manquantes du dossier, mais il estima préférable de battre en retraite.

– Ç'a été… correct.

– Tant mieux. Alors, maintenant que vous avez acquis la certitude que Maurice n'avait rien à se reprocher, concentrez-vous sur la série de meurtres. Toute la ville de Montréal vous regarde.

La première chose que Victor fit en sortant du quartier général fut d'attraper son paquet de cigarettes. Les yeux fermés, il inspira une longue bouffée. Il était près de 11 h, le soleil lui mordait les paupières et le vent chaud charriait un relent d'égouts. Le policier laissa passer l'envie d'être ailleurs et de tout plaquer, l'impression d'être seul à livrer un combat perdu d'avance, puis il parcourut les cent mètres qui le séparaient de l'endroit où ils avaient garé leur voiture. Comme promis, Jacinthe l'y attendait. Accotée contre le coffre, les bras croisés, elle retira ses lunettes de soleil.

– Pis ? Comment ça s'est passé ?

Victor prit un ton faussement enjoué :

– Super ! On s'est raconté nos vies en mangeant des carrés de Rice Krispies.

Elle répliqua du tac au tac :

– Des carrés de Rice Krispies ? Maudit chanceux, t'aurais dû m'en apporter !

Il tira sur sa cigarette et lâcha un nuage de fumée.

– Bref, ça va pas assez vite à son goût. Ton plan B a besoin d'être bon, parce qu'on a soixante-douze heures avant qu'il appelle Paul à la rescousse.

Jacinthe frappa du poing sur la tôle du coffre.

– Le bâtard !

Ils restèrent un moment sans parler. Puis elle récupéra une grande enveloppe jaune dans la voiture et la lui tendit. Victor la soupesa. La veille, lorsqu'elle avait affirmé avoir en main ce qu'il lui avait demandé, sa coéquipière avait refusé de lui en révéler la teneur, prétextant qu'il lui restait encore quelques détails à régler.

– Je sais pas pourquoi, mais je suis en train de me dire que j'aurais dû te préciser de trouver quelque chose qui nous mettrait pas dans le trouble.

Il sortit de l'enveloppe une douzaine de photos, qu'il passa rapidement en revue.

– C'est pas…

Elle approuva d'un grand signe de tête.

– Oui, mon homme.

Il rangea les photos dans l'enveloppe et la lui rendit. Puis, soupirant, il se pinça l'arête du nez entre le pouce et l'index.

– Comment t'as réussi à mettre la main là-dessus?

– Inquiète-toi pas. Le petit Loïc est pas mal à l'aise derrière un clavier. Et il est aussi pas mal efficace pour effacer ses traces.

CHAPITRE 37

Accueil Ici, Maintenant

Dégageant une sorte de force tranquille, la directrice générale de l'AIM, Ghislaine Corbeil, une belle femme au milieu de la cinquantaine, arborait une luxuriante chevelure blanche qui descendait jusqu'à son menton et contrastait avec ses lèvres rouges. Sur le mur derrière son bureau de bois laqué, point focal de la pièce décorée avec soin mais sans ostentation, une devise exprimée sous forme de message d'espoir était reproduite en caractères d'imprimerie sur une banderole de toile :

« Plusieurs s'en sortent. Pourquoi pas toi ? »

Vifs et engageants, ses yeux bleus se posèrent sur Jacinthe et Victor, assis de l'autre côté de sa table de travail. Alors que ceux-ci rentraient du quartier général, Nadja leur avait téléphoné pour leur faire part d'une découverte. En épluchant le rapport d'enquête concernant la disparition de Myriam Cummings, elle avait établi un lien : Maurice Tanguay était administrateur à l'AIM, et la jeune femme avait fréquenté l'endroit. À leur demande, la directrice avait annulé une réunion afin de pouvoir les rencontrer sur-le-champ.

Répondant à une question que lui avait posée le sergent-détective, elle leur parlait de la mission de l'AIM d'une voix douce, mais avec passion et détermination :

– On est là pour assurer une présence constante. Les intervenants sont disponibles à toute heure pour accueillir et écouter les jeunes en difficulté. Le tout se déroule dans un cadre informel, évidemment beaucoup moins menaçant pour les jeunes qu'un centre d'accueil institutionnel. Nous les accompagnons tous dans leur cheminement. À la fin de leur passage chez nous, plus de la moitié d'entre eux ont trouvé une alternative à la rue.

Sous le charme, Victor ne put s'empêcher de penser que cette femme respirait l'altruisme et l'empathie. Il enchaîna :

– Et votre clientèle est surtout composée de fugueurs…

Ghislaine Corbeil acquiesça en souriant, et ce sourire exposa les fines pattes-d'oie que le passage du temps avait commencé à tracer au coin de ses yeux.

– En grande partie, effectivement, mais nous avons aussi beaucoup de jeunes qui vivent des situations de crise et qui, sans nécessairement vouloir quitter le giron familial, viennent nous consulter de façon ponctuelle, pour recevoir du soutien. On offre le gîte à ceux qui sont mineurs pour un maximum de soixante-douze heures. C'est un service de dépannage qui permet au jeune, avec l'aide d'un intervenant, de faire le point sur sa situation et de rétablir, s'il le désire, le contact avec ses parents, sa famille d'accueil ou son centre d'accueil. Nous offrons aussi aux jeunes de seize ou dix-sept ans des séjours de courte durée, pour une période de soixante jours, mais seulement avec un consentement parental. Ce séjour leur permet de stabiliser leur situation, d'établir des objectifs concrets pour lesquels un intervenant les parrainera dans leur réflexion et leurs démarches. Dans le cas des jeunes adultes, l'hébergement ne requiert évidemment pas de consentement et peut aller, dans certaines situations, jusqu'à un maximum de six mois. Depuis l'an dernier, nous offrons aussi la possibilité à cinq jeunes, âgés entre seize et vingt-deux ans, de vivre de façon autonome dans un appartement et de bénéficier de soutien communautaire pour les encadrer.

Victor l'aurait écoutée parler pendant des heures, tant elle s'exprimait avec passion. Mais Jacinthe, pragmatique et partisane de la ligne droite, s'impatientait. Les discussions liminaires commençaient à solidement l'ennuyer. Elle coupa court :

– Pis Myriam Cummings, elle?

Dans la voiture, Victor et Jacinthe avaient décidé de limiter au strict minimum les informations qu'ils allaient divulguer à la directrice. Ils ne pouvaient se permettre de risquer de nouvelles fuites dans les médias. Parce qu'ils l'avaient déjà interrogée avec les autres participants à l'activité de financement de l'AIM où Tanguay avait été vu pour la dernière fois, Ghislaine Corbeil savait déjà qu'ils enquêtaient sur la mort du commandant. Elle avait d'ailleurs paru encore très émue quand il avait été question de lui. Toutefois, quand elle leur avait demandé pour quelle raison ils s'intéressaient à la disparition de Myriam Cummings et s'il y avait un lien entre cette disparition et la mort de Tanguay, ils avaient répondu qu'ils ne pouvaient pas lui en dire plus pour l'instant. Ils avaient aussi convenu entre eux de ne rien lui révéler à propos de la mort de Grant Emerson, qui n'avait pas encore été rendue publique.

La directrice attrapa la chemise cartonnée posée sur le coin de son bureau, l'ouvrit et passa en revue ses notes avant de reporter son regard sur eux.

– Myriam? Oui, bien sûr. J'ai consulté son dossier avant votre arrivée. Attendez voir.

Elle relut encore quelques lignes, puis reprit :

– Oui, voilà... Myriam s'est présentée ici, en crise, à quelques reprises. La première fois, elle avait dix-sept ans, et la dernière c'était en... en janvier dernier. Elle vivait des conflits assez importants avec son père. On l'a accueillie pour quelques séjours de soixante-douze heures. Ainsi qu'une fois pour un séjour de soixante jours. Depuis qu'elle était majeure, le consentement parental n'était plus requis, mais son père dialoguait avec l'intervenant au dossier pour essayer de trouver des solutions, et il était toujours au courant lorsqu'elle se trouvait ici.

Victor songea qu'Emerson ne lui avait pas menti lorsqu'il avait affirmé que sa fille ne serait jamais partie sans le prévenir. Qui plus est, à la lumière du rapport d'enquête que Nadja avait passé en revue, il apparaissait que c'était lui qui avait mentionné aux enquêteurs que Myriam fréquentait régulièrement l'AIM.

Le sergent-détective demanda :

– De quels genres de conflits se plaignait-elle ?

– Disons que Myriam a vécu de gros bouleversements à la mort de sa mère. Elle avait beaucoup de rancœur envers monsieur Emerson, qui ne s'était pas occupé d'elle quand elle était enfant. Et si j'ai bien lu le dossier, monsieur Emerson est d'une autre génération et ç'a créé beaucoup de tensions avec Myriam lors du passage de l'adolescence à la vie adulte. Puis il y a eu une accalmie. On ne l'a pas revue pendant quelques années. Mais à l'automne de l'année dernière, elle a recommencé à fréquenter l'accueil. La situation avec monsieur Emerson s'était de nouveau envenimée et, quand elle a eu besoin de prendre du recul, elle s'est présentée ici.

Victor hocha la tête. Il n'y avait rien d'incompatible entre ce qu'elle disait et ce qu'Emerson lui avait confié.

– Vous saviez qu'elle avait disparu ?

– Bien entendu. Son père a appelé plusieurs fois et les enquêteurs au dossier sont venus nous rencontrer aussi. Quand vous m'avez appelée, je croyais d'ailleurs que c'était pour m'annoncer des développements.

Le sergent-détective sourit, comme pour s'excuser de ne pouvoir lui en dire plus.

– Ça vous arrive souvent, des cas de disparition comme celui-ci?

– Je ne dirais pas que ça arrive souvent, mais ça arrive. Vous savez, ça fait partie de la réalité des centres comme le nôtre. Comme vous l'avez mentionné plus tôt, une partie de notre clientèle est composée de jeunes en fugue. Parfois, ils viennent ici chercher de l'aide, parfois, ils décident de laisser tomber la démarche, alors on les perd de vue et on ne sait pas ce qui leur arrive par la suite. Plusieurs se ramassent dans la rue. De ceux-là, il y a une importante proportion qui décide de se diriger vers l'Ouest canadien.

– À votre connaissance, Myriam avait un petit ami ou d'autres jeunes avec qui elle entretenait des relations au sein de l'Accueil?

Les policiers chargés d'enquêter sur sa disparition avaient déjà vérifié ce point, mais le contenu du dossier à ce propos était laconique : Myriam semblait être une fille assez solitaire.

– C'est possible, mais malheureusement, comme je ne travaille pas directement sur le terrain, je ne pourrais pas vous en dire plus à ce sujet. Il faudrait voir avec les intervenants qui l'ont côtoyée.

– Quels étaient les liens de Myriam avec Maurice Tanguay?

Ghislaine Corbeil recula contre le dossier de son fauteuil et ne dissimula pas sa surprise.

– À ma connaissance, ils n'en avaient aucun. Pourquoi?

Victor répondit à sa question par une autre :

– Quels étaient les rapports du commandant avec les jeunes qui gravitent autour de l'AIM?

– Il agissait comme personne-ressource, comme mentor ou modèle pour certains d'entre eux.

– Était-ce le cas pour Myriam?

– Pas à ma connaissance, mais…

La directrice semblait de plus en plus décontenancée par les questions du sergent-détective, qui ne lui laissait aucun répit :

– Est-ce que ça vous dit quelque chose si je vous parle de quelqu'un qu'on surnomme le père Noël?

Elle éclata de rire.

– J'imagine que vous ne parlez évidemment pas de celui à qui mes petits-enfants et moi confectionnons des biscuits le jour de Noël… Non, je ne connais personne qui répond à ce surnom.

– Qui s'occupait de Myriam lorsqu'elle était ici?

Elle replongea les yeux dans le dossier.

– Vous voulez parler des intervenants qui ont interagi avec elle? Il y en a eu quelques-uns, mais je dirais que celui duquel elle semblait être le plus proche est Samuel Martineau.

– Il est ici? Est-ce qu'il serait possible de le voir?

Le visage de la directrice respirait la sollicitude.

– Malheureusement, Samuel est absent depuis quelques jours. Il est très malade, le pauvre. Un mauvais virus, semble-t-il.

Victor hocha la tête et demanda:

– Vous auriez son adresse et son numéro de téléphone, par hasard?

– Certainement. Un moment.

Ghislaine Corbeil se mit à pianoter sur les touches de son clavier. Après avoir trouvé les renseignements, elle les nota sur un Post-it, qu'elle remit à Victor.

– Merci, madame. Au fait, quand lui avez-vous parlé, la dernière fois?

– À Samuel?

Elle réfléchit un instant.

– En fait, le dernier contact que nous avons eu, c'était il y a trois jours, je crois… Oui, c'est bien ça. Quand il m'a envoyé un courriel pour me dire qu'il était malade et qu'il devait s'absenter.

– Et vous n'avez pas eu de ses nouvelles depuis?

– Je lui ai envoyé un courriel pour lui demander comment il allait ce matin, mais il ne m'a pas encore répondu.

– Est-ce que le commandant Tanguay et monsieur Martineau se connaissaient?

– Oui, bien entendu. Le commandant était parfois appelé à faire des présentations dans des ateliers que donne Samuel aux jeunes. Pourquoi?

– Est-ce qu'il a déjà fait une présentation devant Myriam?

– C'est possible. Je ne saurais vous dire. Mais pourquoi toutes ces questions?

Victor se leva et lui tendit la main. Il n'avait plus d'autres questions. Jacinthe était déjà debout.

– Je vous remercie de votre temps, madame Corbeil. Et, sur une note personnelle, je voudrais vous dire de continuer votre travail auprès des jeunes. C'est important. Vous faites une différence.

Une fois sortis de l'édifice, Jacinthe attendit qu'ils se soient un peu éloignés sur le trottoir pour s'esclaffer et se payer la tête de Victor, modifiant sa voix pour essayer d'imiter la sienne:

– «C'est important. Vous faites une différence...» T'es tellement *cute,* Lessard.

Il haussa les épaules, alluma une cigarette, ouvrit la bouche pour répliquer, puis y renonça. Jacinthe déverrouilla les portières de la voiture et le regarda par-dessus le toit.

– J'imagine que tu veux qu'on paye une visite à Samuel Martineau?

Victor rejeta un nuage de fumée dans l'air et dit:

– Tu lis dans mes pensées.

– Ben, j'espère qu'y est pas contagieux. J'ai pas envie de tomber malade!

Le sergent-détective sourit et tira sur sa cigarette.

– Toi? T'as autant de chances de tomber malade que d'avoir envie d'un homme, Jacinthe.

Sa coéquipière riait encore de bon cœur lorsqu'elle s'engouffra dans le véhicule banalisé. Il prit un moment pour terminer sa cigarette tandis que, dans l'habitacle, elle répondait à ses messages textes.

Ils roulaient en direction de l'appartement de Samuel Martineau, sis rue Elm, dans l'arrondissement Lachine. L'homme ne répondait pas aux appels de Victor. Une main sur le volant, Jacinthe sortit le sac de crudités qui se trouvait sous son siège. Le coinçant entre ses jambes, elle se mit à piger dedans avec frénésie. Après avoir avalé plusieurs morceaux de brocoli – et précisé après chaque bouchée qu'elle trouvait ça « sec et dégueulasse » – , elle reprit son souffle un instant et pointa le doigt.

– Checke donc là-dedans, y a de la trempette pour les légumes.

Victor ouvrit la boîte à gants et découvrit une bombe aérosol. Il l'attrapa et l'agita en l'air.

– Ça?

– Oui, donne.

Sans quitter la route des yeux, Jacinthe lui tendit sa paume ouverte. Il lut l'étiquette et sourcilla.

– Mais... mais c'est pas de la trempette, ça. C'est de la crème fouettée!

– C'est juste pour donner un peu de goût. Pis ça aide à faire passer le brocoli.

Amusé, Victor lui jeta un regard dubitatif. Elle ne se laissa pas démonter.

– Eille, avec quoi tu penses qu'y font les trempettes, hein? Ben oui, avec de la mayonnaise ou de la crème. Sinon? Ben, qu'est-ce tu penses? Y mettent de l'huile hydrogénée, pis, ça, c'est comme du sirop à cancer. Fait que, entre nous, ça change pas grand-chose que je mette un peu de crème fouettée sur mes légumes.

Jacinthe claqua des doigts.

– Envoye, donne.

Victor ne put s'empêcher de sourire. La quantité de nouvelles connaissances que sa coéquipière avait acquises en matière de nutrition au cours des derniers mois l'impressionnait, mais il entretenait de sérieux doutes quant à la fiabilité de ses sources.

Se retenant pour ne pas éclater de rire, il feignit de se désoler de la situation :

– Écoute, je suis pas sûr de te rendre service en te donnant ça. Pense à ton régime.

– Eille, niaise-moi pas, Lessard !

Il prit un air contrit.

– Non, je suis vraiment désolé, mais je ne peux pas te faire ça, Jacinthe. Ce serait comme si tu m'offrais une bouteille de gin à ma fête.

Puis Victor secoua la bombe et, appuyant sur l'embout, se remplit la bouche de crème fouettée.

– Maudit niaiseux ! Envoye, donne-moi ça, Lessard ! C'est *ma* crème fouettée !

– Mmm… c'est vrai que c'est bon !

Il refit gicler de la crème fouettée dans sa bouche. La voiture fit une embardée. Le bras droit de Jacinthe sifflait dans l'air tandis qu'elle essayait de récupérer la bombe aérosol des mains de son coéquipier, qui riait aux éclats.

CHAPITRE 38

Samuel Martineau

Victor consulta le GPS de son cellulaire et annonça :

– Tiens, c'est juste là.

Jacinthe gara la voiture et ils sortirent du véhicule banalisé. Ils se tenaient face à un duplex de briques rouges bien entretenu. Dans leur dos, de l'autre côté de la rue étroite, se dressait le mur extérieur d'un entrepôt de pièces de voitures. Percé de portes de garage, l'édifice de tôle verte s'élevait en hauteur sur l'équivalent de trois niveaux et occupait toute la longueur de la rue. Ils marchèrent dans l'allée bordée de bégonias et montèrent l'escalier courbé jusqu'à l'étage. Victor souriait encore lorsqu'il arriva sur la dernière marche. Durant le trajet, Jacinthe avait fini par lui arracher la bombe aérosol de crème fouettée des mains et y avait fait honneur.

Le souffle court, elle le rejoignit sur le balcon. Puis elle lança d'un ton sarcastique :

– T'sais, c'est une maudite belle place si t'aimes le bruit du trafic.

Il se retourna et regarda sur sa gauche. Du balcon, ils voyaient se découper, cinquante mètres plus loin, une bretelle de l'autoroute 20, d'où s'échappait le grondement sourd et continu de la circulation.

Victor appuya sur le bouton de la sonnette. N'obtenant pas de réponse, il frappa sur le battant, puis essaya de voir à l'intérieur, mais un rideau opaque couvrait la fenêtre de la porte.

– C'est sûr que c'est pas aussi joli que le frémissement des feuilles dans le vent.

Jacinthe roula les yeux au ciel.

– Mais t'es don' ben rendu poète, Lessard… Voyons, c'est ben long.

Elle cogna à son tour. Victor haussa les épaules :

– Donne-lui le temps. S'il est malade, probablement qu'il est couché.

La patience ne faisant pas partie de ses attributs, Jacinthe ébranla de nouveau le battant du poing. Son œil ayant détecté une anomalie, Victor s'accroupit près du paillasson de l'entrée. Du bout du doigt, il toucha un amas de gouttelettes sombres qui maculaient le plancher du balcon.

Penchée vers lui, Jacinthe l'observait avec attention :

– C'est du sang ?

Il releva la tête.

– Difficile à dire. C'est sec.

Victor se redressa et ouvrit la boîte aux lettres, qui contenait deux enveloppes. Il vérifia l'adresse et le nom du destinataire.

– En tout cas, on est au bon endroit.

Il sonna encore. De nombreuses secondes s'écoulèrent sans que personne ne vienne ouvrir. Victor sentit les battements de son cœur s'accélérer.

Jacinthe dégaina son pistolet.

– On entre ?

Déjà, elle s'apprêtait à lancer son épaule contre le battant. Victor lui fit signe d'attendre. Attrapant ses gants de latex dans sa poche, il les enfila et tourna la poignée en poussant. La porte, qui n'était pas verrouillée, pivota sans bruit sur ses gonds. Sur le cadre, il remarqua une superposition de plusieurs loquets.

– Monsieur Martineau ? C'est la police de Montréal. On a quelques questions à vous poser.

Jacinthe passa ses gants à son tour. Le sergent-détective fit un pas et étira le cou pour voir à l'intérieur de l'appartement, qui était plongé dans une pénombre inusuelle. Il attrapa son cellulaire, activa la fonction lampe de poche et dégaina son pistolet. Jacinthe mit un moment à trouver la même application dans son téléphone, puis l'imita. Pistolet au poing, ils firent quelques pas dans la pièce. Chacun se déplaçait en silence et couvrait la position de l'autre. Victor songea qu'ils se trouvaient dans une pièce qui aurait normalement dû faire office de salon, mais il ne voyait aucun mobilier.

– Monsieur Martineau ? Samuel Martineau ? Police !

Victor se déplaça furtivement vers le mur et actionna l'interrupteur à quelques reprises. Rien ne se produisit ; ils demeurèrent plongés dans l'obscurité. Il s'approcha de la fenêtre. Un épais rideau de feutre noir avait été agrafé sur le cadre de bois, puis recouvert de *duct tape,* de façon à obstruer tous les interstices.

Jacinthe murmura :

– C'est ici, c'est lui, je le sens.

Un frisson parcourut l'échine de Victor. Il avait la même impression qu'elle.

– Va dans l'auto appeler du *back-up.*

– Es-tu malade ? Pas question que je manque le party. Vas-y, toi !

Son cœur cognant dans sa poitrine, le sergent-détective respirait en accéléré. Il continua d'avancer et Jacinthe lui emboîta le pas, guettant leurs arrières.

– Monsieur Martineau ?

Ils pénétrèrent dans la cuisine. Victor appuya sur l'interrupteur, là encore, en vain. N'y avait-il donc aucune source lumineuse dans cet appartement ? Quel genre d'individu pouvait vivre ainsi, dans la plus complète obscurité ? Pour en avoir le cœur net, le sergent-détective ouvrit la porte du frigo et vit qu'on avait retiré l'ampoule qui servait à l'éclairer. Au passage, il ne put s'empêcher de remarquer que la tablette principale ne contenait que des plats de plastique rectangulaires soigneusement empilés. Il baissa les yeux. Une autre tablette contenait des paquets de tofu mi-ferme. Pour sa part, le bac à légumes était rempli de pommes vertes. Enfin, le compartiment congélateur ne contenait que des bananes à la peau brunie.

Victor se pinça les narines pour ne pas éternuer et appela de nouveau :

– Monsieur Martineau ? Police de Montréal.

Il éclaira les comptoirs, entièrement dégagés, à part une boîte métallique vide et son couvercle. Une théière reposait sur un des ronds de la cuisinière. Il la toucha : le métal était froid. Avec des gestes vifs et silencieux, il ouvrit une armoire et aperçut des verres et quelques assiettes. Dans une autre, il découvrit un étalage de boîtes de conserve de la même marque de sauce tomate, les étiquettes impeccablement alignées. Dans la dernière, il trouva une réserve de boîtes de thé au citron.

Tout était rangé avec symétrie et il se dégageait de l'ensemble une impression d'ordre et de propreté clinique, un peu comme s'ils se trouvaient dans un laboratoire. À l'évidence, le propriétaire des lieux avait adopté une discipline de vie quasi monastique.

Victor fit un signe du doigt à Jacinthe et ils reprirent leur exploration. Ils passèrent une salle de bains spartiate et arrivèrent devant une porte close.

Jacinthe se figea brusquement.

– J'ai entendu quelque chose.

Victor aussi. Un grattement qui provenait de l'intérieur, derrière le battant. Il mit la main sur la poignée et regarda sa coéquipière, qui braqua son pistolet. Au signal de Jacinthe, il retint son souffle et ouvrit brusquement la porte. Ils tressaillirent. Effrayé, un chat bondit hors de la pièce en feulant, fila entre leurs jambes et disparut par la porte de l'entrée, qu'ils avaient laissée entrouverte.

Jacinthe se vida de son air:

– Chanceux de pas s'être fait plomber le cul, celui-là.

Victor se détendit et recommença à respirer. Ils franchirent le seuil de la dernière pièce de l'appartement, une chambre. Encore là, la fenêtre était complètement obturée par un rideau opaque. Un matelas posé directement sur le sol, aux couvertures blanches relevées sans un pli sur les oreillers, faisait office de lit. Une bibliothèque aux tablettes remplies de livres, de revues et de paquets de papiers retenus par des élastiques occupait le mur entier derrière. On avait poussé une table sous la fenêtre; une chaise était rangée en dessous. Une commode complétait le mobilier.

Lorsqu'ils s'avancèrent dans la pièce, les deux policiers eurent un mouvement de recul. Les murs étaient entièrement couverts de coupures de journaux et de photographies. En s'approchant, ils constatèrent que tous les articles, tantôt en français, tantôt en anglais ou même en espagnol, semblaient concerner des homicides. À l'œil, Victor estima qu'au moins une centaine de meurtres devaient y être répertoriés. Les photos, pour leur part, ne laissaient place à aucune équivoque: elles ne montraient que des cadavres distordus dans des postures à faire frémir d'épouvante les cœurs les plus endurcis.

Désormais convaincue que l'appartement était vide, Jacinthe laissa échapper:

– Bingo! Le musée des horreurs.

Victor éternua à quelques reprises. Le coup qu'il avait reçu à la tête rendait chaque saccade plus douloureuse. Il finit par dire:

– Ça veut pas dire pour autant que c'est notre tueur.

– C'est lui, je le sens. Et toi aussi, Lessard.

Un mince rai de lumière rougeâtre se dessinait sous la porte de la garde-robe. Victor l'ouvrit. Le réduit de trois mètres carrés avait été entièrement dépouillé de ses tablettes. Une croix illuminée était fixée au mur du fond. Sous le symbole religieux se dressait un petit autel. Sur le drap blanc étendu au sol se trouvaient une bible, un chapelet et deux pierres posées sur des fiches de carton. Victor dégagea ces dernières, les lut et les tendit à Jacinthe, qui en prit connaissance à son tour.

Un nom était inscrit sur chaque carton. Jacinthe plissa le front.

– Louis et Patrick? C'est qui, ces deux-là?

Victor se redressa et haussa les épaules. Il n'en avait pas la moindre idée. Pivotant sur lui-même, il fit quelques pas vers la table. Un verre rempli de stylos, une montre au bracelet cassé, une paire de ciseaux, quelques bâtons de colle, un paquet de feuilles blanches et plusieurs flacons d'ibuprofène y étaient rangés. Le policier ouvrit les flacons les uns après les autres. Ceux dont le sceau d'emballage était brisé contenaient effectivement des capsules d'ibuprofène. Le verre était posé sur une pile de cartes de plastique. Victor les attrapa et les passa en revue: American Express Aeroplan, Hôpital Saint-Luc, Croix Bleue, elles étaient toutes au nom de Samuel Martineau. Une photo figurait sur la dernière carte, celle du YMCA.

Le sergent-détective sursauta et se tourna vers sa coéquipière.

– Je pense que ça va nous prendre un mandat d'arrestation.

Il tendit la carte à Jacinthe. Elle braqua la lumière de son cellulaire dessus et explosa:

– Fuck! C'est le gars aux cheveux noirs. Celui que Loïc a photographié!

– O –

La femme avait agonisé pendant de longues minutes. Le père Noël et Maxime quittèrent la maison nichée à flanc de montagne tard dans la nuit.

Durant le trajet de retour, Maxime questionna le père Noël à propos d'une lecture que celui-ci lui avait donnée. Plus précisément, il voulait comprendre le sens d'une citation célèbre de Friedrich Nietzsche: «Dieu est mort.»

Sans quitter la route des yeux, le père Noël se mit à déclamer l'extrait:

– «Dieu est mort! Dieu reste mort! Et c'est nous qui l'avons tué! Comment nous consoler, nous les meurtriers des meurtriers? Ce que le monde a possédé jusqu'à présent de plus sacré et de plus puissant a perdu son sang sous notre couteau. – Qui nous lavera de ce sang? Avec quelle eau pourrions-nous nous purifier? Quelles expiations, quels jeux sacrés serons-nous forcés d'inventer? La grandeur de cet acte n'est-elle pas trop grande pour nous? Ne sommes-nous pas forcés de devenir nous-mêmes des dieux simplement – ne fût-ce que pour paraître dignes d'eux?»

Le père Noël se tourna vers le garçon, qui paraissait perplexe, et lui ébouriffa les cheveux.

– Dieu n'existe pas, Maxime. C'est une fiction de l'esprit, une invention de l'homme pour arriver à se supporter lui-même et continuer à avancer sans remettre en question les fondements mêmes de la vie. Certaines personnes ont besoin de combler le vide que créent l'absurdité et la vacuité de l'existence humaine. Ceux-là sentent le besoin de croire en quelque chose de plus grand qu'eux et s'agrippent à la religion pour structurer le réel.

Ils arrivèrent à la maison à l'aube. Le père Noël leur prépara d'abord du thé, puis un somptueux petit-déjeuner. Ils poursuivirent la conversation en mangeant des crêpes. Par la suite, Maxime se retira dans sa chambre pour aller dormir. La pièce était entièrement plongée dans les ténèbres, un volet métallique empêchant toute lumière de pénétrer par la fenêtre. Chaque fois qu'il entrait dans sa chambre, la voix du père Noël retentissait dans sa tête:

– Rappelle-toi, Maxime: une fois entré dans les ténèbres de la pièce noire, il n'est plus possible de revenir en arrière.

Maxime attendit que ses yeux s'habituent à l'obscurité, puis il ouvrit un tiroir. Il sortit une des boîtes de balles de ping-pong que lui avait données le père Noël. Il attrapa une balle et, à l'aide d'un feutre, inscrivit dessus les initiales de sa dernière victime et la date.

Les paroles du père Noël au moment où il lui avait fait cadeau des balles lui revinrent en mémoire. Il en avait pris une dans sa paume, puis l'avait aplatie entre son pouce et son index.

– Chaque vie que tu prends n'est qu'une balle de ping-pong qui se fracasse entre tes doigts.

Maxime fouilla sous son matelas et sortit la Bible et la lampe de poche qu'il y dissimulait. Lorsqu'il ouvrit le bouquin, un carton s'en échappa. Le garçon se pencha pour le ramasser. Reporter son attention sur les mots qu'il y avait écrits quelques semaines plus tôt lui procura un intense sentiment de réconfort. Il allait relire l'Épître de Paul aux Galates lorsque les larmes lui montèrent brusquement aux yeux. Il posa les objets sur le sol, à côté de son lit, et se mit à pleurer en silence.

Sur le carton, la même phrase était répétée ad nauseam *:*

« Le père Noël est à l'origine du mal… »

CHAPITRE 39

Le repaire du diable

Victor jeta un coup d'œil par la fenêtre de la chambre, dont le rideau de feutre avait été retiré. Conformément aux directives qu'il leur avait données, les patrouilleurs appelés en renfort sécurisaient un périmètre autour de la maison de la rue Elm. L'Identification judiciaire, qui passerait l'endroit au peigne fin, était en route, et Nadja venait de quitter le domicile de Grant Emerson pour les rejoindre et les aider à recueillir les éléments de preuve. Par ailleurs, un avis de recherche avec le signalement de Samuel Martineau avait été lancé.

Jacinthe avait frappé à la porte de l'appartement du rez-de-chaussée, en vain. Ayant obtenu les coordonnées de la propriétaire des lieux par l'intermédiaire du CRPQ, elle l'avait jointe à son travail et lui avait demandé de venir les rencontrer sur les lieux le plus rapidement possible.

Victor marcha jusqu'à la commode et commença à examiner le contenu des tiroirs, pendant que sa coéquipière prenait connaissance des photos et des coupures de journaux collées aux murs. Il souleva les quelques maigres piles de vêtements classés par couleurs pour vérifier s'il n'y avait rien de dissimulé en dessous. De nouveau, la frugalité du mode de vie de Martineau le frappa.

Sans se retourner, Jacinthe brisa le silence :

– Il y a un truc que je comprends pas.

Il releva la tête et jeta un coup d'œil dans sa direction.

– Mmm?

– Pourquoi Martineau est parti sans barrer la porte?

Victor referma le tiroir et en ouvrit un autre, qui contenait une impressionnante quantité de chaussettes et d'autres flacons d'ibuprofène.

Il réfléchit à la question.

– Peut-être parce qu'il savait qu'on viendrait et qu'il s'est éclipsé en vitesse?

– Quelqu'un l'aurait prévenu? Qui? La directrice de l'AIM?

– Pourquoi pas? Elle lui a peut-être envoyé un courriel pour prendre de ses nouvelles et a glissé un mot sur notre rencontre.

Ils restèrent un moment sans parler. Puis Victor ouvrit le dernier tiroir de la commode. Il resta un moment interdit en voyant plusieurs coupures de journaux qui parlaient de l'enquête en cours. La plupart des articles à propos des meurtres de Tanguay, de Mardaev et de Wood s'y trouvaient réunis. Victor les feuilleta de l'index et vit que sa photo coiffait l'une des manchettes. Une autre chose piqua sa curiosité : il découvrit en effet des boîtes de balles de ping-pong empilées les unes sur les autres. Il trouva cela d'autant plus étrange que le carton de certaines boîtes semblait vieilli, jauni, alors que d'autres paraissaient nettement plus récentes.

Il en attrapa une au hasard et allait l'ouvrir lorsque Jacinthe l'interpella.

– Eille, Lessard, viens checker ça!

Elle avait sans doute trouvé quelque chose, car le ton de sa voix laissait transparaître une pointe d'excitation. Il fit quelques pas vers elle.

– Depuis tantôt que je regarde ce que Martineau a collé sur ses murs pis que quelque chose me chicote sans que j'sois capable de trouver quoi. Mais, là, j'ai compris.

Jacinthe montra le mur.

– Vois-tu?

Victor secoua la tête en signe de dénégation.

– Recule-toi un peu, pis regarde comme il faut.

Il obtempéra. Sans s'en rendre compte, il triturait nerveusement le couvercle de carton de la boîte de balles.

– Tu remarques pas quelque chose?

Victor éternua à quelques reprises. Ses yeux picotaient.

– Maudit chat.

Il se pinça les narines et mit un moment à poursuivre:

– Vite comme ça, je vois pas vraiment.

– Voyons, mon homme, force-toi un peu. Regarde comment les photos et les coupures de journaux sont disposées.

Il plissa les paupières pour essayer de discerner quelque chose. Il risqua une réponse:

– On dirait qu'elles sont placées en demi-cercle?

– Ouin, tu devais pas être le génie de ta classe en géométrie! Sont pas placées en demi-cercle, mais en cercle!

Maintenant que Jacinthe avait apporté la précision, la forme se clarifia et le cercle lui apparut comme une évidence. Il acquiesça.

– Bon, si tu trouves le centre du cercle, tu vas remarquer que toutes les coupures de journaux sont organisées autour d'un point central. Un noyau, genre.

Du bout des doigts, Victor caressa les poils de barbe rêche qui couvraient ses joues.

– Un noyau? De quoi tu parles? Quel noyau?

Jacinthe s'approcha du mur en soupirant et pointa le doigt vers un ensemble de coupures. Victor avait machinalement ouvert le couvercle de la boîte et attrapé une balle, qu'il tenait maintenant entre son pouce et son index.

Il s'avança et commença à lire l'article qu'elle désignait, qui concernait l'enlèvement de trois enfants à Montréal, le 18 décembre 1981, une semaine avant Noël.

Victor se souvenait de cette affaire. Patrick Thivierge, onze ans, et son ami Louis Caron, neuf ans, avaient été kidnappés à Verdun. Le corps du jeune Louis avait été retrouvé quelques semaines plus tard, dans un terrain vague d'Hochelaga-Maisonneuve. L'enfant avait été violemment battu et étranglé. Pour sa part, le corps de Patrick avait été retrouvé deux mois après, dans un chalet abandonné des Laurentides. Il avait aussi été étranglé et battu. L'autre enfant qui avait disparu ce jour-là avait été enlevé près du domicile de sa mère, rue Rachel, sur le Plateau-Mont-Royal. Âgé de six ans à l'époque, le petit Maxime Rousseau n'avait jamais été retrouvé.

– As-tu vu, en dessous?

Sous l'article, une phrase avait été peinte en rouge directement sur le mur et Victor dut écarter quelques coupures pour la dégager et ainsi pouvoir la lire:

« *Le père Noël est à l'origine du mal…* »

Et tandis que son cerveau assimilait ces nouvelles informations, Victor remarqua qu'une date et des initiales avaient été tracées au feutre noir sur la balle de ping-pong qu'il faisait tourner entre ses doigts.

CHAPITRE 40

Initiales

Les mains derrière la nuque, Victor s'étira le cou en soupirant. Il peinait à garder les yeux ouverts, tant la fatigue l'accablait. Il avait besoin d'un café et d'air frais. Un peu plus tôt, Jacinthe avait rencontré la propriétaire de l'immeuble, qui résidait au rez-de-chaussée. Celle-ci lui avait appris peu de choses : Samuel Martineau était calme et discret. En fait, depuis des années, l'homme payait son loyer avec une série de chèques postdatés, de telle sorte qu'elle ne lui avait quasiment jamais parlé. Par ailleurs, elle ne lui connaissait ni ami ni famille.

Victor se tourna et observa un moment sa coéquipière et Nadja qui scrutaient les coupures de journaux collées au mur. Il baissa la tête et regarda à ses pieds : ils avaient aligné les balles de ping-pong sur une serviette de bain. Il y en avait vingt et une, toutes marquées d'une date et d'initiales. Les plus anciennes remontaient à 1982, la plus récente, à l'année en cours.

Les enquêteurs n'avaient pas mis de temps à remarquer que les dates et les initiales inscrites sur certaines balles semblaient pouvoir être reliées aux homicides que rapportaient les coupures. En effet, une des balles, datée du 11 janvier 1982, était marquée des initiales L. C. ; une autre, datée du 25 février 1982, portait les initiales P. T.

Dès lors, il leur avait semblé logique de poser comme hypothèse que ces initiales étaient celles des jeunes Louis Caron et Patrick Thivierge, dont les corps avaient été découverts aux alentours de ces dates. Sur cette base, ils s'étaient mis à examiner avec attention les autres coupures pour essayer de faire des liens entre balles et homicides. Une troisième corrélation potentielle avait bientôt été établie : une balle datée du 15 avril 2000, portant les initiales M. C., pouvait correspondre à un article concernant le meurtre d'un homme nommé Martin Côté, retrouvé mort le même jour.

Victor fit quelques pas dans l'atmosphère oppressante de la chambre afin de se dégourdir les jambes. Les questions bondissaient de façon désordonnée dans son cerveau.

Dans l'éventualité où elles s'avéreraient effectivement être liées à des homicides, que représentaient les balles de ping-pong? Le cas échéant, pourquoi Martineau les avait-il en sa possession?

Le sergent-détective regarda autour de lui et essaya d'imaginer Martineau assis derrière sa table couverte de journaux, découpant les articles, puis se levant pour les coller au mur.

Louis Caron, Patrick Thivierge et Maxime Rousseau. Trois enfants enlevés à Montréal en décembre 1981, dont deux avaient été retrouvés morts. Pourquoi Martineau gardait-il dans sa garde-robe un autel avec des pierres posées sur des cartons où étaient inscrits les prénoms des deux garçons? Et qu'était-il arrivé au troisième, Maxime? Était-il décédé, lui aussi?

Victor fronça les sourcils. Les doutes l'envahissaient; il commençait à se demander s'ils allaient un jour réussir à résoudre cette affaire.

Selon les informations qu'ils avaient tirées du CRPQ, Martineau était âgé de quarante ans. Il avait donc huit ans au moment des meurtres de Louis et de Patrick ainsi que de la disparition de Maxime. Avait-il connu les trois garçons alors qu'il n'était lui-même qu'un enfant? Y avait-il un lien entre ces garçons, la série de meurtres et Martineau?

Une hypothèse tordue avait germé dans l'esprit de Victor, mais il refusait de l'envisager tant elle l'effrayait.

Nadja claqua des doigts.

– Je crois que j'en ai une autre, Jacinthe.

Celle-ci alla se poster devant la serviette où étaient alignées les balles de ping-pong. Dès qu'ils trouvaient une concordance, ils écrivaient les informations pertinentes sur un Post-it et le collaient sur le plancher, en face de la balle s'y rapportant.

– OK, vas-y.

– Le 7 mai 1999. Et les initiales sont S. B.

Penchée en avant, mains sur les cuisses, Jacinthe scruta les balles du regard.

– Je l'ai. Passe-moi les Post-it, Lessard.

Victor les sortit de sa poche et attrapa son stylo. Nadja dit:

– OK, alors le nom de la victime est Sylvie Bernard, trente-quatre ans. Battue à mort.

Perdu dans ses pensées, le sergent-détective griffonna machinalement les informations sur le Post-it et le tendit à sa coéquipière, qui le colla devant la balle correspondante.

Jacinthe secoua la tête, indignée.

– Vingt et une balles… ce qui voudrait dire qu'il y a vingt et un meurtres? Attends qu'on te mette la main au collet, mon ami, tu vas passer un mauvais quart d'heure.

Nadja la reprit:

– Martineau avait huit ans au moment des meurtres de Louis et de Patrick. Les balles de ping-pong représentent sûrement autre chose. D'ailleurs, il ne serait pas le premier à faire une collection sinistre. Rappelle-toi le cas Runberg…

Certaines personnes entretiennent une fascination pour le morbide. Dans une enquête précédente, ils avaient découvert dans la maison d'une femme victime d'homicide une collection d'objets rappelant les meurtres commis par Charles Manson, avec qui elle avait entretenu une correspondance. Jacinthe reconnut qu'il s'agissait d'une possibilité, mais l'expression de son visage donnait à entendre qu'elle n'était pas convaincue.

Nadja laissa passer un bref silence, puis elle continua :

– Et c'est quand même bizarre : aucune des balles ne porte les initiales des victimes de notre série ni la date de leurs meurtres.

Jacinthe balaya l'air de la main.

– Lessard a trouvé des coupures de journaux dans le tiroir à propos des meurtres de Tanguay, de Mardaev et de Wood. Probablement que Martineau avait pas encore eu le temps de les coller. Même chose pour les balles. Peut-être aussi que Marti…

Victor ne put tolérer un mot de plus. Il interrompit sa coéquipière d'une voix éteinte :

– On arrête : ça donne rien, ce qu'on fait là.

Jacinthe se braqua :

– Ah oui, pourquoi?

– On peut passer des heures à relier les balles et les homicides entre eux, mais à ce stade-ci, c'est circonstanciel. Ça ne prouvera pas que Martineau a commis tous ces meurtres. Et, surtout, ça réglera pas notre problème.

– Et c'est quoi, notre problème, mon homme?

– C'est de retrouver Martineau et de mettre fin à cette série, pas de résoudre des *cold cases.*

L'air buté, Jacinthe croisa les bras sur sa poitrine.

– Pas d'accord. La clé de l'énigme se trouve peut-être ici, sous notre nez.

Victor frappa du poing dans sa paume.

– On a une preuve photographique que Martineau était devant l'immeuble à l'heure où Emerson a été assassiné. Ça, c'est du concret. Il faut l'arrêter avant qu'il tue encore, avant que Myriam…

Il n'acheva pas sa phrase. Un silence éloquent perdura, que sa coéquipière finit par briser :

– Alors tu proposes quoi, mon coco ?

– On n'a toujours pas compris le motif qui relie entre elles les victimes de notre série. Si on le découvre, on a peut-être des chances d'apprendre à quel endroit se trouve Martineau.

Jacinthe désigna le mur.

– Je veux bien, mais on n'a pas d'autre piste que ça.

Une expression énigmatique apparut sur les traits de Victor.

– C'est faux. On en a une autre.

Des pas retentirent dans le corridor. Ils se retournèrent tous les trois. Un bandage enserrant sa tête, Loïc entra dans la pièce. Il fit exploser une bulle de gomme et, en voyant la surprise inscrite sur leurs visages, railla ses collègues :

– Ben quoi ? Pensiez tout de même pas que j'allais vous laisser faire le party sans moi ?

– Ë –

– Qu'est-ce que tu faisais là-bas ?

Maxime sursauta et poussa un cri de surprise lorsqu'il entra dans sa chambre. L'adolescent ne s'attendait pas à ce que le père Noël soit assis sur son lit, dans la pénombre.

Il hésita, puis finit par bredouiller :

– Qu'est-ce que vous voulez dire ?

La voix du père Noël tonna :

– Ne fais pas l'innocent ! Je sais que tu es allé flâner près de l'endroit où habitait ta mère, sur le Plateau-Mont-Royal.

Pris en faute, le garçon baissa les yeux. Comment le père Noël avait-il su ? Il avait pourtant pris ses précautions pour éviter qu'on le suive. Maxime inspira profondément pour essayer de dominer sa peur. Puis, des années de refoulement se fissurèrent d'un coup et il décida de déballer son sac, de poser la question qui lui rongeait les sangs depuis tant d'années.

– Est-ce que maman… est-ce qu'elle est vraiment morte ?

Il avait essayé de retrouver l'immeuble où ils habitaient tous les deux, rue Rachel, mais ses souvenirs s'embrouillaient. Il n'avait pas été en mesure de se rappeler l'endroit.

Inquiétante, la voix du père Noël descendit dans les graves :

– Pourquoi est-ce si important ? Alors que je t'ai élevé et traité comme un fils, que je t'ai offert un nouveau nom et donné un sens à ta vie…

Se tordant les doigts, le garçon dit :

– Parce que… j'ai besoin de savoir.

La lumière s'alluma brusquement. Maxime plissa les yeux. Le père Noël lui tendait un billet.

– Ta mère vit toujours au même endroit. Voici l'adresse.

L'adolescent s'avança et attrapa le papier d'une main tremblante. La menace dans la voix du père Noël avait disparu. Il parlait maintenant d'un ton presque bienveillant.

– En passant, si jamais tu comptais lui rendre une petite visite, sache qu'elle a un nouveau mari et deux autres enfants, maintenant.

La bouche de l'adolescent s'ouvrait et se fermait, mais aucun son n'en sortait.

Le père Noël poursuivit :

– Mais, dis-moi… ta mère… qu'a-t-elle fait pour toi, au juste ? Pour te retrouver, hein ?

Le père Noël se leva, contourna le garçon, qui restait figé sur place, et gagna la porte. Avant de sortir de la chambre, il ajouta, dans un murmure :

– Tu sais ce que je ferais si j'étais à ta place ?

CHAPITRE 41

La vérité n'est que la vérité

L'enquêteur Lachaîne, des affaires internes, arriva au parc de la Paix avec l'attitude de celui qui s'en va en guerre.

– Eille, vous êtes des grands malades, vous autres ! Vous rencontrer ici sinon je pourrais le regretter… C'est quoi, ce texto-là ? Des menaces ?

No man's land situé non loin du quartier général du SPVM, dans la partie Red Light du boulevard Saint-Laurent, le square était le carrefour des toxicomanes, des prostituées, des sans-abri et autres paumés en perdition. Jacinthe et Victor s'étaient assis sur un muret, à l'ombre des arbres qui bordaient la place. Le sergent-détective fumait tranquillement une cigarette. Derrière eux, un homme était étendu sur les dalles de granit qui recouvraient le sol. À la périphérie du parc, une jeune fille s'injectait de la drogue dans une main, à la base du pouce. Des nuages voilèrent le soleil.

D'un geste du menton, Victor désigna l'espace à sa droite.

– Assis-toi, François.

Lachaîne vint plutôt se planter directement devant lui. Des cernes de sueur maculaient sa chemise aux aisselles. Le regard de Jacinthe flottait de l'autre côté de la rue. Dans la voiture, ils avaient convenu qu'elle laisserait Victor mener l'entretien.

– Je vais m'asseoir si j'en ai envie ! Non, mais c'est quoi, votre problème ? Vous essayez de m'intimider ? Savez-vous que je pourrais vous faire perdre votre job, tous les deux ?

L'enquêteur Lachaîne retira ses lunettes fumées et dévisagea le sergent-détective. Il essayait de donner le change, mais Victor discernait de la peur au fond de ses yeux.

– J'ai quelque chose à te montrer. Je pense que ce serait préférable que tu t'assoies.

– T'es sourd, ou quoi? Sais-tu ce que ça coûte de s'attaquer aux affaires internes?

Lachaîne fit un pas dans sa direction, comme s'il s'apprêtait à le pousser. Victor releva lentement la tête et déclara, appuyant sur chaque syllabe:

– Je vais te le dire une seule fois: tu me touches et je te garantis que tu sors pas d'ici sur tes deux pieds.

Il marqua une pause et tira sur sa cigarette.

– Maintenant, assis-toi.

L'enquêteur des affaires internes prit une grande inspiration, puis obtempéra. Victor tendit la main vers lui, paume ouverte.

– Ton téléphone…

Lachaîne refusa net.

– Donne-moi ton téléphone.

Le sergent-détective écrasa son mégot sous son talon. Il prit le cellulaire que l'autre lui tendait à contrecœur, en retira la batterie, puis remit les pièces à Lachaîne.

– C'est une mauvaise idée pour toi d'enregistrer notre conversation.

– T'es complètement inconscient, Lessard. C'est encore pire que tout ce que j'ai pu lire dans ton dossier.

– On parlera de moi plus tard, OK? Jacinthe?

Sans un regard dans leur direction, la policière sortit une enveloppe de son sac à dos et la donna à Victor, qui la remit à l'enquêteur des affaires internes.

Ce dernier la soupesa.

– C'est quoi, ça?

– Jette un coup d'œil, ça va t'intéresser.

Lachaîne ouvrit l'enveloppe et en sortit une série de photos. Son visage devint de plus en plus crayeux à mesure qu'il les passait en revue. Sur les portraits, on voyait le visage tuméfié de son ex-conjointe. Des photos qui auraient pu lui valoir des accusations criminelles pour violence conjugale, un procès et un renvoi.

L'enquêteur des affaires internes s'écria :

– Comment vous avez eu ça ?!

– La question est pas de savoir comment on les a eues, mais plutôt ce qu'on va faire avec.

– C'est elle qui vous les a données ?

– Elle a rien à voir là-dedans.

Lachaîne crâna :

– De toute façon, vous pouvez rien faire avec ça. De un, ça fait trop longtemps, et de deux, y a jamais eu de plainte.

Jacinthe sortit des limbes et, continuant de fixer le vide, dit :

– C'est quoi, le nom de ta *BFF,* Lessard ? La journaliste de *La Presse* dont j'oublie le nom ?

– Virginie Tousignant.

Lachaîne écarquilla les yeux et s'indigna :

– Vous êtes dégueulasses. C'est arrivé une seule fois ! Elle me trompait !

Victor le transperça du regard.

– Es-tu en train d'essayer de me convaincre que c'est dégueulasse de vouloir faire sa job, mais pas de battre sa conjointe ?

Lachaîne remit les photos dans l'enveloppe et s'enfouit le visage dans les mains. Un sans-abri passa devant eux en titubant.

– Qu'est-ce que vous voulez ?

– La partie du dossier de Tanguay que vous avez enlevée.

Lachaîne se mit à rire.

– Vous avez eu accès au dossier intégral. On n'a rien d'autre.

Il mentait. Victor le savait et Lachaîne savait qu'il le savait. Le sergent-détective se leva, imité par Jacinthe.

– Parfait, François. Comme tu veux.

Il désigna l'enveloppe, que son interlocuteur avait posée sur le muret.

– Garde-les. On a les nôtres.

Lachaîne leva les mains pour les retenir.

– Attends, Lessard! Attends...

Ils se rassirent sur le muret. Lachaîne se prit la tête.

– Tu sais pas dans quoi tu mets les pieds, Lessard. Si ça devient public, faut que tu me promettes qu'on saura jamais que ça vient de moi.

Pour la première fois depuis le début de l'entretien, Jacinthe se tourna vers eux.

– T'es mal placé pour dicter tes conditions, 'tite q...

Victor posa une main sur l'avant-bras de sa coéquipière pour l'empêcher de déraper. Elle ouvrit la bouche pour compléter sa phrase, mais se retint.

Le sergent-détective planta son regard dans celui de Lachaîne.

– Tu vas devoir te contenter de ma parole.

L'autre hocha la tête et prit une grande inspiration pour se donner du courage.

– Tanguay a été sous enquête pour proxénétisme.

Victor encaissa le choc et mit un moment avant de demander:

– Quand?

– Entre 2003 et 2005.

– Et après? C'est tout?

Lachaîne hésita, mais rendu à ce point, il ne pouvait plus faire marche arrière.

– J'étais pas aux affaires internes à l'époque, mais j'ai cru comprendre que l'enquête a jamais été menée à terme. Alors, le dossier est demeuré très parcellaire.

– C'est ça, la partie que Masse et toi avez enlevée?

– C'est moi qui l'ai enlevée. Masse est pas au courant.

– C'est Piché qui t'a demandé de retirer ça du dossier?

L'enquêteur des affaires internes finit par acquiescer.

– Pourquoi t'as accepté?

– Pas eu le choix. J'avais une dette.

Le sergent-détective réfléchit un instant.

– Ç'a quelque chose à voir avec le fait que ton ex-femme a pas porté plainte contre toi?

Lachaîne plissa les yeux. Il donnait l'impression de revivre des scènes difficiles dans sa mémoire.

– Disons effectivement que Marc m'a pas mal soutenu, à l'époque.

Dans un murmure de rage contenue, Victor demanda:

– Qu'est-ce que tu sais d'autre, François? On n'a plus le temps de niaiser.

L'homme fixait le bout de ses chaussures. Derrière eux, la jeune femme qui s'était piquée riait et délirait, les paupières closes. Lachaîne releva la tête.

– Ce que je vais vous dire là, c'est écrit nulle part, je l'ai appris entre les branches.

Il jeta un coup d'œil à la ronde, puis reprit à voix basse:

– T'as déjà enquêté sur Jacques Mongeau[4], hein, Lessard?

– L'ancien grand argentier du Parti libéral? Qu'est-ce qu'il vient faire là-dedans?

– T'as entendu parler des «soirées de copinage»?

Les mots de Lachaîne replongèrent Victor loin en arrière. En 2005, il avait enquêté sur le meurtre de Mongeau, proche collaborateur de l'ancien premier ministre, qui organisait des soirées échangistes pour des invités de la classe politique et du monde des affaires triés sur le volet. Interrogée par Victor, une participante avait assuré y avoir croisé quelques gradés de la police. Le sergent-détective avait élucidé le meurtre, mais Tanguay, son supérieur de l'époque, l'avait convaincu de ne pas fouiller davantage le dossier des «soirées de copinage».

4 Voir *Il ne faut pas parler dans l'ascenseur.*

Victor répondit qu'il était au courant. Lachaîne continua son récit :

– C'est Tanguay qui fournissait à Mongeau les escortes qui participaient à ces soirées. En fait, il faisait le lien entre lui et les Red Blood Spillers, qui s'occupaient de les recruter.

Victor tressaillit. Des connexions s'établirent dans sa tête, et des pans d'ombre jusque-là opaques se dissipèrent. Il murmura :

– Valeri Mardaev…

Lachaîne fronça les sourcils.

– Qui ?

Victor ignora la question et poursuivit :

– En 2003, Jacinthe et moi, on enquêtait sur le meurtre de Nelson Rodriguez, un petit caïd du Centre-Sud qui donnait dans le proxénétisme. Pendant une planque où on surveillait un des associés de Rodriguez, qu'on soupçonnait du meurtre, deux de mes hommes ont été assassinés par des Red Blood Spillers. Ça te dit quelque chose ?

– Oui, je me souviens de cette histoire-là.

– On a une source qui affirme que c'est Tanguay qui leur a donné notre position. T'es au courant de ça aussi ?

Lachaîne jura qu'il ne l'était pas.

– T'as une idée des motifs pour lesquels Tanguay nous aurait donnés ?

L'enquêteur des affaires internes haussa les épaules.

– Vous avez coincé l'assassin de Rodriguez ?

– Non, jamais.

– Alors, peut-être que Rodriguez était un rival des Red Blood Spillers et que ce sont eux qui l'ont éliminé. Ce serait pas la première fois que ça arrive. Comme il travaillait avec les RBS, Tanguay a peut-être eu peur, il a peut-être senti que vous vous rapprochiez de lui.

Victor jeta un coup d'œil vers sa coéquipière qui bouillait de rage. Heureusement pour Maurice Tanguay, il était déjà mort.

La conversation se poursuivit encore quelques minutes sans grand résultat. Quand tout eut été dit, Victor et Jacinthe se levèrent. Avant de tourner les talons, le sergent-détective se pencha vers Lachaîne et murmura à son oreille, d'une voix neutre :

– Dernière chose : s'il arrive quoi que ce soit à ton ex, demain, dans dix jours ou dans vingt ans, peu importe, je vais m'occuper de toi personnellement.

Lachaîne ferma les paupières et soupira. Avant de partir, Victor ajouta en détachant chacun de ses mots :

– Fais-moi confiance. C'est toi qui l'as dit tantôt : je suis complètement inconscient.

La voiture banalisée filait sur l'autoroute 20 en direction de l'appartement de Samuel Martineau. Victor avait essayé à quelques reprises d'entrer en contact avec Duvalier Joseph, mais sans succès. Ils arrivaient près de leur destination quand Jacinthe brisa le silence :

– Pis, qu'est-ce que t'en penses?

Victor rassembla ses idées. Un plateau contenant des gobelets de café tenait en équilibre précaire sur ses genoux. Il avait déposé un sac rempli de muffins et de viennoiseries à ses pieds.

– C'est comme faire un casse-tête. Quelle image apparaît si on essaie d'assembler les morceaux qu'on a présentement en main?

Jacinthe haussa les épaules, perplexe. Il reprit la parole :

– Ce que vient de nous révéler Lachaîne connecte deux de nos victimes. Premier bloc : Tanguay et Mardaev.

– Donc, tu présumes que le contact de Tanguay chez les RBS était bien Mardaev?

Victor tourna les paumes vers le plafond.

– Qui d'autre? Deuxième bloc : Wood et Emerson, qui sont liés entre eux par Myriam. L'un séquestrait la fille de l'autre. Ce qui nous manque, c'est une passerelle pour joindre ces deux blocs. Par ailleurs, l'autre chose qu'on a apprise de la directrice de l'AIM, c'est que Tanguay et Martineau se connaissaient par l'intermédiaire de l'Accueil, l'endroit même où Martineau et Myriam se côtoyaient.

Jacinthe approuva d'un signe de tête. Elle ajouta :

– Et Myriam pourrait y avoir déjà croisé Tanguay.

– Effectivement. Maintenant, si on revient sur les déclarations de Lachaîne, que vient-on d'apprendre ?

– Que Tanguay servait d'intermédiaire entre Mongeau et Mardaev pour fournir des escortes dans des soirées échangistes.

– Exact. Et quel est le lien logique entre eux, d'une part, et Wood, d'autre part ?

Jacinthe réfléchit un instant, puis répondit sans quitter la route des yeux :

– Ta fameuse passerelle ? Ben, Wood séquestrait Myriam dans un bunker. C'était un prédateur sexuel. D'habitude, ce genre de gars là passe pas à l'acte du jour au lendemain. Alors, peut-être que Tanguay et Mardaev lui ont déjà fourni des escortes ?

Victor s'enfonça dans son siège, puis envoya la dernière salve :

– Tu viens juste de le dire : Myriam était séquestrée. C'est pas un service d'escorte, ça. Comment ça s'appelle si on pousse le raisonnement un peu plus loin ? Imagine si Mardaev et Tanguay vendent d'un côté, et que Wood achète de l'autre.

Jacinthe gara la voiture devant l'appartement de Martineau. Ils restèrent tous deux sans bouger dans l'habitacle, envasés dans leurs pensées. Puis elle se tourna vers Victor.

De l'horreur se lisait sur ses traits. Elle ne parvenait pas encore à y croire.

– Du trafic humain.

CHAPITRE 42

Pièces manquantes

La discussion s'était transportée dans l'appartement de Samuel Martineau. Afin de permettre aux techniciens de l'Identification judiciaire de poursuivre leurs analyses, les membres du groupe d'enquête avaient déplacé la table de cuisine et les chaises dans la pièce vide, à l'entrée. Ils s'étaient tous assis autour de la table, sauf Jacinthe qui, adossée au mur, bras croisés, préférait rester debout. Loïc pigea un muffin aux carottes dans le sac que Victor avait apporté. Avant de mordre dedans, il retira le papier qui en recouvrait la base et y colla sa gomme. Victime de ses allergies, paupières enflées, le sergent-détective ne cessait d'éternuer en maudissant le chat et en se tenant le côté de la tête.

Pour satisfaire la curiosité de Jacinthe, qui croyait dur comme fer que l'exercice n'était pas vain, ils avaient convenu, avant d'aller rencontrer Lachaîne, que Loïc et Nadja continueraient d'essayer de rattacher les homicides décrits dans les articles de journaux aux balles de ping-pong.

Nadja les mit au courant de leurs dernières découvertes :

– Jusqu'à maintenant, on a réussi à relier douze articles à autant de balles. Par ailleurs, plusieurs des articles concernent des meurtres commis à l'étranger : aux États-Unis, au Mexique et même en Amérique latine. Autre constat : le nombre d'homicides décrits dans les articles est bien supérieur à celui des balles.

Ils se regardèrent, chacun mesurant les implications découlant de ces informations. Nadja continua son compte rendu :

– Par ailleurs, les analyses effectuées sur les taches présentes à côté du paillasson ont confirmé qu'il s'agissait bien de sang.

Quand la jeune femme eut terminé, les regards se tournèrent vers Victor, qui mit ses collègues au courant du déroulement de la rencontre avec Lachaîne et leur résuma la conversation que Jacinthe et lui venaient d'avoir dans la voiture, ainsi que les hypothèses qui en résultaient.

Loïc secouait la tête en signe d'incompréhension.

– Tu crois vraiment que Mardaev et Tanguay ont vendu Myriam à Clark Wood ?

Victor contracta les mâchoires. Il aurait aimé pouvoir répondre par la négative, mais son collègue venait de résumer sa pensée.

– Peut-être que je me trompe, Loïc. Mais si ma théorie est exacte et que Tanguay était une des têtes dirigeantes d'une organisation de trafiquants de personnes, l'AIM était une plateforme extraordinaire pour lui : tout en lui permettant de s'afficher comme un grand philanthrope, et donc de voler sous les radars, l'Accueil lui procurait une véritable pépinière de matière première. Comment ça se passait dans les faits entre Tanguay et Mardaev ? Est-ce que Tanguay distribuait des enveloppes pour que des policiers ferment les yeux sur certaines activités pendant que Mardaev supervisait le côté opérationnel du trafic et le recrutement ? Pour l'instant, on est dans le domaine des suppositions.

Un silence lourd s'abattit sur le groupe. Puis Nadja émit une observation :

– Si Tanguay et Mardaev se livraient effectivement à du trafic humain et que Wood était leur client, c'est logique de penser qu'il n'était pas le seul, non ?

Victor se moucha bruyamment. Il avait déjà songé à cet aspect de l'équation et établi un plan d'attaque.

– T'as raison. Il faut parler à la directrice de l'AIM et faire des recoupements entre leurs dossiers et les dossiers de disparition qu'on peut trouver au CRPQ. La question est simple : combien de filles disparues ont déjà transité par l'AIM ?

La bouche pleine, Loïc articula avec difficulté :

– M'en occupe.

Nadja hocha la tête. Elle semblait préoccupée.

– Pour moi, ce qui n'est pas logique dans le portrait, c'est le meurtre d'Emerson. Il était le coupable parfait. À plus forte raison avec ce que tu évoques. En Mardaev et Tanguay, il tuait ceux qui avaient vendu sa fille et, en Wood, celui qui abusait d'elle et la retenait prisonnière. Sans compter que ça lui permettait de libérer Myriam.

Sous l'œil résigné de Jacinthe, qui lorgnait avec convoitise le sac de viennoiseries, Loïc pigea un croissant. Avant de le porter à sa bouche, il dit :

– Ça fournissait aussi une explication logique à une autre question en suspens : en torturant Mardaev, Emerson apprenait où se trouvait sa fille.

Nadja hésita quelques secondes, puis lança :

– Et qu'est-ce qu'on fait de l'hypothèse des deux tueurs ? Est-ce que ça tient encore la route ?

Victor répondit à la question de son amoureuse sans bouger :

– Je pense que c'est prudent de ne rien écarter pour l'instant.

Nadja reçut un appel. Elle se leva pour le prendre à l'écart. Jacinthe fit un pas en avant et enfonça ses mains dans ses poches.

– Moi, j'ai de la misère à comprendre comment Martineau fitte dans toute la patente.

Le sergent-détective souffla sur son café, en but une gorgée et le reposa sur la table.

– Peut-être qu'il aidait Tanguay et Mardaev de l'intérieur en leurrant pour eux des filles de l'AIM.

– Je veux bien, mon homme, mais regarde le mur de coupures et les balles de ping-pong : le gars a un profil de tueur en série. Me semble que c'est pas le genre de *dude* avec qui tu veux t'associer. Et pourquoi tuer Tanguay et Mardaev s'il travaillait avec eux ?

Nadja vint se rasseoir en rempochant son cellulaire, l'air tracassé. Victor l'interrogea du regard.

– Qu'est-ce qui se passe ?

– Je viens de recevoir les résultats de la recherche que tu m'as demandée. T'avais raison.

Jacinthe plissa le front.

– Quelle recherche ?

Victor avait pris Nadja à part avant d'aller rencontrer Lachaîne. À l'insu des autres, il lui avait demandé de fouiller un point particulier.

Du bout des doigts, la jeune femme faisait tourner son gobelet de café sur lui-même.

– Une recherche sur l'identité de Samuel Martineau. Mes vérifications montrent qu'il a usurpé l'identité d'un enfant né en 1973 et disparu en 1977.

Jacinthe explosa :

– Quoi ?! Tu veux dire que Samuel Martineau vivait sous une fausse identité ?

Nadja fit signe que oui. Jacinthe reprit :

– Alors c'est quoi, son vrai nom ?

Le sergent-détective espérait se tromper, mais l'information qu'avait obtenue Nadja donnait brusquement vie à l'hypothèse tordue qu'il avait eu peur d'envisager plus tôt.

Il se tourna vers sa coéquipière :

– On est en 1981. Trois enfants disparaissent le même jour. Deux d'entre eux sont retrouvés morts quelques semaines plus tard…

Secouant lentement la tête, Jacinthe compléta :

– … mais jamais le troisième. Maxime… Samuel Martineau est Maxime Rousseau.

Victor haussa les épaules.

– Bien sûr, ça reste une hypothèse, et elle part du principe que la même personne a kidnappé les trois enfants, mais je pense que c'est plausible. Maxime avait six ans quand il a disparu. Ce qui veut dire qu'il est né en 1975. Faire passer un enfant de six ans pour un enfant de huit ans, ça me paraît jouable.

Marchant de long en large dans la pièce, Jacinthe précisa :

– En tout cas, ça expliquerait pourquoi Martineau n'avait pas de carton au nom de Maxime dans sa garde-robe.

Loïc sentit le besoin de résumer :

– Donc, le kidnappeur aurait gardé Maxime et lui aurait procuré une autre identité, c'est ça ?

Victor acquiesça. Ses idées se clarifiaient sans qu'il ait besoin de réfléchir. Il s'entendit suggérer :

– Je vais aller plus loin. Puisqu'on a de sérieux motifs de croire que Martineau est un tueur, qu'est-ce qu'on peut en tirer comme hypothèse ? Pourquoi aurait-il érigé un petit mausolée et écrit le nom des deux garçons morts sur un carton ?

Loïc proposa sa lecture de la situation :

– C'est simplement une forme d'hommage à ses compagnons d'infortune. Ou encore, peut-être qu'il se sent coupable d'avoir été le seul épargné.

Victor approuva de la tête, mais son expression montrait qu'il ne pensait pas la même chose.

– C'est une possibilité, le Kid. Mais il y en a malheureusement une autre, plus effrayante. N'oublie pas que Martineau avait aussi des balles de ping-pong aux initiales de Louis Caron et de Patrick Thivierge dans ses affaires. Et s'il se sentait coupable pour une tout autre raison? Comment un garçon qui a grandi en captivité devient-il un tueur, selon toi?

Jacinthe avait compris avant même qu'il ne pose la question. Elle baissa les yeux et répondit d'une voix aussi dure qu'un diamant:

– Il a été entraîné à tuer par son kidnappeur.

Incrédule, Loïc recula sur sa chaise et leva la main pour prendre la parole:

– Attendez une minute! Êtes-vous en train de suggérer que le kidnappeur aurait enlevé les trois enfants pour ensuite forcer Maxime à tuer les deux autres?

Victor comprenait les réticences de Loïc. Il avait aussi l'impression qu'ils nageaient en plein délire. Qui peut concevoir qu'un enfant de six ans ait pu tuer deux autres garçons à peine plus âgés que lui? Pourtant, c'était bien ce qu'il avançait.

Le sergent-détective reprit d'une voix résolue:

– On est encore dans le domaine des hypothèses, mais le mur de coupures permet de penser que Maxime, alias Samuel, a tué plusieurs personnes, et les balles de ping-pong suggèrent que Louis Caron et Patrick Thivierge faisaient partie de ses victimes. Tuer les deux garçons aurait-il servi d'initiation? Par ailleurs, la photo que tu as prise de Martineau sortant de l'immeuble d'Emerson la nuit où celui-ci a été tué le relie directement à notre série.

Jacinthe secoua la tête, les yeux dans le vague, comme si elle voyait des images défiler:

– Ce que j'comprends pas, c'est qu'il ait affiché tout ça à la vue, sur son mur.

Victor laissa passer un bref silence avant de répondre:

– Peut-être que ça lui était égal de se faire prendre. Avec les graffitis et les messages, c'est comme s'il cherchait de la reconnaissance, comme s'il voulait qu'on sache ce qu'il a fait.

Jacinthe fit la moue, puis demanda :

– Et dans ton hypothèse, ce serait qui, le kidnappeur ?

Le sergent-détective hocha lentement la tête. Il s'attendait à ce qu'un de ses collègues pose cette question.

– Je te parlais de casse-tête, tantôt. Quelle est la pièce qui reste sur la table, la seule qu'on n'a pas encore utilisée ? Pense au message que tu m'as montré, peint en rouge sur le mur, sous l'article de journal qui parle de la disparition des trois garçons. Pense à la dernière victime annoncée dans les messages.

Jacinthe serra les poings à en blanchir ses phalanges et cracha :

– « *... le dernier sera le père Noël.* »

Un silence chargé suivit. Nadja intervint :

– Il y a une autre possibilité qu'on ne peut pas écarter : c'est peut-être le kidnappeur lui-même, ce fameux père Noël – s'il s'agit bien de lui –, qui a tué les deux garçons et tous ces gens. Samuel Martineau pourrait n'être que le légataire des balles et l'archiviste. Ou encore, à la limite, un sinistre collectionneur comme l'était Runberg.

Victor avait arraché un morceau de son gobelet de styromousse avec les dents et le triturait entre ses doigts. Il approuva d'un signe de tête.

– C'est vrai, tu as raison. Et je répète ce que j'ai dit tantôt à propos du trafic humain : peut-être que je me trompe.

Les enquêteurs s'entre-regardèrent. Puis Loïc demanda :

– Si ton hypothèse est bonne, chef, ça voudrait dire que le père Noël aurait relâché Martineau dans la nature après avoir achevé sa « formation » ?

Le sergent-détective posa le morceau de styromousse sur la table et continua de le fixer.

– Ça semble inconcevable, mais c'est pourtant ce qui me paraît le plus plausible.

Jacinthe demeura pensive un instant, puis elle dit :

– Le père Noël prenait un risque énorme en faisant ça. Martineau pouvait le dénoncer à tout moment.

Le sergent-détective releva la tête et détailla ses collègues un à un.

– Vous iriez dénoncer quelqu'un en sachant que vous avez vous-même plusieurs meurtres sur la conscience? Et, qui sait, peut-être que Martineau a appris à aimer tuer.

L'air ébranlé, Loïc chuchota:

– Effectivement, quand t'as rien connu d'autre.

Des plis d'appréhension barraient le front de Nadja.

– Il faut penser au syndrome de Stockholm. Martineau en est peut-être venu à développer une empathie ou une contagion émotionnelle avec celui qui l'a kidnappé.

Les membres du groupe d'enquête acquiescèrent en silence. S'adressant à Victor, Nadja poursuivit:

– Cela dit, je reviens sur la motivation de Martineau. Je comprends le raisonnement par lequel tu arrives à soupçonner Tanguay et Mardaev de s'être livrés à du trafic humain et d'avoir vendu Myriam. Par ailleurs, même si j'ai des réserves, je peux accepter l'idée que Martineau ait été entraîné à tuer par son ravisseur. Mais quel est le lien entre les deux? Et pourquoi, si Martineau est notre meurtrier, tuer Tanguay, Mardaev, Wood et Emerson? Parce qu'il aurait voulu porter secours à Myriam, qu'il connaissait?

Victor se posait les mêmes questions. Sans être convaincu qu'elle tenait la route, il risqua tout de même une explication:

– Il faut définitivement considérer cette possibilité. Et j'ajouterais ceci: si Maxime a été kidnappé et que celui qu'on appelle «le père Noël» a fait de lui un tueur alors qu'il n'était qu'un enfant, non seulement on l'a forcé à commettre des atrocités, mais on a probablement aussi abusé de lui. Alors, en Tanguay, Mardaev et Wood, peut-être qu'il se venge en s'attaquant à des hommes qui ont abusé de jeunes, des hommes qu'il a peut-être démasqués en côtoyant Tanguay à l'AIM. Et sa dernière victime, la plus logique, serait celui qui l'a mis au monde comme tueur.

Nadja le regarda tristement et dit à voix basse :

– « *Le père Noël est à l'origine du mal...* »

Victor approuva en secouant la tête, mais son amoureuse objecta :

– Ta théorie fonctionne pour les trois premiers meurtres, mais elle n'explique pas pourquoi Martineau aurait tué Emerson.

Jacinthe donna un violent coup de pied dans le mur, faisant voler des éclats de plâtre.

– Peut-être qu'Emerson aussi agressait sexuellement sa fille... En tout cas, moi, ça me donne envie de vomir.

Quelques secondes plus tard, elle engloutit en deux bouchées la barre d'énergie qu'elle s'était réservée pour l'après-midi.

– L –

Ils se tenaient tous les deux dans l'entrée. Le père Noël sortit son portefeuille, y prit plusieurs billets et les tendit au jeune homme.

– Je viendrai te voir et te donnerai de l'argent de poche chaque mois, Samuel. Jusqu'à ce que tu termines tes études.

Tête basse, le jeune homme se tint coi.

– C'est très important que tu fasses les efforts qu'il faut pour réussir ton cégep. Apprendre un métier et avoir une vie normale en apparence est la meilleure façon de te fondre dans la masse. De toute manière, tu t'en es très bien tiré jusqu'ici, à l'école.

Samuel releva la tête.

– Et si les migraines me reprennent?

Le père Noël pointa l'index en direction du sac de plastique qu'il avait posé sur la table.

– Je t'ai fait une provision d'ibuprofène. Pour être certain de ne pas en manquer, chaque fois que tu finis un flacon, va en racheter deux autres.

Le jeune homme hésita. Il craignait la réaction du père Noël. Imprévisible, celui-ci pouvait passer de l'empathie à la colère noire en quelques secondes.

– J'aurais préféré rester encore un peu à la maison.

Le père Noël posa une main sur l'épaule du jeune homme et lui parla d'une voix rassurante:

– Je serai là si tu as besoin de quoi que ce soit. Mais maintenant, tu dois apprendre à te débrouiller seul et à mettre en pratique ce que je t'ai appris.

Avant de quitter l'appartement de la rue Elm, dont il avait payé le loyer en liquide pour le reste de l'année, le père Noël étreignit brièvement le jeune homme qu'il avait kidnappé onze ans plus tôt.

CHAPITRE 43

Carcasses et cimetière

L'enquête avait atteint son point mort. Malgré les avancées prometteuses que Victor et ses collègues venaient de réaliser, l'absence d'une piste concrète qui leur aurait permis de localiser Samuel Martineau les avait forcés à continuer d'essayer de relier aux balles de ping-pong les homicides rapportés dans les articles de journaux. Faute d'une meilleure solution, ils espéraient trouver là un indice qui les mènerait au tueur. Entre-temps, Loïc avait essayé à maintes reprises d'entrer en contact avec la directrice de l'AIM pour passer en revue les dossiers de disparition. Ses tentatives étaient demeurées vaines : Ghislaine Corbeil ne répondait pas aux messages qu'il avait laissés dans sa boîte vocale. Ne pouvant supporter plus longtemps l'air vicié de l'appartement de Martineau, qui exacerbait ses allergies, Victor était sorti dans la rue pour marcher un peu. Au moment où il franchissait la porte, Nadja avait proposé de l'accompagner, mais il avait préféré y aller seul. Il avait besoin d'un peu de temps et de calme pour faire le tri dans ses idées, mettre de l'ordre dans les éléments qu'ils avaient recueillis et, surtout, planifier les prochaines étapes.

Longeant le mur d'enceinte de l'entrepôt de pièces de voitures qui se trouvait en face de l'appartement de Martineau, le sergent-détective se dirigea lentement vers le bout de la rue Elm. Ses pensées se bousculaient. Il savait par expérience que, dans l'incertitude, il fallait revenir aux bases de l'affaire. Et, avant tout, ne pas se laisser distraire par la distorsion que pouvaient créer certains éléments discordants. Ainsi, ses principales préoccupations à ce stade se résumaient à quelques questions simples. Avaient-ils manqué quelque chose qui se trouvait pourtant sous leur nez? Avaient-ils négligé une piste en chemin? Tenaient-ils le bon coupable en Samuel Martineau ou faisaient-ils fausse route?

Avec la multiplication des scènes de crime, la tâche qui leur incombait s'avérait de plus en plus colossale. Et, ce qui n'arrangeait rien, chaque minute qui s'écoulait les rapprochait de l'échéance que le directeur leur avait fixée. Une fois ce délai atteint, ce dernier demanderait à Paul Delaney, leur supérieur, de rentrer au pays. Victor ne voulait pas envisager cette possibilité. Non pas qu'il redoutât le jugement de son patron, qui en avait vu d'autres, mais, sachant à quel point Delaney tenait à ce voyage, il s'en voudrait que celui-ci eût dû l'écourter par sa faute. Le sergent-détective avait par ailleurs proposé à Jacinthe et à Loïc, qui avaient passé une nuit blanche, de rentrer chez eux dormir quelques heures, ce qu'ils avaient catégoriquement refusé. Le danger qui guettait le groupe d'enquête à ce stade était de céder à la fatigue et au découragement. Ses collègues comptaient sur Victor pour leur indiquer la direction à prendre. Il devait se montrer à la hauteur.

Il prit une grande inspiration et, pour se rafraîchir un peu, tira sur son polo que la sueur plaquait contre son torse. Fouillant dans sa poche, il attrapa son cellulaire pour essayer encore une fois de joindre Duvalier Joseph. Même si le chef de gang avait prétendu ne pas savoir grand-chose à propos des liens entre Tanguay et les Red Blood Spillers, il voulait, à la lumière des révélations de Lachaîne, le questionner sur la relation qu'avaient entretenue le commandant et Mardaev. Mais, surtout, il mourait d'envie de lui tirer les vers du nez au sujet de son implication potentielle dans le trafic humain.

Car les menaces que le tueur avait proférées au téléphone contre Duvalier prenaient un tout autre sens dans le contexte actuel.

«Arrêtez tout... Si vous continuez, j'te tue.»

S'agissait-il d'une mise en garde de Martineau enjoignant à Duvalier et aux RBS de mettre fin à leur trafic? Duvalier lui avait-il menti en affirmant qu'il ne comprenait pas le sens de la menace? Le cas échéant, si le métis était lui-même impliqué, il était logique de penser qu'il figurait au nombre des prochaines victimes du tueur.

Victor composa le numéro du chef de gang. La communication s'interrompit après cinq sonneries. Sur le point de perdre patience, il rempocha son cellulaire avec mauvaise humeur.

Continuant d'avancer dans la rue déserte, le sergent-détective se mit alors à penser au petit Maxime Rousseau, aujourd'hui Samuel Martineau. Un petit garçon de six ans, sans défense, qu'un déséquilibré avait kidnappé, séquestré, puis peut-être entraîné à tuer. Des questions tourbillonnaient dans sa tête et lui nouaient la gorge. Si les hypothèses qu'il avait soumises au groupe d'enquête se révélaient fondées et que Maxime avait été endoctriné par le père Noël alors qu'il n'était encore qu'un enfant, fallait-il voir l'adulte qu'il était à présent comme un monstre, comme la victime d'un monstre, voire les deux à la fois? Sans ralentir le pas, Victor leva les yeux au ciel comme s'il y cherchait des réponses. Le petit Maxime avait-il eu le choix de devenir ce qu'il était devenu ou avait-il été brisé à un âge où il n'était plus possible pour lui d'échapper à l'emprise du père Noël? Et qu'en était-il de celui qu'il était maintenant, de ce tueur nommé Samuel Martineau? A-t-on toujours le pouvoir de décider de ce qu'on devient? Y a-t-il toujours un moment où on peut rebrousser chemin, changer de direction ou recommencer? Le policier hocha la tête, remué. Même s'il existait parfois des circonstances atténuantes, rien ne justifiait à ses yeux le fait d'enlever la vie à un autre humain.

Perdu dans ses pensées, Victor s'arrêta devant la cour intérieure de l'entrepôt de pièces de voitures et sortit son paquet de cigarettes. Il en alluma une, tira une bouffée et se mit à observer les véhicules qui se trouvaient dans le cimetière d'autos. Il sourit en voyant la carcasse bosselée et rouillée d'une vieille Toyota Corolla. La sienne avait rendu l'âme quelques années auparavant. Il allait reprendre sa marche lorsqu'il remarqua une bombe aérosol calée contre la roue arrière du véhicule. Couchée sur le flanc, la canette semblait avoir roulé sur le sol pour terminer sa course à cet endroit. Perplexe, Victor s'approcha lentement de la voiture. C'est en relevant la tête qu'il aperçut le graffiti peint sur un mur latéral de la bâtisse.

Invisible depuis la rue, il était identique à celui que ses collègues et lui avaient découvert sur le plancher de marbre, dans le hall de la maison de Clark Wood. À cette différence près qu'on distinguait nettement, cette fois-ci, les traits de la première ombre. Il s'agissait d'un homme aux cheveux noirs : une représentation assez ressemblante de Samuel Martineau. Des ficelles partant de la tête et des bras de Martineau se rejoignaient dans la paume de l'ombre qui se dressait derrière lui, tel un marionnettiste. Dans ce cas-ci, le squelette aux yeux d'émeraude ne tenait plus rien dans ses mains, mais le marionnettiste était coiffé d'un couvre-chef aux formes reconnaissables : un bonnet de père Noël.

Le souffle court, le cœur battant à tout rompre, le sergent-détective commença à faire le tour des véhicules. Il vérifia l'intérieur de chaque habitacle en jetant des coups d'œil à travers les vitres et en s'éclairant à l'aide de la lampe de poche de son cellulaire. Lorsque les coffres étaient entrebâillés, il en inspectait également l'intérieur. Même s'il savait ce qu'il allait découvrir, il ressentait de l'appréhension.

Il mit moins de cinq minutes à trouver le cadavre, qui gisait dans la malle arrière d'une fourgonnette.

CHAPITRE 44

Retour à la case départ

Recroquevillé en position fœtale, le corps n'avait plus de visage; le crâne avait été défoncé, de la matière grise parsemait ses cheveux noirs, et du sang avait éclaboussé les vitres teintées, le tissu du plafond ainsi que les banquettes. Accroupi à l'arrière du véhicule, un technicien de l'Identification judiciaire recueillait des fibres. Attirant délicatement la victime vers lui, Jacob Berger passa le bras derrière son dos, palpa ses poches et, après quelques tentatives infructueuses, réussit à attraper son portefeuille, qu'il tendit à Victor. Celui-ci avait enfilé des gants de latex et se tenait en retrait, de façon à ne pas voir le cadavre. Il passa le contenu du portefeuille en revue, puis le donna à Nadja, debout à ses côtés.

Après avoir examiné les différentes cartes, elle le referma.

– Merde… c'est bien Martineau.

Victor acquiesça. Berger, qui examinait les mains du cadavre, se tourna vers eux.

– Il a été tué ici. On l'a frappé avec une petite masse, un marteau ou un outil du genre. Je ne vois aucune blessure défensive. C'est comme s'il s'était laissé faire sans essayer de parer les coups.

Tandis que le médecin légiste reprenait ses observations, le sergent-détective ne put s'empêcher de penser que Martineau avait peut-être accueilli sa propre mort comme une délivrance. Berger débloqua les mâchoires du mort, lui ouvrit la bouche et en extirpa un sachet, qu'il donna à Victor. Celui-ci l'ouvrit, déplia le billet avec précaution et le lut à voix haute :

– « *Samuel Martineau a été jugé et exécuté le 24 juillet, à 4 h 35. Tanguay était le premier, Mardaev, le deuxième, Wood, le troisième, Martineau, le quatrième, le dernier sera le père Noël.* »

Le sergent-détective fronça les sourcils et se tourna vers son amoureuse.

– L'espèce de marionnettiste sur le graffiti… c'est bien un bonnet sur sa tête, hein ?

Nadja fit signe que oui. Puisque le marionnettiste était coiffé d'un bonnet et semblait tirer les ficelles reliées à la tête et aux bras de Martineau, Victor émit l'opinion qu'il s'agissait du père Noël et que celui-ci serait donc logiquement la prochaine victime. Puis il ajouta :

– Pourtant, le tueur ne donne aucune indication sur la série de meurtres : va-t-elle s'arrêter ou se poursuivre ?

La jeune femme soupira d'exaspération.

– Il ne mentionne pas Grant Emerson non plus dans son message.

Victor replia le billet et le replaça dans le sachet.

– Le tueur a pris la responsabilité de chaque victime depuis le début. S'il avait tué Emerson, pourquoi il aurait agi différemment dans son cas ?

Nadja ne répondit rien. Elle passa une main sur son front. S'adressant au médecin légiste, Victor demanda :

– Jacob, ça te paraît plausible, l'heure du décès ?

Berger retira ses gants de latex.

– Absolument.

Le sergent-détective réfléchit à voix haute :

– Donc, Martineau est mort quelques heures à peine après Emerson.

Ils s'entre-regardèrent, prenant peu à peu la mesure de l'importance de la découverte du corps de Samuel Martineau. Victor se massa les tempes. Il sentait poindre une migraine.

– Bref, retour à la case départ. Encore une fois, on s'est trompés sur toute la ligne.

Nadja objecta d'une voix douce mais ferme :

– Non, pas sur toute la ligne. Avec la photo que Loïc a prise et le matériel qu'on a trouvé chez Martineau, qui tend à démontrer qu'il a commis d'autres meurtres, je pense qu'on peut quand même présumer que c'est lui qui a tué Emerson. Je pense aussi que le tueur a clairement voulu nous montrer que Maxime, devenu plus tard Samuel, était la marionnette du père Noël. Ta théorie voulant que celui-ci ait entraîné le garçon à tuer tient donc encore la route.

Victor alluma une cigarette.

– Si Martineau a tué Emerson, ça pourrait effectivement expliquer les différences dans le mode opératoire, mais ça ne nous aide ni à comprendre le rôle qu'il a joué dans cette affaire ni à déterminer qui a assassiné les autres victimes.

Nadja haussa les épaules : effectivement, cette partie de l'équation leur échappait. Elle prit le sachet que Victor lui tendait et le glissa dans un sac servant à recueillir les pièces à conviction.

– On en revient à notre théorie des deux tueurs. Il faut retrouver l'homme qui vous a assommés, Loïc et toi.

Sortant du bâtiment principal, où se trouvaient les bureaux administratifs de l'entrepôt, Jacinthe marchait vers eux, suivie de Loïc. Dans une main, elle tenait son calepin, qu'elle avait roulé en cylindre, dans l'autre, une bouteille d'eau.

– Y a pas de caméras de surveillance. Les employés ont rien remarqué de suspect. Ça doit pas faire longtemps que le graffiti est là.

Loïc renchérit :

– Pis à cause des vitres teintées, c'était pas évident de voir à l'intérieur du char.

Victor les mit au courant de leurs dernières conclusions. Ils discutèrent un moment du graffiti et de la signification à y accorder.

Puis Jacinthe dit:

– Avec ce que le père Noël a fait subir à Maxime, pourquoi on lèverait le petit doigt pour sauver une pareille ordure? On a juste à laisser le tueur finir le boulot.

Victor la fusilla du regard et s'emporta:

– Pourquoi? Parce que je te rappelle que, jusqu'à preuve du contraire, le tueur détient Myriam Cummings, que tant qu'il sera en liberté, il risque d'y avoir d'autres victimes que le père Noël et que c'est notre devoir d'arrêter les meurtriers. Qu'ils tuent des ordures ou pas ne nous regarde en rien. Voilà pourquoi!

Il aspira une dernière bouffée de sa cigarette, puis la jeta d'une chiquenaude. Loin de se laisser impressionner par la saute d'humeur de son coéquipier, Jacinthe se versa le reste de sa bouteille d'eau sur la tête et la nuque pour se rafraîchir:

– En tout cas, maintenant, on n'a plus de suspect, mon homme.

Le cellulaire du sergent-détective vibra dans sa poche. Le nom de Simon Tanguay apparut sur l'afficheur. Intrigué, Victor marcha jusqu'à la rue pour prendre l'appel à l'écart. À l'autre bout du fil, il entendit le garçon pleurer.

Entre deux sanglots, Simon eut la force d'articuler quelques mots:

– Je vous ai menti, monsieur Lessard. L'accident qui m'a privé de mes jambes en 2003. C'est le type sur la photo qui conduisait la voiture qui m'a frappé.

Le cœur de Victor bondit dans sa poitrine.

– Qui? Valeri Mardaev?

– Oui... et il y avait un autre gars avec lui. Un grand mulâtre avec une longue cicatrice en dessous de l'œil.

Victor serra les poings. Une colère sourde se mit à gronder dans son estomac.

CHAPITRE 45

Point d'entrée

Lorsqu'il revint auprès du groupe d'enquête, Victor bouillait de rage contenue, mais il s'efforça de camoufler ses émotions. Quand Jacinthe le questionna du regard, il prétendit avoir reçu un appel de Duvalier Joseph. Il mentit aussi à ses collègues en affirmant que le métis voulait le rencontrer afin de lui communiquer de nouveaux éléments sur Mardaev.

Sa coéquipière lui proposa de l'accompagner au rendez-vous, ce qui le fit grimacer.

– C'est peut-être mieux pas, Jacinthe. On peut pas se permettre que ça dégénère. Vu que Loïc connaît le milieu, je préférerais y aller avec lui.

Les arguments du sergent-détective frappèrent dans le mille :

– T'as probablement raison, mon homme. Si j'y vois la face, ça pourrait mal virer.

Victor demanda à Loïc de faire un premier passage dans la rue du quartier cossu de Dollard-des-Ormeaux où résidait Duvalier Joseph. S'élevant sur deux niveaux, la résidence de pierre comportait des portes de garage en bois massif. On y accédait par une entrée de pavés unis en demi-lune, décorée d'un aménagement floral. Une fourgonnette blanche était garée de l'autre côté de la rue, devant la maison du chef des Red Blood Spillers.

Ayant obtenu les informations qu'il voulait, Victor indiqua à Loïc de stationner au coin de la rue transversale, d'où on avait une vue imprenable sur la maison du métis. Le Kid coupa le contact et se tourna vers lui. Un mélange d'inquiétude et de panique se lisait sur ses traits.

– T'as pas vraiment rendez-vous avec Duvalier, hein?

Victor ne répondit pas. Loïc l'observa, et ce qu'il vit sur son visage l'effraya.

– Dis-moi que t'as pas l'intention d'entrer là-dedans, chef. Ces gars-là sont des tueurs, ils hésiteront pas à nous abattre. Et le pire, c'est qu'ils auront une bonne raison de le faire. T'es conscient que c'est une invasion de domicile, non?

En quelques phrases, le sergent-détective mit son collègue au courant de l'appel qu'il avait reçu de Simon Tanguay. Loïc n'en croyait pas ses oreilles.

– Non! Tu me niaises? Mardaev aurait volontairement rendu paraplégique le fils de Tanguay? Mais ça ve…

Victor coupa court aux interrogations de son collègue:

– Tu vois des caméras de surveillance, sur la maison?

Cette question stupéfia Loïc, qui recommença à s'agiter.

– Il y a sûrement une meilleure solution. Il faut juste réfléchir. On pourrait demander l'aide du groupe d'intervention tactique, non?

– Tu vois le gars dans la fourgonnette blanche, en face de la maison? C'est lui, le guetteur. C'est pour ça qu'il n'y a pas de caméras de surveillance.

Le Kid agita les mains devant lui.

– Attends, on va penser à autre chose.

– Écoute-moi attentivement, Loïc. Tu sais qu'on aurait besoin d'un mandat pour entrer là et que ça prendrait trop de temps pour l'obtenir. On a un tueur qui court, et le gars dans cette maison-là, qui répond pas à mes appels, sait quelque chose.

Loïc ouvrit la bouche pour protester, mais Victor ne lui en laissa pas le temps :

– Et il y a plus. En 2003, deux de mes gars, deux amis, deux pères de famille, sont morts sous mes yeux, assassinés par quatre cinglés des Red Blood Spillers.

Sa voix se cassa, son visage s'assombrit.

– Et moi, je n'ai rien pu faire pour empêcher ça…

– T'avais un pistolet dans la bouche, chef.

Victor dodelinait de la tête. Des images salies par le temps défilaient dans sa mémoire. Après avoir marqué une pause, il se tourna vers son collègue.

– Je leur dois la vérité, tu comprends ? Et, la vérité, je pense que Duvalier la connaît.

Loïc l'observait, immobile. Puis il hocha lentement la tête.

– OK, on va y aller, chef. T'as un plan ?

– Je vais y aller seul, Loïc.

Le jeune enquêteur sortit un élastique de sa poche et attacha ses longs cheveux blonds.

– Hors de question. Nadja m'a fait promettre de t'empêcher de faire des conneries.

Victor le transperça du regard et brandit l'index à quelques centimètres de son visage.

– Tu restes ici, Loïc. Et tu m'attends, prêt à démarrer. Si jamais j'suis pas de retour dans trente minutes, t'appelles des renforts.

Rien, dans le ton, le regard ou l'attitude, ne laissait place à la moindre objection. Loïc comprit qu'il serait incapable de faire revenir Victor sur sa décision. Du menton, celui-ci désigna le plancher du véhicule.

– Donne-moi tes bas.

– Quoi ?

– Tes chaussettes, Loïc. Donne. Vite.

Tandis que le Kid s'exécutait, Victor retira aussi les siennes, puis remit ses Converse rouges. Ouvrant la boîte à gants, il attrapa un rouleau de *duct tape* et des attaches autobloquantes. Il retira ensuite les cartouches de son chargeur et les déposa dans le vide-poches.

Fébrile, Loïc se mordit la lèvre inférieure.

– Tu vas pas entrer là-dedans sans munitions? T'es complètement cinglé!

Un rictus tordit les lèvres du sergent-détective tandis qu'il réenclenchait le chargeur vide.

– Si j'y vais avec une arme chargée, je vais le tuer.

Il inspira profondément et sortit du véhicule. Pistolet contre la cuisse, il avança comme un banlieusard qui fait une promenade de santé. De la voiture banalisée, Loïc le regarda se diriger vers la fourgonnette blanche. Hochant la tête, il prit la croix qui pendait à son cou et l'embrassa.

Un judas s'ouvrit dans la porte de la maison de Duvalier Joseph. Le visage massif d'un colosse noir apparut dans l'ouverture. Il regarda d'un air perplexe le conducteur de la fourgonnette qui, sur le perron, se balançait d'un pied sur l'autre.

– Qu'est-ce que tu veux?

– Laisse-moi entrer. Je pense que le thaï passe pas. Faut que j'aille aux toilettes, sinon je vais chier dans mes *pants.*

– Tu connais la règle. Tu dois pas quitter ton poste. Si Duvalier te...

Le chauffeur le coupa:

– Ça va me prendre deux minutes. Ni vu ni connu, *man.*

Le colosse hésita un moment, soupira et ouvrit la porte. Alors que le battant tournait sur ses gonds, le conducteur s'affaissa à ses pieds, frappé à la tête par-derrière. Avant même que le colosse ne pût réagir, le canon du pistolet de Victor s'appuya sur son front. Le sergent-détective récupéra son arme.

– Un son et je t'explose la cervelle.

– T'es mort, *man*.

Victor lui renvoya un regard dur. Une boule de peur s'était nouée dans le creux de son estomac, son cœur cognait dans sa poitrine et un sifflement strident lui vrillait les tympans, mais il paraissait calme et sûr de lui.

– On meurt tous un jour ou l'autre.

Le sergent-détective avait surpris et désarmé le chauffeur de la fourgonnette, puis lui avait attaché les mains derrière le dos avec une attache autobloquante. En appuyant sur quelques points de pression pour lui délier la langue, il avait appris que, outre Duvalier Joseph, il y avait trois hommes à l'intérieur de la maison pour assurer la sécurité du caïd. Après lui avoir donné ses instructions et défait ses liens, il avait tenu le chauffeur en joue pendant que celui-ci parlementait avec le colosse.

Victor désigna le corps de l'homme qui reprenait ses esprits à ses pieds en gémissant.

S'adressant au colosse, il lança :

– Ramasse-le et emmène-le aux toilettes. Et, surtout, essaie pas de jouer au héros.

Quand le sergent-détective verrouilla la porte des toilettes de l'intérieur et la referma derrière lui, les deux hommes avaient les chevilles et les poignets entravés, et chacun avait une chaussette dans la bouche, maintenue en place par du *duct tape*. Victor avait aussi pris soin de retirer la batterie de leurs cellulaires.

Il s'avança dans le hall, son pistolet en position de tir. Devant lui, couvert de tapis persan, l'escalier s'étirait jusqu'à l'étage. Victor se plaqua contre le mur sur sa gauche et, avec précaution, jeta un coup d'œil dans la pièce. Le grand salon au plafond de plâtre était décoré avec soin ; une grande bibliothèque occupait un pan de mur, et un piano à queue trônait en son centre. Personne en vue. Contournant l'escalier par la droite, il se glissa dans l'ombre du couloir. Soudain, il se figea. Des éclats de voix provenant de l'arrière de la maison se faisaient entendre. Il continua sa progression et arriva à proximité de la cuisine, où deux hommes discutaient d'une voix enjouée. Il se plaqua de nouveau contre le mur et, penchant lentement la tête, aperçut deux gaillards. L'un s'exprimait avec un accent d'Europe de l'Est; l'autre était à coup sûr d'origine sud-américaine. S'affairant autour d'un îlot, ils se préparaient un casse-croûte.

– On gagnera jamais rien avec Desharnais comme premier centre, *man*. Trop petit.

– Es-tu malade? C'est un de nos meilleurs joueurs! Moi, j'ai confiance en Bergevin. Et avec Price, Gallagher et P.K., on est en business.

Pivotant sur sa jambe gauche, le sergent-détective fit irruption dans la cuisine et braqua son pistolet.

– Ça sent la Coupe, hein?

Les deux hommes se figèrent une seconde, puis l'un d'eux fit un geste pour s'emparer du fusil-mitrailleur qu'il avait posé sur le comptoir. Déjà, le sergent-détective s'était avancé et n'était plus qu'à quelques mètres d'eux.

– Touche pas à ça si tu veux voir la prochaine parade.

Trop tard: le Sud-Américain avait ignoré l'avertissement et plongé vers son arme. Mû par son instinct, Victor bondit en avant. Poings levés, l'autre gangster tenta de lui barrer le passage afin de donner à son collègue les secondes nécessaires pour attraper son fusil. Tenant son pistolet par le canon, le sergent-détective évita un crochet et cueillit l'homme d'un coup de crosse à la tempe. Celui-ci s'effondra comme une masse sur la céramique. Dans l'intervalle, le Sud-Américain avait saisi son arme et se tournait vers Victor, qui entendit le cliquetis du cran de sûreté que l'on retire. Sans la moindre hésitation, le policier se jeta la tête la première et percuta le gangster au niveau du plexus avec son épaule. L'homme se vida de son air et le fusil-mitrailleur tomba sur le carrelage. Dans le corps à corps qui s'ensuivit, Victor prit le dessus sur son adversaire. L'enfourchant, il enfonça le canon de son pistolet dans la bouche du Sud-Américain et retint son souffle, espérant que le vacarme de leur lutte n'avait alerté personne. Il tendit l'oreille un instant, puis se remit à respirer. La maison baignait dans un silence sépulcral. Quelques minutes plus tard, les deux hommes de main gisaient sur le sol de la cuisine, bâillonnés avec une chaussette, pieds et poings entravés. Victor leur avait réservé le même traitement qu'à leurs collègues.

Le policier vérifia ensuite chaque pièce du rez-de-chaussée et de l'étage, sans trouver la moindre trace de Duvalier Joseph. Il descendit alors prudemment les marches menant au sous-sol, puis s'arrêta un instant pour laisser ses yeux s'accoutumer à la pénombre. Il traversa la pièce principale, aménagée en salle de musculation. Des poids libres étaient rangés sur des étagères installées autour d'un banc d'entraînement. Un elliptique trônait dans un coin.

Victor continua jusqu'au fond de la pièce, où se trouvait une porte capitonnée. Il colla son oreille contre le battant et comprit. Le chef des Red Blood Spillers écoutait la télé dans sa salle de cinéma maison. Le sergent-détective poussa la porte et se glissa furtivement dans la pièce. Immense, l'écran occupait tout le mur du fond. Les épaules et la tête du chef de gang émergeaient de dos, au-dessus du dossier d'un canapé de cuir. Le policier s'avança sans bruit sur l'épaisse moquette et posa le canon de son pistolet contre l'arrière du crâne du truand.

Le chef des Red Blood Spillers tressaillit, mais ne se retourna pas. Il avait visiblement les nerfs solides. Victor contourna le fauteuil et, s'approchant de lui, le palpa à travers ses vêtements pour s'assurer qu'il ne dissimulait pas d'arme. Quand il reconnut le sergent-détective, le métis parut se détendre.

– T'aurais pu sonner, Lessard.

Satisfait que l'homme ne portât pas d'arme, le policier recula d'un pas et éteignit l'écran.

– Tu te prives de rien, mon Duvalier.

– Pas pire, hein? Je te fais faire le tour du propriétaire?

Victor lui décocha un clin d'œil.

– Je te remercie, mais c'est déjà fait.

Une ombre d'inquiétude passa sur le visage du métis.

– Mes gars?

– Tout le monde va bien en haut.

– Tu fais de l'invasion de domicile pour passer le temps, maintenant?

Le sergent-détective força un sourire.

– Je t'ai téléphoné plusieurs fois, mais tu m'as pas rappelé.

Duvalier se tapa le front et railla:

– Merde! J'ai oublié de charger la batterie de mon cell!

Devant le canapé, une bouteille de Jack Daniel's, un seau à glace et un verre à demi rempli reposaient sur une table basse.

– T'en veux?

Le sergent-détective refusa.

– Qu'est-ce que je peux faire pour toi, Lessard?

Le flegme de Duvalier ne surprenait pas Victor. Chaque fois qu'ils s'étaient croisés, ils avaient tous les deux joué à ce jeu du chat et de la souris, qui consistait à ne jamais se montrer impressionné par l'autre.

– Si tu me parlais de Simon Tanguay, le fils du commandant? Le jeune que vous avez heurté en auto, Mardaev et toi, et qui est paraplégique depuis?

De la surprise se peignit sur les traits de Duvalier Joseph, mais il se ressaisit aussitôt.

– Et pourquoi je te parlerais de ça ou de quoi que ce soit d'autre, Lessard? Un seul appel et je te fais virer d'ici par tes collègues.

Victor sourit, retira la sûreté de son Glock et joua son va-tout.

– Comme tu veux, Duvalier. Mais je te garantis que, dans la prochaine heure, la section de la moralité au grand complet va débarquer ici avec un mandat. Et je te prie de me croire : ils ne niaisent pas avec les allégations de trafic humain.

Les deux hommes s'affrontèrent du regard un moment, puis Duvalier détourna la tête et poussa un profond soupir. Il prenait la menace du sergent-détective au sérieux.

– Tu peux me croire ou non, mais j'étais pas au courant, à ce moment-là, que c'était le fils de Tanguay. J'étais un soldat à l'époque, et je travaillais pour Mardaev, qui était plus haut que moi dans la hiérarchie. Tout ce qu'il m'avait dit, c'est qu'il voulait faire peur à quelqu'un. C'est lui qui conduisait, mais c'était pas intentionnel que le jeune soit blessé gravement.

Victor tira un fauteuil, s'assit en face de Duvalier et déposa son pistolet sur ses genoux. Le chef des Red Blood Spillers semblait finalement vouloir se mettre à table sans qu'il soit nécessaire de recourir à la force.

– Quand est-ce que t'as appris que c'était le fils de Tanguay ?

– Je m'en souviens plus. Quelques années plus tard.

– Et tu savais à qui Mardaev voulait faire peur et pourquoi ?

– Ça aussi, je l'ai appris après. Au départ, je savais seulement que Mardaev voulait forcer Tanguay à faire certains trucs.

– Comme mettre sur pied une organisation de trafic humain?

– Pas tout à fait.

– Alors, qu'est-ce que t'as appris, au juste ?

Duvalier hésita quelques secondes avant de répondre. Victor haussa les épaules, sortit son cellulaire et fit mine de composer un numéro.

Ravalant sa colère, le métis serra les dents, puis reprit :

– L'idée de faire du trafic humain venait de Tanguay. À cause des relations qu'il entretenait avec un ancien organisateur politique, il avait une liste de clients potentiels, des gens susceptibles de se laisser tenter par la possibilité d'acheter une fille.

– L'organisateur, c'était Jacques Mongeau, à qui il fournissait des escortes pour des soirées échangistes?

– Exact. Quand Mardaev a senti que Tanguay voulait le doubler et tout mettre sur pied sans son aide, il a paniqué. Il voulait avoir sa part des revenus. Depuis le début de 2003, Tanguay avait commencé à s'impliquer dans un organisme d'aide aux jeunes en difficulté qui s'appelle l'AIM. Il pensait pouvoir se passer de Mardaev en repérant lui-même des filles. L'AIM devenait une plaque tournante incroyable pour ça. Un bassin de jeunes filles qui vivaient presque toutes dans la marge, sans ressources, sans liens familiaux. Bref, faciles à leurrer. Un des intervenants était même impliqué: il faisait du rabattage pour lui.

Victor plissa les yeux. Samuel Martineau, songea-t-il. Il se garda bien de le lui dire, mais le métis venait de faire la lumière sur le rôle d'un des acteurs clés de l'affaire.

Duvalier poursuivit:

– Quand Mardaev a senti que Tanguay lui glissait entre les doigts, il a voulu lui donner un «avertissement».

Le sergent-détective acquiesça.

– D'où «l'accident» impliquant Simon. Mais, dis-moi, pourquoi Tanguay nous a donnés à Santiago Montoya?

Le métis esquissa un petit sourire désabusé qui anima sa balafre.

– Quand Montoya a entendu parler de la combine entre Tanguay et Mardaev, il était furieux que Valeri ait voulu monter l'affaire sans lui en parler. Après, quand il s'est rendu compte du potentiel, il a insisté pour s'associer à eux. Un petit *pimp,* Nelson Rodriguez, avait déjà été pressenti par Tanguay pour être un partenaire d'affaires. Santiago l'a fait éliminer pour prendre toute la place. Quand vous vous êtes mis à enquêter sur le meurtre de Rodriguez, Tanguay a eu peur que vous puissiez remonter jusqu'à eux et que ça mette le projet en danger. Alors, quand Santiago lui a demandé votre position…

Victor encaissa l'information, réfléchit quelques secondes et finit par dire :

– L'agression sur Simon, le meurtre de Rodriguez et de mes hommes… Explique-moi une chose : pour être prêt à prendre des risques comme ceux-là, il faut qu'il y ait beaucoup d'argent en jeu. J'ai de la misère à comprendre comment le trafic de quelques filles à Montréal peut être aussi payant.

Duvalier le regarda comme s'il tombait des nues.

– C'est pas juste à Montréal. C'est mondial. Mardaev et Tanguay ont créé une plateforme pour vendre des filles aux enchères en ligne. Crois-moi, ils faisaient plus d'argent en commission sur chaque transaction qu'avec les filles qu'ils mettaient eux-mêmes dans le système.

Victor hocha lentement la tête, essayant de remettre de l'ordre dans ses idées.

– Es-tu en train de me dire que des trafiquants des quatre coins de la planète vendent des filles en ligne à partir de la plateforme qu'ils avaient créée ?

Duvalier fit signe que oui. Victor reprit :

– Et ces deux-là ont continué à travailler ensemble, même après l'accident de Simon ?

– Il y avait trop d'argent en jeu. Tanguay était sans scrupules.

– Et toi ? Quel était ton rôle là-dedans ?

Le chef de gang attrapa son verre de whisky sur la table. Les glaçons tintèrent lorsqu'il but une gorgée.

– Libre à toi de me croire ou non, mais j'ai jamais été impliqué. C'était une opération autonome. Tout avait été mis en place avant que je grimpe les échelons. Ça faisait partie des conditions pour que Mardaev me donne son appui quand je suis devenu chef : je lui garantissais un droit acquis sur son affaire et il la menait en parallèle de nos autres activités. On a négocié un pourcentage qu'il nous versait annuellement. C'est tout.

– Je veux les noms des opérateurs de la plateforme et leur liste de clients.

Duvalier éclata de rire.

– Tu comprends pas, Lessard. Je connais pas les opérateurs et il n'y a pas de liste de clients. Tout est anonyme et se passe sur le Darknet. C'est là qu'ils mettent les filles aux enchères.

Victor secoua la tête de désenchantement. Le Darknet, aussi appelé «Deep Web» ou «Web invisible» par certains, constituait la partie cachée du Web, là où s'effectuent les transactions les plus illicites. Il y avait été confronté par le passé, dans le cadre d'autres affaires.

– Comment on y accède?

– Même si je le voulais, je saurais pas comment accéder à la plateforme. C'est enfoui et ultrasecret.

– Mais les clients... comment font-ils pour être au courant de l'existence du site?

– Ça se fait uniquement sur invitation, par bouche-à-oreille, avec des règles d'admission, un peu comme pour entrer dans une société secrète. Tanguay menait une enquête sur chaque client potentiel. C'était facile pour lui, il avait accès aux banques de données de la police.

Victor songea aux noms sur la liste qu'Yves Gagné lui avait remise. Les personnes à propos desquelles Tanguay lui avait demandé d'obtenir des renseignements étaient-elles des clients potentiels de la plateforme? Duvalier ajouta:

– Et pour prouver ton sérieux, tu devais faire un dépôt de sécurité de cent mille dollars. Crois-moi, quand t'as les moyens de te payer une ou plusieurs filles à trente mille, quarante mille et même au-delà, t'as les moyens de faire le dépôt de sécurité. Une fois, Mardaev s'était même vanté qu'une fille avait été vendue trois cent mille. Une vierge de douze ans.

Un goût de mercure se répandait dans la bouche de Victor. Ce que le métis révélait lui donnait le vertige et le révulsait.

Qu'un système aussi complexe et organisé existe pour réduire des jeunes femmes au rang d'esclaves sexuelles dépassait l'entendement.

– Je peux me fier à ce que tu viens de dire ou c'est encore de la *bullshit*?

Un sourire malicieux apparut sur les lèvres de Duvalier Joseph.

– Je t'ai pas menti quand on s'est parlé dans la ruelle. Je t'ai simplement pas dit toute la vérité.

Victor planta son regard dans celui du métis.

– D'ailleurs, éclaire-moi, Duvalier: pourquoi tu m'as confié initialement que Tanguay nous avait donnés? Tu devais te douter que je remonterais la piste jusqu'à toi.

– J'ai pris une chance. En te révélant la pointe de l'iceberg, j'ai pensé que ça t'aiderait à trouver le tueur sans que t'aies besoin de mettre ton nez dans nos affaires. J'ai beau être protégé et capable de prendre soin de moi, je tripe pas trop quand je reçois des menaces de mort. D'ailleurs, on dirait que mon système de sécurité est à revoir.

– Quand le tueur t'a dit de tout arrêter, as-tu eu l'impression qu'il faisait référence à la plateforme de vente aux enchères?

– Ça me paraît évident.

Le sergent-détective soupira de dépit.

– Réalises-tu que si tu m'avais donné l'heure juste dès le début, on aurait sans doute pu sauver des vies?

Duvalier Joseph haussa les épaules.

– Je sais pas si tu l'as remarqué, mais je dirige pas un organisme de bienfaisance.

Lorsqu'il sentit qu'il ne pourrait plus rien tirer du chef des Red Blood Spillers, Victor se leva, attrapa la bouteille de Jack Daniel's et sortit de la pièce sans prononcer une parole. Il avait songé à mettre Duvalier en garde contre d'éventuelles représailles que celui-ci aurait pu envisager à son endroit pour s'être introduit dans son domicile, mais eut la conviction que ce serait superflu.

Il marchait vers la sortie lorsque la voix du métis retentit derrière lui :

– Eille, Lessard.

Il se retourna lentement, s'attendant à ce que le caïd ait une arme à la main, mais il n'en avait pas.

– Si jamais un jour tu cherches du boulot, fais-moi signe. J'ai toujours de la place pour des gars dans ton genre, des gars qui ont des couilles.

Victor porta deux doigts à son arcade sourcilière enflée en signe de salut.

– Je t'enverrai mon CV.

Il pivota sur ses talons et marcha jusqu'à la sortie. Dehors, il dévala les marches et s'arrêta dans l'allée. Il dévissa le bouchon de la bouteille de Jack Daniel's, porta le goulot à ses lèvres et renversa la tête en arrière. Puis, abandonnant la bouteille dans l'herbe, il se dirigea vers le véhicule banalisé.

Et tandis qu'il avançait, il pesa le pour et le contre : il avait le choix entre retomber dans l'abysse ou rester en équilibre sur le bord du gouffre, en luttant chaque jour de toutes ses forces pour ne pas y être aspiré. Il pensa à Nadja, à Ted, qui croupissait sur son lit d'hôpital, et à ses enfants, puis il recracha la gorgée de whisky qu'il avait gardée dans sa bouche. Loïc était sorti pour l'accueillir et le regardait comme on regarde le seul survivant d'un écrasement d'avion.

– Ça va ?

Victor fit oui de la tête et grimpa dans le véhicule. Avant de démarrer, Loïc se tourna vers lui, mais il comprit que son chef avait besoin d'un peu de temps. Le regard dans le vague, le sergent-détective mit un moment à réprimer le tremblement de ses mains. Ils roulaient depuis quelques minutes en direction de l'appartement de Samuel Martineau lorsqu'il rompit enfin le silence :

– Je te dois une paire de bas, le Kid.

CHAPITRE 46

Carrefour

Accablés de fatigue, les membres du groupe d'enquête étaient encore une fois réunis autour de la table, dans l'appartement de Samuel Martineau. Loïc ayant promis de ne pas parler de la manière utilisée par son supérieur pour s'introduire chez Duvalier Joseph, Victor venait de leur résumer sa conversation avec le chef de gang. Un portrait plus clair de la situation émergeait: il ne faisait plus aucun doute que les victimes de la série de meurtres étaient toutes liées entre elles. À des degrés divers, Tanguay, Mardaev et Martineau avaient été impliqués dans le trafic; Clark Wood avait été leur client; et Grant Emerson, le père d'une des jeunes filles vendues aux enchères.

Seul le rôle de la dernière victime annoncée par le tueur demeurait nébuleux. Mais, ayant de bonnes raisons de croire que le père Noël avait enlevé Maxime Rousseau, les enquêteurs posaient comme hypothèse qu'il était probablement un client du réseau. Par ailleurs, Victor avait tenté de joindre Ghislaine Corbeil, la directrice de l'AIM, qui n'avait toujours pas rappelé Loïc. Puisque le trafic humain constituait de toute évidence l'élément central de la série d'assassinats, ils espéraient que l'identification d'autres jeunes filles disparues ayant transité par l'AIM les mettrait sur une nouvelle piste.

Et maintenant qu'ils savaient pourquoi leurs collègues avaient été tués en 2003, Jacinthe fulminait:

– Maurice Tanguay était vraiment une sale charogne!

Le cellulaire de Victor sonna. Il s'éloigna de la table et prit l'appel tandis que, dans son dos, sa coéquipière continuait de tempêter. Ghislaine Corbeil était à l'autre bout du fil.

– Excusez-moi, je viens de prendre votre message et ceux de monsieur Blouin-Dubois. J'ai dû aller chercher les cendres de mon père au salon funéraire. Et quand je suis revenue au bureau, c'était un peu la folie.

– Désolé pour votre père, mes condoléances.

– Il était très malade. Ç'a plutôt été une délivrance.

Victor pensa à Ted, cloué sur son lit d'hôpital, et se sentit coupable de n'avoir pas su trouver un seul moment pour lui rendre visite depuis la dernière fois. Puis il expulsa l'idée de sa tête et remit le temps des regrets à plus tard.

Il allait entrer dans le vif du sujet lorsque la directrice le devança:

– Ça tombe bien que vous m'ayez appelée, je voulais vous parler.

Intrigué, Victor décida de l'entendre d'abord.

– À quel propos?

– Lors de notre rencontre, vous m'avez demandé si je connaissais quelqu'un qu'on surnomme le père Noël.

Faisant les cent pas dans le couloir, le sergent-détective s'immobilisa net et retint son souffle.

– Je vous écoute.

– Cet après-midi, nous avions une activité avec quelques jeunes au centre et j'ai profité de l'occasion pour leur poser la question. Et il y a une jeune fille, Juliette Lavoie-Evans, à qui ça disait quelque chose. Selon elle, il s'agirait du surnom donné à Édouard Mayrand, l'une des personnes-ressources de notre réseau d'entraide. J'ai pensé que ça vous intéresserait de le savoir.

Victor se remit à marcher. Son rythme cardiaque s'était accéléré.

– Vous voulez dire un intervenant ?

– Non, en plus des intervenants, nous avons un réseau de personnes-ressources que nous appelons les «phares». Ils agissent comme mentors auprès de nos jeunes. Monsieur Mayrand est un retraité de l'enseignement; il a été professeur de philosophie au cégep, si ma mémoire est bonne.

– Vous avez ses coordonnées?

– Oui, quelque part dans nos dossiers.

Une certaine fébrilité gagnait le sergent-détective, mais il s'efforça de conserver son calme.

– Je vais en avoir besoin le plus vite possible. Et cette jeune fille, est-ce qu'on peut lui parler?

– Juliette? Maintenant?

Victor répondit par l'affirmative.

– Pouvez-vous m'expliquer ce qui se passe, enquêteur?

– Pas maintenant, non.

Figée par sa brusquerie, la directrice mit un instant avant de réagir:

– Attendez-moi quelques minutes. Je vais vous mettre en attente et descendre voir dans la grande salle. Juliette est peut-être encore ici, à l'Accueil.

Une boule de stress commença à se former au creux de l'estomac de Victor. Il rejoignit les autres enquêteurs. Les traits tirés, ceux-ci étaient toujours assis autour de la table, à échafauder des hypothèses. Lorsqu'il les mit au courant de ce que venait de lui dire la directrice de l'AIM, une agitation palpable s'empara du groupe et les quelques minutes qui s'écoulèrent avant qu'elle ne reprenne la ligne leur parurent une éternité.

– Enquêteur Lessard? Juliette est avec moi. Nous sommes sur mains libres.

Victor se rassit et mit son cellulaire sur haut-parleur afin que ses collègues puissent suivre la conversation.

– Bonjour, Juliette. Je m'appelle Victor. Ça va?

– Salut.

Le ton de la jeune fille indiquait clairement qu'elle aurait préféré être ailleurs.

– Qu'est-ce que tu peux me dire à propos du père Noël?

Juliette hésita quelques secondes, puis s'éclaircit la voix:

– Ben... parfois, Samuel nous emmène chez un monsieur qu'on appelle «le père Noël».

À la mention du nom de Samuel, les enquêteurs échangèrent un regard. Victor demanda:

– Samuel Martineau?

– Oui.

– Et pourquoi vous l'appelez «le père Noël»?

La jeune fille émit un petit rire.

– J'sais pas trop. Tout le monde l'appelle comme ça. Peut-être parce qu'il lui ressemble un peu. Il a une longue barbe et les cheveux tout blancs.

– Et qu'est-ce que vous faites là-bas?

– On parle, on écoute de la musique, on se baigne dans la piscine. Il habite dans une grosse maison, à Westmount. Il est très gentil. Et c'est l'homme le plus intelligent que j'ai jamais rencontré.

Victor mit la main sur l'avant-bras de Jacinthe, qui piaffait d'impatience de couper au plus court.

– Et dis-moi, Juliette, est-ce que tu connais Myriam Cummings?

– La fille qui a disparu? Oui, un peu...

– Qu'est-ce que tu peux me dire à propos d'elle?

Nouvelle hésitation de la jeune fille.

– Euh... pas grand-chose...

– Est-ce qu'elle vous accompagnait chez le père Noël?

– Ben... j'me souviens plus.

Le sergent-détective tambourinait nerveusement des doigts. L'apathie de la jeune fille commençait à l'irriter.

– Est-ce qu'elle avait des amis proches?

– Euh... pas vraiment... ou, en fait, y avait peut-être Dante...

– Dante? Dante qui?

– Euh... Dante... Salvador. Oui, Dante Salvador.

– C'était le chum de Myriam? Un ami?

– J'sais pas si c'était son chum, mais je sais qu'ils s'entendaient vraiment bien.

Ghislaine Corbeil reprit la parole:

– Dante a dix-neuf ans. Il est arrivé du Mexique à l'âge de quatre ans, avec sa mère, qui l'a ensuite rejeté à cause de ses problèmes de toxicomanie. Il fait partie des cinq jeunes à qui nous fournissons un appartement autonome et le soutien communautaire dont je vous ai parlé. Ce garçon est une des plus belles réussites de notre organisme.

Les mains à plat sur la table, Victor se pencha vers le cellulaire. Il voulait s'assurer d'être entendu clairement.

– Juliette... est-ce que Dante s'est déjà rendu chez monsieur Mayrand?

Tandis qu'il menait l'entretien, Nadja fouillait dans ses papiers. Le nom du jeune homme lui disait quelque chose.

– Oui, il y est allé plusieurs fois avec Samuel. Le père Noël lui donne souvent des livres.

– Quel genre de livres?

– Ben, des livres de philo, surtout... Freud, Nietzsche, ce genre d'affaires là. Il lui a aussi prêté un livre sur la perversion, une fois. Je m'en souviens, j'avais trouvé ça *full chill*.

Après avoir parcouru quelques pages, Nadja mit le doigt sur ce qu'elle cherchait. Posant un document sur la table, devant Victor, elle lui montra un passage du rapport d'enquête sur la disparition de Myriam Cummings. Dante Salvador avait été interrogé par les enquêteurs assignés au dossier. À l'époque, il avait déclaré ne pas savoir où était la jeune femme.

– Madame Corbeil, Juliette, avez-vous vu Dante aujourd'hui?

Les enquêteurs perçurent des chuchotements, puis la voix de Ghislaine Corbeil s'éleva.

– Juliette dit que non. Moi, ça fait quelques jours que je ne l'ai pas vu. Mais vous savez, ces cinq jeunes sont autonomes. Ils reçoivent la visite de leur intervenant une seule fois par semaine.

– Et qui est l'intervenant responsable de Dante?

– C'est Samuel.

Nouvel échange de regards entre les enquêteurs.

– Je vais avoir besoin des coordonnées de Dante Salvador et d'Édouard Mayrand le plus rapidement possible, madame Corbeil.

Jacinthe renchérit avec impatience:

– Le plus rapidement possible, ça veut dire dans les cinq prochaines minutes, madame!

Pendant que la directrice s'activait sur son clavier, le sergent-détective mit son téléphone en mode silencieux. Se tournant vers lui, sa coéquipière ajouta, à voix basse:

– Chus sûre que Salvador est le chum de la petite…

Victor ne répondit rien, mais il comprit tout de suite ce qu'elle avait en tête. Ils avaient déjà envisagé la possibilité que Grant Emerson ait tué Tanguay, Mardaev et Wood pour libérer sa fille. Connaissant Jacinthe, il n'eut nullement besoin de la sonder pour deviner ce qu'elle pensait: et si, plutôt que son père, c'était l'amoureux de Myriam, qui l'avait tirée des griffes de son agresseur? Tandis qu'ils attendaient que Ghislaine Corbeil trouve les coordonnées du père Noël et du jeune homme, le sergent-détective ne put s'empêcher de repenser à l'impression qu'il avait eue lorsqu'il avait rencontré Emerson dans son appartement. Il aurait mis sa main au feu qu'il y avait quelqu'un dans la chambre noire.

CHAPITRE 29

Père en colère (2)

– Entre nous, vous avez aucune idée de ce qui se passe, pas vrai?

– C'est une enquête difficile. C'est tout ce que je peux vous dire.

Se figeant, Dante et Myriam retinrent leur souffle. Dans l'obscurité de la chambre noire, la jeune femme venait de faire tomber une bobine utilisée dans le processus de développement.

– Vous êtes seul?

– Oui, pourquoi?

– Qu'est-ce qu'il y a derrière cette porte?

Étouffant le cliquetis avec sa paume, Dante arma son pistolet.

– Ma chambre noire. Je développe encore mes films à l'ancienne.

– Vous n'avez pas entendu quelque chose?

Myriam se mordit le poing. Elle avait simplement cherché à s'appuyer sur la table.

– J'ai enfermé le chat avant que vous entriez. Une vraie tête folle. Si je l'avais laissé dans la pièce, il serait en train de faire ses griffes sur vos jeans. Vous seriez ressorti d'ici avec des shorts.

Les deux jeunes gens se détendirent enfin lorsque, quelques minutes plus tard, les voix se turent et qu'ils entendirent la porte d'entrée se refermer. Alors seulement, Myriam éclata en sanglots et, frémissante, se blottit dans les bras de Dante. La menace écartée, elle se remit à espérer que les ombres disparaissent, que le cauchemar prenne fin.

Grant Emerson attendit dix minutes après le départ du policier, puis il alla ouvrir la porte de la chambre noire pour libérer Dante et Myriam de leur confinement.

– On l'a échappé belle! Mais qu'est-ce qui s'est passé?

Myriam baissa les yeux au sol.

– C'est ma faute. J'ai accroché une de tes bobines.

Grant posa tendrement la main sur la joue de sa fille.

– Vous pouvez pas rester ici. La police pourrait revenir.

Dante glissa son pistolet entre sa ceinture et ses reins.

– On va aller chez moi.

Une expression d'effroi apparut sur les traits de Myriam.

– Et si Samuel débarque à ton appartement?

Dante prit sa main dans la sienne pour la rassurer.

– N'aie pas peur. Je vais m'occuper de Samuel.

Grant attrapa Myriam et Dante par le cou et approcha son visage du leur.

– Je peux m'en occuper, moi. Vous devriez vous enfuir pendant qu'il en est encore temps, mes enfants.

Dante pinça les lèvres et secoua la tête négativement.

– On va partir, mais d'abord je dois terminer ce que j'ai commencé. Ce sera bientôt fini.

– Terminer quoi? Tu as libéré Myriam, éliminé les monstres qui lui ont fait subir toutes ces horreurs. Partez: je vais me livrer à la police et m'incriminer à ta place. Je suis vieux. Je n'en ai plus pour longtemps. Vous deux, vous avez la vie devant vous.

Myriam s'avança vers son père.

– Qu'est-ce que tu dis là, *dad*? Tu vas vivre encore super longtemps!

Grant Emerson serra sa fille dans ses bras. Des larmes noyaient les yeux de la jeune femme.

– Partez et je prendrai la responsabilité sur mes épaules.

Grant pensait ce qu'il disait. Il était prêt à ce sacrifice. Chaque jour, il revivait les combats que ses compagnons d'armes et lui avaient livrés, à Chypre. Il n'avait jamais manqué de courage à l'époque et ne commencerait pas aujourd'hui. Ces actes que Dante avait commis étaient barbares en soi, mais il l'avait fait pour sauver sa fille, sa petite Myriam. Le jeune homme avait réussi là où Grant avait failli. Et les hommes que Dante avait tués méritaient de mourir. Pour cette raison, Grant était prêt à donner sa vie pour lui.

– Il est hors de question de vous livrer à la police, monsieur Emerson. Je vais disparaître.

Dante avait tué ces trois monstres pour libérer Myriam. En son âme et conscience, Grant ne pouvait lui demander de se livrer à la police, mais il lui donna néanmoins la carte professionnelle que l'enquêteur lui avait remise.

– Si jamais c'est nécessaire, tu peux parler avec ce policier-là. Je pense que c'est le genre de personne à qui on peut faire confiance.

Myriam avait décidé de suivre Dante. Grant s'était d'abord dit qu'il ne pouvait pas la laisser partir avec un tueur. Puis il avait décidé de ne pas s'y opposer. Pas après ce que le jeune homme avait mis en œuvre pour lui rendre sa liberté. Cependant, avant qu'ils ne partent, il tint à les prendre en photo. Alors que Dante et Myriam se tenaient côte à côte, dans son viseur, Grant utilisa un de ses vieux trucs de photographe pour les faire sourire: il inséra le bout de son cigare dans son oreille. Et quand il vit le visage de sa fille rayonner, il éprouva un sentiment de reconnaissance indicible et son cœur se gonfla d'amour.

Grant prit plusieurs portraits des deux jeunes et, tandis qu'il appuyait sur le déclencheur, des larmes roulèrent sur ses joues. La joie de retrouver Myriam et la tristesse de la voir repartir sans savoir s'il la reverrait bientôt se mélangeaient dans sa tête.

Quand il baissa son appareil, Myriam se jeta dans ses bras. Et, à travers ses sanglots, elle murmura à son oreille :

– Je t'aime, papa. Je t'aime et je m'excuse pour toutes nos chicanes.

Après le départ de Myriam et de Dante, Grant resta seul au milieu de son appartement, le cœur en morceaux. Puis il secoua sa torpeur et un mince sourire apparut sur ses lèvres. Il les avait immortalisés sur pellicule. Ces photos, il se promit de les chérir jusqu'à sa mort. Il avait ses souvenirs, aussi, ceux-là figés dans sa mémoire, et les conserverait toujours. Mâchouillant le bout de son cigare, Grant marcha vers la chambre noire pour développer les clichés. En préparant son matériel, il songea que Myriam et Dante avaient vécu des choses horribles, mais qu'il y avait aussi de la lumière dans leur histoire : ils s'étaient trouvés.

CHAPITRE 1

Ne parle pas si fort à mon cœur

Sous les lueurs diffuses de la ville, le jeune homme marchait tranquillement dans la moiteur de la rue Saint-Urbain, déserte à cette heure du soir. Une boîte de carton sous le bras, il entra dans la station Place-d'Armes, passa sa carte sur le lecteur optique et descendit sur le quai, où il attraperait le dernier métro de la journée. Parmi les quelques personnes qui attendaient comme lui, il vit une vieille femme qui s'échinait à essayer de placer deux gros sacs remplis de nourriture dans un chariot à roulettes.

Le jeune homme se dirigea vers elle sans hésiter.

– Laissez-moi vous aider avec ça, madame.

La vieille releva les yeux et le détailla, hésitante : crâne rasé, paupières maquillées de khôl noir, piercing à l'arcade sourcilière et yeux d'émeraude, le jeune homme portait un legging noir, une camisole de camouflage, un *hoodie* gris attaché autour de la taille et des bottes militaires. Pourtant, le sourire étincelant qu'il lui décocha la convainquit de le laisser l'aider. Il posa doucement la boîte de carton sur le sol, réorganisa les objets qui se trouvaient déjà dans le chariot et réussit à y glisser les deux sacs.

La vieille lui rendit son sourire.

– Mille mercis, jeune homme.

Le sol trembla ; la rame de métro arrivait. À l'intérieur, il s'assit et plaça la boîte à côté de lui, sur la banquette. Les bombes de peinture aérosol s'entrechoquèrent lorsqu'il déposa son sac à dos sur le sol. Il jeta un coup d'œil dans le wagon. Deux amoureux somnolaient, accotés en équilibre l'un contre l'autre. Plus loin, un homme lisait le journal *Métro* à l'envers et vociférait des paroles incompréhensibles. Le train s'ébranla. Le passage d'une rame en sens inverse fit vibrer le wagon.

Le jeune homme ferma les yeux et appuya sa tête contre la vitre. Puis il se mit à penser à Myriam, et les souvenirs commencèrent à défiler dans sa mémoire.

C'était le jour de la Saint-Valentin et il attendait nerveusement qu'elle se pointe au Starbucks où ils s'étaient donné rendez-vous. Elle était très en retard et il regardait sans cesse l'horloge murale derrière le comptoir, car il devait partir sans faute dans trente minutes. Il s'était engagé auprès de la directrice de l'AIM à parler à quelques journalistes de son parcours atypique et de son expérience dans le cadre du projet d'appartements autonomes de l'Accueil. Et quand Dante donnait sa parole, il la tenait.

Myriam et lui s'étaient connus à l'AIM l'année précédente et cela avait pris un certain temps avant qu'elle ne le remarque. Peut-être parce qu'il était un peu plus jeune qu'elle. Qu'importe. Ils étaient devenus amis. Mais, en ce jour de la Saint-Valentin, il avait décidé de lui révéler qu'à ses yeux elle était devenue plus qu'une amie.

Lorsque Myriam était arrivée, le cœur du jeune homme s'était de nouveau emballé. Elle portait un manteau de laine noir assorti à la couleur de ses yeux immenses, et ses cheveux bruns flottaient autour de sa tête. Myriam était magnifique et il adorait tout d'elle : son rire cristallin, sa voix chaude, sa démarche, sa façon d'appuyer sa joue contre son index et son majeur en se penchant de côté lorsqu'elle l'écoutait.

La jeune femme avait soupiré en rejoignant la table.

– Excuse-moi, je suis très en retard. Mon père, encore. Je t'expliquerai.

Quand elle s'était assise, il n'avait prononcé aucune parole. Il s'était contenté de la dévisager en souriant. Elle avait fini par éclater de rire.

– Quoi? T'as avalé ta langue, Dante Salvador?

Dans une revue, il avait découpé l'image d'un bouquet de roses. En dessous, il avait écrit une phrase au feutre noir:

«Mon cœur bat pour toi.»

Dante avait glissé le bout de papier devant Myriam. Après avoir examiné attentivement l'illustration et lu le mot, elle avait cherché son regard en souriant.

– T'es vraiment trop *cute,* toi!

Alors Dante s'était levé, avait contourné la table et s'était penché vers elle. Prenant son visage entre ses mains, la fixant droit dans les yeux, il s'était approché doucement et avait pressé ses lèvres contre les siennes. Il avait perdu toute notion du temps; ce premier baiser lui avait semblé à la fois fugace et éternel. Myriam avait encore les paupières closes quand il avait brisé l'étreinte et murmuré à son oreille:

– Il faut que je parte. On se retrouve plus tard, chez moi?

Dante avait marché vers la sortie et, avant de franchir le seuil, s'était retourné. Myriam le regardait, et il avait alors compris qu'elle le voyait maintenant d'un autre œil, que ce baiser avait suffi à transformer sa perception: dorénavant, elle ne le considérerait plus comme un simple ami. Et cette pensée l'avait éclairé, empli de joie. Avec ses doigts, il avait formé un cœur qu'il avait plaqué contre sa poitrine. Myriam avait posé un baiser dans sa paume et soufflé dessus. Lorsque Dante était sorti dans la rue enneigée, le froid avait mordu son visage.

Enfonçant ses mains dans les poches de son manteau, il avait marché à pas rapides sur le trottoir, le gravier qu'on y avait répandu crépitant sous ses pas. Et, tandis qu'il avançait, il avait repensé à un roman qu'il avait lu dans un cours de français : *Le jardin des Finzi-Contini.* Dans ses souvenirs, le narrateur s'était épris d'une jeune femme et regrettait amèrement de n'avoir pas su l'embrasser alors qu'il en avait eu l'occasion, quand tout était encore possible. Malheureusement, il ne l'avait pas fait et croyait depuis lors que ce moment avait peut-être scellé son sort et celui de la jeune femme qu'il aimait.

À cet instant précis, alors qu'il se dirigeait en frissonnant vers les bureaux du *Journal de Montréal,* où il avait rendez-vous, Dante Salvador avait ressenti cette même impression singulière. Celle que ce baiser qu'il venait d'échanger avec Myriam était un moment suprême, unique, irrévocable, et qu'il avait peut-être décidé de sa vie et de la sienne, qu'il aurait une incidence durable sur leurs trajectoires respectives. Et il avait songé qu'un seul baiser pouvait changer le cours d'une existence.

Cette nuit-là, il avait attendu Myriam en vain à son appartement. Ils n'étaient liés que par le fil ténu de ce premier baiser lorsque la jeune femme avait disparu.

Les souvenirs s'estompèrent brusquement, Dante rouvrit les yeux et revint dans le métro. Devant lui, les deux amoureux s'étaient réveillés. De toute évidence, l'homme au journal était sorti à la station précédente. La vitesse de la rame décrut, le wagon ralentit, puis s'immobilisa. Dante prit son sac, le passa sur ses épaules, puis attrapa la boîte de carton sur la banquette. Il sortit à la station Sherbrooke et fit le reste du trajet à pied, jusqu'à la boulangerie de l'avenue Duluth.

Le commandant Tanguay n'avait pas su lui dire où se trouvait Myriam. Mais il avait supplié le jeune homme pour qu'ils appellent ensemble son associé, Valeri Mardaev, jurant que celui-ci connaissait le nom de l'acheteur. Dante avait décapité le commandant quelques secondes plus tard. Il avait déjà le nom de Mardaev. Le père Noël le lui avait donné avec celui du policier.

Dante serra les mâchoires tandis qu'il remontait la rue Saint-Denis. Valeri Mardaev lui donnerait le nom de l'acheteur.

Ensuite, il délivrerait son amour.

CHAPITRE 47

Le royaume du père Noël

Dans le hall d'entrée de la luxueuse résidence d'Édouard Mayrand, sise dans Forden Crescent, la voix calme et douce d'une jeune fille se fit entendre :

– Baissez vos armes. Ils sont partis.

Elle était assise dans un fauteuil confortable, les poignets et les chevilles entravés par du *duct tape*. Victor replaça son pistolet dans son holster et, se retournant, demanda à Jacinthe et aux patrouilleurs qui les accompagnaient de sécuriser le reste de la maison. Après avoir obtenu de la directrice de l'AIM les coordonnées du père Noël et de Dante Salvador, le groupe d'enquête s'était séparé. Au même moment, Loïc, Nadja et des membres du groupe tactique d'intervention investissaient l'appartement du jeune homme.

Pieds nus, la jeune fille portait un pantalon de jogging et un t-shirt avec le visage de Humphrey Bogart imprimé dessus. Ses cheveux blonds étaient rasés sur le côté droit de son crâne et un tatouage de Heath Ledger maquillé en Joker ornait sa peau. Victor s'approcha et vit que, relié à une bouteille d'eau de deux litres posée sur le plancher, un tuyau de plastique avait été scotché derrière sa nuque et sur sa joue, de façon à ce qu'il atteigne sa bouche.

La jeune fille lui sourit. Elle ne semblait pas effrayée.

– Vous êtes l'enquêteur Lessard?

Il acquiesça, surpris qu'elle connaisse son nom.

– Et toi, c'est quoi, ton nom?

– Lili.

– OK, Lili, donne-moi une seconde, je vais te détacher.

Victor alla chercher un couteau à la cuisine et revint vers la jeune fille. Avec précaution, il coupa les liens de ses mains, puis ceux de ses chevilles.

– Ça va? T'es pas blessée?

Lili se leva et fit jouer les muscles de ses jambes pour se dégourdir.

– Ça va. Un gars est venu et il m'a libérée de la chambre où j'étais enfermée. Et après, il m'a donné à manger et il m'a dit qu'il pensait que vous alliez venir bientôt.

– Il t'a dit son nom?

– Dante quelque chose.

– Salvador?

La jeune fille massait ses poignets endoloris.

– Genre. J'me souviens plus, en fait, s'il m'a dit son nom de famille.

Le sergent-détective désigna de l'index les étages supérieurs.

– Est-ce qu'il y a quelqu'un d'autre ici? Des filles, des enfants?

– Non, j'pense pas.

– Qu'est-ce que Dante a dit d'autre?

Lili passa la main dans ses cheveux et, les ramenant vers l'arrière, plongea dans ses pensées quelques secondes.

– Qu'il pouvait pas me laisser partir maintenant, qu'il avait quelque chose à finir. Puis il m'a attachée et a installé un tuyau pour que je puisse boire. Il m'a dit de pas m'inquiéter, qu'au pire il m'enverrait des secours dans quelques heures.

– Il a mentionné ce qu'il comptait faire, où il voulait aller?

– Non, mais il m'a donné quelque chose pour vous.

Elle enfonça la main dans la poche de son pantalon, y attrapa un papier plié en quatre et le lui tendit.

– Il a dit que c'est là que vous allez trouver ce que vous cherchez.

Victor fixa avec intensité les yeux brillants de la jeune fille.

– Mayrand, est-ce qu'il t'a…

– Qui?

Serrant les mâchoires, il se reprit:

– Je veux dire: le père Noël.

– Non. Ça fait quelques jours qu'il me retient prisonnière, mais il m'a rien fait. On a juste parlé de trucs de philo vraiment bizarres. C'était plutôt intéressant, en fait.

Victor secoua la tête avec incrédulité. Pauvre gamine, si seulement elle savait que tout ça n'était pas un jeu et qu'elle avait probablement échappé à une fin horrible.

– C'est Samuel Martineau qui t'a amenée ici?

De la surprise apparut sur le visage de Lili.

– Comment vous le savez? C'est lui qui vous l'a dit?

Il fit oui de la tête. Il ne servait à rien de l'effrayer. Plus tard, il faudrait qu'ils aient une conversation et qu'elle sache. Mais pas maintenant.

– Tu sais où est passé le père Noël?

– Dante lui a attaché les mains dans le dos et l'a menacé avec son pistolet. Ils sont sortis par le garage. Le père Noël saignait de la bouche.

– Il y a longtemps qu'ils sont partis?

– Environ deux heures.

Victor déplia le papier et y jeta un coup d'œil. Au même moment, Jacinthe arriva derrière eux et dit, le souffle court:

– Y a personne d'autre ici, c'est vide.

S'approchant, elle se hissa sur le bout des pieds pour regarder par-dessus l'épaule de son coéquipier.

– C'est quoi, ce dessin-là?

Victor lui donna la feuille.

– Regarde ce qui est écrit en haut, dans le coin droit, à côté du logo de la Ville de Montréal.

– Fuck! C'est un plan des égouts!

Victor vérifia que sa lampe de poche était correctement fixée à son gilet pare-balles et ajusta son oreillette. Jacinthe et lui firent un dernier test pour s'assurer que le système de communication fonctionnait bien. Ils avaient confié Lili aux patrouilleurs et s'étaient rendus, sirène hurlante, au point indiqué sur le plan.

D'un geste du menton, Jacinthe désigna l'ouverture.

– T'es sûr que c'est une bonne idée que t'ailles là-dedans tout seul? Tu veux pas demander des renforts? C'est peut-être un piège.

Il fuma sa cigarette jusqu'au mégot avant de la jeter, puis laça avec soin ses Converse rouges.

– Justement, si c'est un piège, aussi bien qu'un seul d'entre nous tombe dedans.

Il prit une profonde inspiration.

– Bon, j'y vais.

Avant qu'il n'entame sa descente, Jacinthe fouilla dans son sac de crudités et lui tendit un quartier de citron.

– Tiens. Ça va t'aider avec les odeurs. Bonne chance, mon homme.

Victor mordit dans le citron et, le tenant entre ses dents, commença à descendre les échelons. Il s'engouffra bientôt sous terre et l'obscurité l'enveloppa. En posant les pieds sur le sol de la canalisation, il alluma sa lampe de poche et dégaina son Glock. La peur le tenaillait, lui vrillait les entrailles. Mais, encore une fois, il allait l'affronter.

PAR-DELÀ LE BIEN ET LE MAL

Celui qui combat des monstres doit prendre garde à ne pas devenir monstre lui-même. Et si tu regardes longtemps un abîme, l'abîme regarde aussi en toi.

– Friedrich Nietzsche

CHAPITRE 49

La pièce noire (4)

– On vient au monde avec l'illusion qu'un jour, si on y croit vraiment et qu'on travaille très fort, on pourra tous devenir quelqu'un, Dante. Et nous savons tous dès le départ que c'est de la connerie pure. Nous savons que certains, plus chanceux, naissent en bonne santé dans des familles riches ; d'autres, atteints de maladies incurables, dans des familles qui n'ont même pas de quoi se nourrir. Nous savons, mais nous continuons à enseigner ces mensonges à nos enfants.

– Il y a tout de même une certaine forme d'égalité. Au final, tout le monde meurt.

– Dans la nature, à l'état primitif, l'égalité n'existe pas. Seuls les plus forts survivent. Mais la civilisation, dans toute son insolence, a substitué ses propres règles du jeu aux lois naturelles. La société, ses interdits, la loi, l'ordre, la morale, la religion, tout ça est au service de la cohésion collective, au service d'une relative paix sociale, dominée par l'idée qu'il y a un affrontement entre, d'un côté, le bien et, de l'autre, le mal. Et nous vivons en permanence déchirés par un sentiment de culpabilité qui nous oppresse, qui nous ronge de l'intérieur. Pourquoi ? Parce que nous sommes mauvais ? Dieu, le diable, le bien, le mal… Rien de tout ça n'existe dans la nature. Qui idéalise-t-on ? Ceux qui ont réussi à dominer leurs pulsions.

Le pape, le dalaï-lama... On devrait pendre tous les gourous. Ce sont ceux qui tuent, qui pillent, qui jouissent de leurs pulsions dans le réel qui agissent conformément aux lois naturelles. Nous ne sommes rien. Nous ne sommes que l'illusion d'une illusion dans le cosmos, une erreur de programmation de la nature qui, dans sa grande sagesse, a choisi de fournir aux hommes à la fois le poison et l'antidote. Le poison étant la conscience et, avec elle, la capacité de sublimer et de dompter nos pulsions, d'être malheureux et de se sentir coupable, et l'antidote, la capacité de devenir véritablement soi-même, de tout renier, de tout faire exploser. Et c'est ultimement ce qui arrivera. L'humain va tout détruire, à commencer par lui-même. Seuls les plus forts survivront.

– Vous dites vraiment n'importe quoi. J'imagine que ce n'est pas étonnant de la part d'un ancien prof de philo qui se fait appeler «le père Noël».

– Mais au contraire, mon jeune ami. Au contraire. Le père Noël est une escroquerie, le pire des mensonges que l'on raconte aux enfants, la plus vile distorsion de la réalité. On entretient cette illusion dans l'esprit des êtres les plus purs, on les corrompt dès leur plus jeune âge à coups de leurres grotesques, et tout ça dans quel but? Dans le seul but de les détourner de leur nature profonde et de les diriger vers les mamelles du consumérisme, afin d'ultimement planter dans leur esprit encore vierge les idéaux dont a besoin la société pour exulter. Pour quelqu'un qui a consacré sa vie à traquer la vérité, vous conviendrez qu'il s'agit d'un choix qui n'est pas dénué d'humour.

– Si ça vous plaît de le croire.

– Et maintenant? Vous en avez eu assez, Dante?

– Vous croyez que j'en ai eu assez? Ne pensez pas que je n'ai pas compris ce que vous essayez de faire. Violer et tuer vous permet de libérer et de satisfaire votre pulsion de mort et justifie votre art de vivre. Pour vous, l'expérience ultime pouvant satisfaire cette pulsion est d'imaginer que vous êtes tué par une personne que vous avez choisie. Vous éprouvez une jouissance grisante à la simple évocation de cette idée. Et, dans votre inconscient, vous voulez que je vous tue parce que ce serait la preuve de votre conception du monde, la preuve que vous êtes dans le vrai. Alors que si je ne vous tue pas, c'est toute votre construction de la réalité, toute votre compréhension du monde qui s'effondre.

– Vous avez très bien résumé l'enjeu. Mais la question demeure entière : au moment de passer à l'acte, comment pourrez-vous être certain que vous exercez votre libre arbitre ? Réussirez-vous à vous convaincre que vos pulsions n'ont rien à y voir, que vous n'êtes pas un tueur, pas un monstre ?

– Une chose est certaine : je n'essaie pas de *vous* convaincre.

– Le névrosé, victime de ses pulsions, cherche à boucher le trou dans le réel. Alors, il s'est inventé une psychose collective : la religion. Ou l'observation de règles de vie en société, fondées sur les valeurs véhiculées par le christianisme, le bouddhisme ou l'islamisme, ce qui revient au même. La majorité y croit et y adhère d'une façon ou d'une autre. Le psychopathe ou le pervers, lui, se tient en retrait ; il voit les autres s'illusionner. Il constate également l'existence du trou, mais il ne sent pas le besoin de le combler : ce vide le comble, lui. En effet, il y voit un terrain de jeu. Il va chercher les moyens d'en tirer avantage, de le contourner, d'éviter la souffrance et le refoulement qu'il impose. Il va privilégier sa propre jouissance au détriment de celle de la collectivité. Il accepte de regarder l'abîme, il accepte d'y sombrer. Il y prend du plaisir. Et plus il sombre dans le gouffre, plus il s'approche de la vérité.

– C'est ce que vous voulez, n'est-ce pas ? Que je vous aide à tomber dans le gouffre ?

– Peut-être. Quand je me suis ouvert à vous, Dante, quand vous avez su que j'étais un assassin, pourquoi n'avez-vous pas appelé la police pour me dénoncer? Vous aimiez nos échanges, ça vous fascinait, avouez-le! Vous êtes revenu de votre plein gré par la suite. Vous saviez que je pouvais décider de m'en prendre à vous, de vous tuer.

– Je n'avais pas peur de vous, mais vous m'avez instrumentalisé.

– Un libre-penseur instrumentalisé? J'en doute. Je crois plutôt que vous aimiez le risque. Vous aimiez l'excitation que vous procurait le fait de vous aventurer au bord du gouffre et d'étirer le cou pour jeter un œil au fond. Vous prétendez avoir sauvé Myriam au nom d'intérêts supérieurs, au nom de l'amour et de la justice. Vous croyez être un rédempteur, mais ce n'est pas le cas. Vous avez simplement recherché une satisfaction égoïste. Vous n'étiez pas obligé de les tuer. Pire encore, c'est vous qui êtes venu me voir quand Myriam a disparu. Pour me demander conseil. Quand je vous ai dit que Samuel me racontait tout de ses activités et que Maurice Tanguay, Valeri Mardaev et lui étaient derrière sa disparition, vous auriez pu vous rendre à la police et laisser la justice suivre son cours. Vous ne l'avez pas fait. Pourquoi?

– Je n'avais aucune preuve. Ç'aurait été ma parole contre celle d'un policier. Et c'est vous qui m'avez dit qu'il fallait couper la tête et la queue de l'hydre pour qu'ils ne recommencent plus. Je voulais m'assurer que Myriam s'en sorte et qu'aucune autre jeune fille ne soit victime de ces hommes.

– Ça, c'est ce que vous vous dites pour chercher à combler le trou dans le réel, Dante. Vous avez besoin de croire que tout est fondé, donc vous vous êtes inventé des justifications. Vous les avez tués pour les bonnes raisons. Pour des considérations supérieures! Au nom de la justice, au nom de l'amour. Foutaises! Le système de justice était là pour vous aider et, pourtant, vous vous êtes fait justice vous-même! Le monopole de la vengeance dans nos sociétés a été transféré à l'État.

Vous l'avez repris. Voilà ce que vous avez fait. Et c'est très bien ainsi !

– Les autorités n'ont pas retrouvé Myriam. Moi, si. C'est tout ce que j'ai fait. C'était mon seul but.

– Foutaises ! Vous êtes un pervers, Dante. Pour vous dédouaner, sur les graffitis dont vous m'avez montré les photos, vous vous êtes représenté tenant un bonnet de père Noël à la main. Avez-vous voulu par là sous-entendre que je vous ai forcé la main ? Alors que nous savons tous les deux que c'est totalement faux ! Alors que c'est vous qui avez, en toute connaissance de cause, choisi de tuer ! C'est vous le meurtrier, c'est vous le monstre. Oui, Dante, vous avez rejoint notre camp ! Vous êtes un monstre. Vous avez trouvé la façon de boucher le trou dans le réel. Vous avez contourné les règles pour assouvir vos pulsions. Vous avez pris du plaisir à vous venger, pris du plaisir à les tuer. Vous avez joui et vous avez envie de recommencer. Parce qu'une fois qu'on s'est aventuré sur ce chemin, qu'on a emprunté l'escalier qui descend à la pièce noire, on ne peut plus retourner en arrière, Dante.

– Vous vous trompez. J'exerce mon libre arbitre.

– Vous sombrez dans l'abîme, Dante. Vous ne pouvez plus nier l'existence de cet abîme. Et si vous me tuez, alors que je n'ai rien à voir avec le sort que Tanguay, Mardaev, Samuel et les autres ont réservé à Myriam, c'est que j'ai raison. Vous n'avez pas de justification.

– J'ai celle de vous empêcher de faire d'autres victimes. Et j'ai la liste. Votre liste…

– Vous avez perdu, Dante. Vous pouviez me livrer à la police et lui remettre cette liste. Quelle raison avez-vous de me tuer ? Non seulement je n'ai rien à voir dans l'enlèvement de Myriam, mais c'est moi qui vous ai permis de la retrouver en vous livrant les responsables de sa disparition. Mais vous préférez continuer à tuer, et à jouir. Vous aviez prévu me tuer depuis le début. Voilà la vérité.

– Je vous tue parce que je l'ai décidé en toute conscience. Je vous tue parce que j'exerce mon libre arbitre.

– Je n'en crois pas un mot, mais comme vous voudrez, Dante. Permettez-moi toutefois une dernière question… Je vous l'ai dit plus tôt, vous avez, pour brouiller les pistes, offert une mise en scène exceptionnelle aux enquêteurs de la police. Vous les avez confondus assez longtemps pour mener à bien votre projet. Mais… pourquoi avez-vous choisi de me crucifier?

– Ah… vous allez à votre tour apprécier l'ironie. Vous ne croyez pas en Dieu, mais pour nous, les chrétiens, Noël commémore la naissance du Christ. Comme vous le savez, le père Noël de Coca-Cola a détourné le sens de cette fête au profit d'une consommation immodérée. Alors, je remets tout simplement celui qui est indûment devenu l'emblème de Noël là où il devrait se trouver: sur la croix…

– Je t'attendais, Dante. Je t'ai toujours attendu.

– Ho, ho, ho! père Noël.

CHAPITRE 50

Sur le mont Royal

La pluie tombait dru, explosait contre le sol en claquant. Gravissant le sentier boueux avec peine, Jacinthe et Victor arrivèrent en vue de la silhouette monumentale de la croix du mont Royal. Alourdis, leurs vêtements trempés ralentissaient leurs mouvements. Les ampoules blanches de la croix crevaient le rideau de pluie, créant un effet de réverbération. Victor plissa les yeux. Il avait l'impression qu'on lui avait tartiné les pupilles d'onguent. Dans ces circonstances, voir à plus de quelques mètres devant lui devenait un exercice ardu, mais, au premier coup d'œil, tout lui parut normal. En fait, pour autant qu'il pût en juger, l'endroit semblait désert.

Ils avancèrent encore, pistolet au poing, prêts à réagir au moindre signe suspect. Et plus ils approchaient, plus les doutes du sergent-détective se renforçaient. Était-il possible qu'il se soit trompé? Avait-il mal interprété le graffiti?

– J'vois rien, mon homme? Toi?

Victor répondit par la négative et continua de marcher. Après une dizaine de pas, il leva la main et s'arrêta brusquement, forçant sa coéquipière à interrompre sa progression.

– Quoi?

Le vent leur cinglait le visage. Le policier laissa planer un silence. Avait-il rêvé? Son imagination lui jouait-elle des tours?

Il se tourna vers Jacinthe et demanda :

– T'as rien entendu ?

Elle tendit l'oreille quelques secondes, puis fit non de la tête. Ils se remirent en route. Victor s'arrêta de nouveau un peu plus loin. Stupéfaite, Jacinthe désigna alors l'espace qui les séparait de la croix. Une main en porte-voix devant sa bouche, elle souffla :

– Là, j'ai entendu quelque chose. C'est quoi ? Un animal ?

Un grognement primitif vibrait, hachuré par le chuintement de la pluie. Ce n'est qu'une fois rendus à proximité de la croix qu'ils se rendirent compte que le raclement caverneux s'échappait d'une gorge humaine. En effet, quelqu'un riait à gorge déployée. Un rire qui donnait froid dans le dos, un rire dément, à la limite du cri d'agonie. Ils levèrent la tête vers le sommet de la croix. Victor mit sa main en visière pour empêcher les gouttes d'eau éjectées des nuages de l'aveugler. Même s'il la distinguait avec peine, il croyait apercevoir une forme humaine. La montrant du doigt, il cria à Jacinthe de regarder la croix.

Le grondement du tonnerre se fit entendre, puis la foudre embrasa le ciel, leur révélant la scène pendant une fraction de seconde. Et la fugacité de cet instant leur suffit pour comprendre que leurs sens ne les trompaient pas : en transe, bras en croix, la silhouette fantomatique d'un homme portant une longue barbe blanche se découpait entre les grains de pluie. Ainsi submergé, celui qui riait et hurlait tout à la fois semblait tenir en équilibre dans les airs, quelques mètres sous les croisillons.

– C'est Mayrand qui est crucifié, mon homme ?

Victor rengaina son pistolet et se mit à courir à toutes jambes vers le promontoire où se trouvait l'énorme croix métallique. En arrivant, il constata que la porte de la clôture qui entourait le socle de la croix était entrouverte et qu'elle présentait des traces d'effraction. Ayant sans doute servi à hisser l'homme sur son perchoir, un treuil à manivelle avait été abandonné sur place. L'éclairant avec sa lampe de poche, le sergent-détective tenta en vain d'abaisser le levier pour faire dérouler le câble d'acier. Soit le mécanisme était bloqué, soit il ne s'y prenait pas de la bonne manière. Au-dessus de leurs têtes, le père Noël continuait de s'époumoner.

Victor appela Jacinthe, qui ne l'avait pas encore rejoint :

– Viens m'aider, il faut le descendre tout de suite !

Sa coéquipière arriva en maugréant :

– Maudite bouette, ça glisse !

De son côté, le sergent-détective s'acharnait à essayer d'actionner le treuil.

– Tasse-toi de là, Lessard, je m'en occupe.

Soudain, les deux policiers se figèrent. Le père Noël poussa un interminable hurlement caverneux, puis sa tête retomba contre sa poitrine. À cet instant, un autre éclair illumina le ciel, le tonnerre retentit et ils virent les jambes et les bras de l'homme tressauter.

Haussant la voix pour percer le crépitement de la pluie, Victor dit :

– Il a des convulsions. Vite, il est en train de nous claquer entre les doigts !

D'une main habile, Jacinthe manœuvra le treuil et fit descendre jusqu'au niveau du sol la poutre de bois à laquelle le père Noël était sanglé, bras en croix. Lorsque le corps inerte arriva à leur hauteur, le sergent-détective constata qu'Édouard Mayrand, l'homme que l'on surnommait « le père Noël », avait une plaie ensanglantée à la gorge et que sa chemise, bien qu'elle continuât d'être lavée par l'orage, avait pris une teinte rosée. Victor détourna la tête. Malgré la pluie, l'odeur cuivrée du sang lui monta aux narines. Réprimant un haut-le-cœur, il posa deux doigts contre la carotide du vieil homme pour vérifier s'il avait toujours un pouls.

– Oublie ça, mon homme. Il est mort.

Victor acquiesça en détachant son regard de la dépouille. Mayrand venait de rendre l'âme sous leurs yeux. Enfilant ses gants de latex, le sergent-détective s'approcha du corps et pointa le doigt :

– On dirait qu'il a quelque chose dans la poche de son pantalon.

Il se pencha et sortit l'objet. Un livre.

– *Malaise dans la civilisation.* Sigmund Freud.

Les deux enquêteurs échangèrent un bref regard. Une lueur de fiel dansait dans les pupilles de Jacinthe, qui ricana.

– Ouin, le père Noël l'a eu sur la croix, son malaise, pas dans une cheminée. C'est ben pour dire, hein?

Victor jeta un coup d'œil au visage de Mayrand. Il n'aurait pu l'affirmer avec certitude, mais il lui sembla qu'un rictus en coin demeurait figé sur sa bouche ensanglantée. Le policier ne ressentait rien, pas la moindre parcelle de compassion. Et s'il ne pleurerait pas la mort de celui qu'ils soupçonnaient d'être un prédateur sanguinaire, il avait également conscience que les dégénérescences que portait Mayrand dans son sang et dans sa chair ne seraient jamais éradiquées. Sept milliards d'humains sur la planète : elles reprenaient vie chaque jour, encore et encore.

Il retirait ses gants lorsque Jacinthe pointa le doigt en direction du sentier.

– Là ! J'ai vu bouger derrière l'arbre !

Transportant le treuil, le câble et la poulie dans un sac à dos, Dante avait guidé Édouard Mayrand jusqu'au sommet du mont Royal, sans que celui-ci oppose la moindre résistance. Là, il avait utilisé des attaches autobloquantes pour assujettir ses poignets et ses avant-bras à une poutre de bois qu'il avait trouvée quelques jours plus tôt, dans les rebuts d'un chantier de réfection, aux abords du chalet de la montagne, et dissimulée dans le sous-bois, à proximité. Puis, juste avant de lancer son «ho, ho, ho!» dérisoire, crispant légèrement les doigts sur le manche nacré de son couteau, il avait tranché la jugulaire du père Noël d'un mouvement vif du poignet. Tête rejetée en arrière, yeux révulsés, Mayrand avait poussé un cri guttural. De longs jets de sang avaient jailli de la plaie, maculant son cou et sa chemise. Dante avait glissé un livre que lui avait prêté l'homme dans la poche de son pantalon. Par la suite, il avait hissé la poutre et son crucifié à l'aide du treuil et de la poulie qu'il avait, sous le couvert de la pluie, fixée sans être vu à la structure métallique de la croix du mont Royal. Il allait s'engager dans le sentier pour redescendre quand le faisceau des lampes de poche avait jailli entre les arbres. Le temps de se cacher, les policiers étaient apparus dans son champ de vision.

Victor plissa les yeux. Une ombre avait surgi de derrière l'arbre et s'élançait à toute vitesse dans le sentier. Sans réfléchir, il se mit à courir. Les semelles de ses Converse rouges patinèrent dans la boue et il faillit s'étaler de tout son long, mais parvint à garder son équilibre. Sans ralentir sa course, il dégaina son Glock. L'ombre devant lui dévalait le sentier à toute allure et possédait déjà une avance appréciable. Le sergent-détective sentit sa jambe blessée se raidir, mais il réussit à accélérer. Même s'il avait l'impression d'avoir un peu grugé l'écart, il perdait l'ombre de vue à cause de la pluie et de la végétation. Il continua à l'aveugle sur quelques mètres de plus, puis repéra le fuyard qui détalait à toutes jambes. Sentant qu'il serait incapable de le rattraper, Victor s'arrêta et se mit en position de tir. La silhouette sautillait dans sa ligne de mire. Le policier cria suffisamment fort pour que sa voix perce à travers les murs d'eau qui s'abattaient sur eux.

– Dante Salvador! Arrête, ou je tire!

Le jeune homme arrivait au pied d'une clôture de métal au-delà de laquelle une pente abrupte parsemée d'arbustes menait jusqu'à la route, en contrebas. Il stoppa sa course net et se retourna lentement vers le sergent-détective. Celui-ci était à une douzaine de mètres, quinze au maximum, derrière lui. Dante savait qu'il était assez loin pour ne pas constituer une cible facile, mais il avait aussi conscience qu'il se trouvait à portée de tir. Ses yeux cherchèrent le regard de Victor un moment et s'y fixèrent. Le policier retira le cran de sûreté, son index caressa la détente. Haletants, les deux hommes restèrent ainsi quelques secondes à s'observer, dans le néant du temps suspendu. Puis Dante leva la main en guise de salut, fit volte-face et s'apprêta à franchir la clôture. Si Victor voulait l'abattre, c'était le moment ou jamais. Mais plutôt que d'appuyer sur la détente, il baissa son pistolet.

Dante disparut derrière la clôture, avalé par la nuit.

Lorsque Jacinthe, hors d'haleine, le rejoignit enfin, Victor avait rengainé son pistolet et fumait tranquillement une cigarette, le dos appuyé à un arbre.

– Il t'a échappé?

Le sergent-détective se redressa et souffla d'une voix éraillée:

– Aucune chance. Trop rapide.

– T'as pas essayé de tirer?

– Il était déjà trop loin.

Sa coéquipière grimaça. Le bruit de la pluie dévorait le silence. Le visage livide, Victor reprit, après un moment:

– J'ai déjà donné son signalement à toutes les voitures. Avec un peu de chance, on va le coincer. Maintenant ou dans quelques jours.

Jacinthe épongea son visage avec son avant-bras.

– C'est fini, au moins.

Jetant un regard en direction de la croix illuminée, sa voix se fit plus grave:

- « *... le dernier sera le père Noël.* »

Victor tira une ultime bouffée de sa cigarette et la laissa tomber sur le sol, à ses pieds. Il venait de mentir à sa coéquipière, qui n'était pas dupe. Alors qu'il aurait pu abattre Dante Salvador, il l'avait laissé s'enfuir. Pourtant, il ne cautionnait en rien les actes commis par le garçon. Pourquoi avait-il pris cette décision?

Au moment d'appuyer sur la détente, il avait simplement agi d'instinct. Mais plus tard, quand il y réfléchirait, avec le recul, il se demanderait toujours si, à cet instant crucial, une partie de son inconscient n'avait pas jugé que le jeune homme méritait une chance de se sauver avec la femme qu'il aimait.

DOUZIÈME JOUR

(Vendredi 26 juillet)

CHAPITRE 51

Fouilles

À la résidence d'Édouard Mayrand, une perquisition suivait son cours en ce début de matinée nuageuse. Derrière la maison, des techniciens de l'Identification judiciaire fouillaient chaque centimètre carré du terrain tandis que d'autres, sous de puissants projecteurs, creusaient le sol à l'aide de petites pelles et d'outils de précision. Chacun de leurs gestes était réfléchi, méthodique, rigoureux. De temps à autre, le crépitement d'un flash venait briser le silence.

Victor s'approcha d'un des techniciens. Le vent frais le fit frissonner. La pluie avait fait chuter le mercure de plusieurs degrés durant la nuit.

– Combien, jusqu'à maintenant?

L'homme répondit sans lever les yeux.

– Deux corps. Deux femmes.

Le sergent-détective le remercia et, une chemise cartonnée sous le bras, se dirigea vers la maison pour rejoindre Jacinthe.

Outre la chasse à l'homme qui battait son plein pour capturer Dante Salvador, toujours en fuite, trois enquêtes spéciales découleraient de ce qu'on désignait maintenant dans les couloirs du SPVM comme «l'affaire du Graffiteur».

Dans un premier temps, une équipe d'enquêteurs tenterait de faire la lumière sur les meurtres commis par Samuel Martineau.

Il incomberait donc à cette équipe de mener à bien la tâche que Victor et son groupe avaient entreprise et aussi, exercice délicat, de parler à la famille et à la mère du petit Maxime Rousseau pour les mettre au courant.

Victor s'arrêta près de la piscine et balaya la cour arrière du regard. Il osait à peine imaginer le choc que ressentirait inévitablement cette mère à qui on apprendrait bientôt que son fils, disparu depuis 1981, était encore en vie quelques jours plus tôt et qu'il était devenu l'un des pires tueurs en série de toute l'histoire du Québec.

Volant par saccades à la surface de l'eau, une libellule vint lui tenir compagnie quelques secondes, puis disparut. Il crut se souvenir que le passage d'un tel insecte indiquait un présage, mais ne se rappelait plus lequel.

Un autre groupe mènerait une enquête similaire au sujet d'Édouard Mayrand, alias «le père Noël», non seulement soupçonné d'avoir « formé » Samuel Martineau, mais également d'avoir à son actif certains des meurtres rapportés dans les coupures de journaux. Outre les corps découverts par l'Identification judiciaire, des balles de ping-pong datées et portant des initiales avaient en effet été trouvées dans les affaires du vieil homme. Dans la foulée, ces deux groupes tenteraient de déterminer combien de jeunes filles ayant transité par l'AIM figuraient au nombre de leurs victimes.

Une équipe multidisciplinaire chapeautée par la division des crimes informatiques et la section de la moralité hériterait pour sa part du lourd mandat de piéger les opérateurs et les utilisateurs de la plateforme de trafic humain créée par Mardaev et Tanguay. Duvalier Joseph avait d'ailleurs déjà été interrogé par les enquêteurs à ce propos. Enfin, on chuchotait entre les branches que l'enquête interne concernant Tanguay serait rouverte.

Victor et son groupe d'enquête demeureraient quant à eux disponibles pour répondre aux interrogations et assister les équipes spéciales en cas de besoin, mais leur mandat avait pris fin avec la mort d'Édouard Mayrand.

Serrant sa chemise cartonnée contre lui, Victor se remit à marcher en direction de la maison de l'ancien professeur de philo. Il salua au passage un technicien de l'Identification judiciaire qui, transportant des sacs pour conserver les restes humains, rejoignait le site des fouilles.

En parallèle, une perquisition se poursuivait à l'appartement de Dante Salvador. Lorsqu'ils s'y étaient présentés le soir de la mort du père Noël, Nadja et Loïc avaient trouvé les lieux inoccupés. Sur la table de cuisine, ils avaient découvert une enveloppe que le jeune homme avait adressée à «l'enquêteur Lessard», laquelle contenait des aveux complets. Dante y expliquait comment, désemparé par la disparition de Myriam, il s'était confié au père Noël lors d'une visite à son domicile. Et de quelle manière Mayrand lui avait expliqué en détail le commerce auquel se livraient Tanguay, Mardaev et Martineau, dont il était à la fois le «maître» et le confident.

Le jeune homme y clarifiait aussi les liens que Martineau entretenait avec le père Noël et comment celui qui l'avait kidnappé plus de trente ans auparavant l'avait endoctriné pour en faire une machine à tuer. La lecture de ces aveux avait notamment confirmé aux policiers que Martineau, en sa qualité d'intervenant de l'AIM, rabattait des jeunes pour l'organisation de trafic humain et pour le père Noël, constituant ainsi la passerelle qui reliait tous les morceaux entre eux. Par ailleurs, Dante n'essayait nullement de se disculper en prétendant avoir été influencé par Mayrand. Il assumait la pleine responsabilité de ses actes.

Pour finir, le jeune homme affirmait que le meurtre de Grant Emerson était l'œuvre de Samuel Martineau. Dante précisait en effet avoir surpris Martineau dans sa cuisine de la rue Elm, alors que ce dernier rentrait chez lui après avoir tué Emerson. Martineau ayant appris par le père Noël qu'il serait l'une des prochaines victimes, il avait voulu, selon le jeune homme, le forcer à commettre une erreur, à se montrer à découvert afin de pouvoir l'éliminer. Ces explications permettaient ainsi au groupe d'enquête de comprendre la seule pièce qui ne trouvait pas parfaitement sa place, jusque-là, dans le puzzle.

Victor entra dans la maison par la porte-fenêtre. Dans la cuisine, Jacinthe discutait au téléphone avec un des enquêteurs qui perquisitionnaient l'appartement de Dante Salvador. Il attendit patiemment qu'elle raccroche, puis annonça :

– Je suis prêt.

Jacinthe baissa la tête et pinça les lèvres. Après un bref silence, elle dit en soupirant :

– T'es sûr? Qu'est-ce que je peux faire pour que tu changes d'idée?

Le sergent-détective la fixa avec intensité, puis esquissa un demi-sourire.

– Tu peux rien faire. Vraiment.

Conduite par Jacinthe, la voiture banalisée roulait à vitesse moyenne sur l'autoroute Ville-Marie. Le crâne calé contre l'appuie-tête de son siège, Victor tambourinait des doigts sur la chemise cartonnée. Alors qu'il aurait préféré profiter du silence, sa coéquipière avait envie de faire la conversation.

– Finalement, c'est une histoire simple. Celle d'un jeune qui aime une fille et qui, pour la libérer des griffes d'un agresseur, tue ce gars-là et ceux qui l'ont vendue : un policier, un membre de gang de rue et un intervenant jeunesse. Après, le jeune décide d'éliminer aussi l'homme qui lui a dénoncé les coupables, un ancien prof de philo qui a rien à voir avec le trafic humain, mais qui avait formé un tueur en série. Ça ressemble à ça, hein?

Victor sourit. Jacinthe tournait les coins ronds. Elle avait omis de préciser que le tueur en série et l'intervenant jeunesse n'étaient qu'une seule et même personne, en l'occurrence Samuel Martineau, alias Maxime Rousseau, un petit garçon enlevé par Édouard Mayrand, trente ans plus tôt. Et que les dernières analyses confirmaient qu'il était effectivement l'assassin de Grant Emerson.

Il allait lui en faire la remarque lorsqu'elle reprit :

– Tu sais quoi ? Je dis pas que j'approuve le meurtre, mais je peux comprendre pourquoi Salvador a agi comme ça. Ça heurte pas trop mes valeurs. Toi ?

Victor faillit répondre que les moyens utilisés par Dante pour se faire justice étaient inacceptables, mais se contenta de hausser les épaules. Il n'avait pas envie d'entrer dans un débat avec Jacinthe, qui poursuivit :

– T'sais, ça m'a fait réfléchir, l'histoire de Samuel Martineau. Tu prends un p'tit pou de six ans et tu lui montres à tuer. Ce petit gars-là est né bon et c'est Mayrand qui l'a corrompu, on est d'accord ?

– Dans ce cas-là, sans doute. Mais je ne crois pas pour autant qu'on naît nécessairement bon. On porte tous en nous la capacité de détruire et de tuer. On a tous un potentiel de violence à l'origine.

Jacinthe quitta la route des yeux un instant pour le sonder.

– C'est ce que t'as dit à l'oreille de Patricia Chávez dans la salle d'interrogatoire, quand elle a confessé avoir assassiné son mari de plus de cent coups de couteau ?

De la lassitude marquait le visage de Victor, qui acquiesça, le regard dans le vague.

– Ce qu'on appelle le mal est en chacun de nous. Et le seul rempart entre le chaos et la paix sociale, c'est la société qui, avec ses lois et ses règles nous permet de vivre dans une relative harmonie. Mais, parfois, des individus déviants se glissent entre les mailles du filet. Des gens comme le père Noël.

Jacinthe hocha la tête.

– Intéressant. Tu me rappelles mes cours de philo. Des beaux souvenirs.

Le sergent-détective ne put s'empêcher de sourire.

– T'aimais la philo, toi?

– Ben certain! Même si c'était obligatoire au cégep, j'adorais ça!

Il frappa du plat de la main sur le tableau de bord et railla:

– Je comprends tout: c'est là que t'as découvert les grands penseurs de l'histoire de l'humanité, dont Ellen DeGeneres!

Jacinthe lui donna un coup de poing sur l'épaule.

– Eille, arrête de faire le cave.

Ils firent le reste du trajet sans plus prononcer un mot.

Jacinthe avait garé la voiture banalisée devant le quartier général du SPVM, rue Saint-Urbain. L'ayant remerciée pour le *lift,* Victor allait sortir lorsqu'elle le retint par le bras.

– Je voudrais officiellement m'excuser, mon homme.

Interloqué, il la regarda en fronçant les sourcils.

– T'excuser? Mais pourquoi?

Tête basse, les yeux au plancher, Jacinthe se tordait les doigts.

– Parce que c'est toi qui as pris le blâme en 2003 pour la mort de Picard et Gosselin, et que t'en as subi les conséquences. T'as perdu ta job aux crimes majeurs, ta femme t'a flushé, t'as commencé à boire. Pis, moi, j'étais tellement convaincue que c'était ta faute, je t'en voulais tellement, que j'ai pas été là pour toi durant la période où t'aurais eu le plus besoin de mon aide. Fait que, aujourd'hui, je veux que tu saches que c'était pas ta faute. T'avais rien à te reprocher. C'est Tanguay qui nous a baisés. Je te demande pardon, mon homme.

Victor inspira profondément et réprima les larmes qui lui montaient aux yeux. La gorge nouée, il la remercia d'un murmure. Elle reprit:

– Dernière chose. Tu sais que tu peux me demander n'importe quoi, hein? Hésite jamais. C'est ça, des *partners*. C'est pour la vie.

Il la remercia de nouveau et agrippa la poignée de la portière. Il devait sortir de cette voiture avant de ne plus pouvoir contenir ses émotions.

– Bon, ben, fais attention à toi, Lessard.

Victor se tourna vers elle, ils s'étreignirent et Jacinthe chuchota à son oreille, d'une voix étranglée par l'émotion:

– Je t'aime ben, mon homme.

Elle avait parlé si bas qu'il se demanderait toujours par la suite s'il avait bien entendu.

L'adjointe avec qui Victor avait eu des démêlés lors de sa précédente visite au bureau de Marc Piché vint se planter devant lui et le gratifia de son plus beau sourire.

– Le directeur va vous recevoir. Vous êtes certain que vous ne voulez pas de café?

– Certain. Je vous remercie.

Victor se leva, attrapa la chemise cartonnée qu'il avait posée sur une table basse et entra dans le bureau par la porte que l'adjointe tenait ouverte. Tandis qu'elle refermait le battant derrière lui, le directeur, tout sourire, se leva et vint à sa rencontre, main tendue.

– Ah! Lessard… Venez vous asseoir!

Plutôt que de serrer la main de son supérieur, Victor lui présenta la chemise cartonnée. Décontenancé, Piché hésita un moment, la main en suspens, puis la prit.

– Mon rapport, monsieur.

Le directeur pointa un doigt en direction de deux fauteuils disposés perpendiculairement l'un par rapport à l'autre et invita Victor à prendre place.

– Je préférerais rester debout.

Pour se donner une contenance, le directeur se réfugia derrière son bureau.

– Toutes mes félicitations, sergent-détective. Votre équipe et vous avez accompli un boulot formidable. Je n'ai jamais douté que vous mèneriez cette enquête à terme.

Victor se retint de ne pas lui flanquer son poing dans la figure.

– Nous n'avons pas réussi à arrêter le suspect.

Piché balaya l'air de la main.

– Son signalement a été diffusé partout dans les médias. Ce n'est qu'une question d'heures avant qu'il soit pris.

– À propos de mon rapport, monsieur… Tout y est. Tout ce qui concerne non seulement le réseau de trafic humain mis sur pied par Maurice Tanguay, mais aussi l'obstruction de la part des affaires internes. Si nous avions su dès le début que le commandant avait déjà fait l'objet d'une enquête pour proxénétisme, des vies auraient sans doute été épargnées et peut-être que le suspect serait déjà sous les verrous.

Du doigt, le directeur chassa une poussière de la surface de sa table de travail.

– On m'a mis au courant de ça, oui. C'est effectivement très regrettable.

Victor s'efforça de garder son calme, de ne pas laisser son indignation prendre le dessus.

– Vous vous rendez compte que cette enquête pour proxénétisme n'a jamais été complétée? Ce qui laisse supposer que Maurice Tanguay a été protégé par sa hiérarchie.

Marc Piché affecta un air grave.

– Ce sont de très sérieuses accusations que vous portez, sergent-détective. Avez-vous des noms ou des preuves à me communiquer? Si c'est le cas, je vous promets d'y donner suite.

Victor battit des paupières. Il était sur le point d'exploser, mais il se retint.

– Je vais vous laisser le soin de gérer la suite comme bon vous semble. Vous ferez d'ailleurs ce que vous voulez de mon rapport. Libre à vous de retirer les pages qui ne vous conviennent pas, puisque ça semble faire partie des habitudes de la maison. J'imagine que c'est ça, la fameuse zone grise que vous jugez acceptable, monsieur?

Le visage du directeur se décomposa.

– Je n'aime ni votre ton ni vos manières, sergent-détective. Êtes-vous en train d'insinuer que c'est moi qui ai ordonné d'enlever des pièces du dossier de Tanguay?

– Je n'insinue rien, monsieur, je l'affirme. Mais je n'ai aucune preuve.

Les yeux de Piché devinrent des fentes.

– Vous savez que je pourrais vous faire suspendre pour insubordination, Lessard?

– Ce ne sera pas nécessaire. Ma lettre de démission est dans le dossier.

Victor prit son arme de service et, d'un geste solennel, la posa sur la table avec l'insigne qu'il portait fièrement depuis plus de vingt ans.

– Je ne peux plus travailler dans un service de police qui cautionne les actes illégaux de ses propres membres.

Piché acquiesça lentement. Il n'avait de toute évidence pas prévu le coup.

– Allons, pas si vite, Victor. Réfléchissez un peu. Vous sortez d'une enquête éprouvante, vous agissez sur un coup de tête. Prenez quelques jours pour penser à tout ça. Après, nous prendrons les problèmes un par un, ensemble. J'ai besoin d'hommes comme vous.

– J'ai bien réfléchi. Ma décision est prise.

Piché leva les mains en l'air dans un geste d'apaisement. Soudain, il semblait prêt à se montrer plus conciliant.

– Qu'est-ce que ça prendrait pour que vous restiez?

– Ce que ça prendrait? Une seule chose, monsieur: votre départ.

Victor tourna les talons, traversa la pièce et franchit le seuil d'un pas décidé. Il marchait devant le bureau de l'adjointe lorsqu'il rebroussa chemin et glissa la tête par l'entrebâillement. Piché était resté prostré sur sa chaise.

– En passant, je garde toujours une copie de mes dossiers en lieu sûr, monsieur.

CHAPITRE 52

Un sourire

À peine éclairé à travers la vitre par la faible lueur d'un lampadaire, le salon était plongé dans la pénombre. Avachi dans un fauteuil, Victor venait de finir de regarder *Pulp Fiction* à la télé. Nadja en avait écouté une partie avec lui, puis elle s'était retirée pour lire dans leur chambre. Il était tard, Victor était fatigué, mais il n'avait tout simplement plus la force de se lever et de traîner sa carcasse jusqu'à la salle de bains pour faire sa toilette avant d'aller dormir.

Il avait mis Nadja au courant de sa démission après le fait. Elle n'avait pas apprécié, mais elle lui avait offert son plein appui. Même si elle estimait qu'il allait regretter sa décision plus tard, elle en comprenait parfaitement les motifs. Elle qui connaissait le personnage savait que s'il lui était arrivé à l'occasion de contourner certaines dispositions de la loi pour parvenir à ses fins, il avait toujours été en revanche hautement moral et intègre.

Pour lui changer les idées, elle l'avait invité à manger des sushis au restaurant Mikado, avenue Monkland. Ils y avaient passé du bon temps, ri plus que nécessaire et parlé de prendre une semaine de vacances au bord de la mer. Quand elle lui avait demandé ce qu'il comptait faire dorénavant, Victor s'était rembruni et avait ressenti un grand vide.

Il n'en avait pas la moindre idée. Être policier avait toujours été toute sa vie. Il ne savait rien faire d'autre. Afin qu'elle ne s'inquiète pas, et peut-être aussi pour se rassurer un peu lui-même, il avait évoqué la possibilité de passer un coup de fil à un ancien du SPVM qui était responsable de la sécurité au Casino de Montréal. Pour la faire rire, il avait failli mentionner l'« offre d'emploi » que lui avait faite Duvalier Joseph, mais, par peur de devoir expliquer les circonstances à l'origine de la proposition du caïd, il s'en était abstenu.

Finalement, Victor prit son courage à deux mains et se leva avec difficulté. Il se dirigeait en traînant les pieds vers la salle de bains lorsque son cellulaire vibra dans sa poche. Comme il s'agissait d'un numéro bloqué, il faillit ignorer l'appel, mais sa curiosité l'emporta.

– Monsieur Lessard?

Son cœur se mit à cogner dans sa cage thoracique. Ils ne s'étaient jamais parlé avant cet instant; pourtant, il sut immédiatement qui était à l'autre bout du fil.

– Bonjour, Dante.

– Je m'excuse de vous déranger à cette heure. Monsieur Emerson m'avait donné votre carte d'affaires.

Victor retourna dans le salon et se rassit dans son fauteuil.

– Il y en a d'autres, monsieur Lessard.

– Je sais. La division des crimes informatiques va essayer de retracer les opérateurs et les utilisateurs du site d'enchères. Ça risque d'être long, mais j'ai bon espoir qu'ils réussiront.

– Je ne parlais pas de ça. Samuel n'était pas le seul enfant formé par le père Noël. Il y en a trois autres. Ils ont tué partout en Amérique.

Une tension apparut entre ses omoplates et il sentit son esprit chavirer. Ce que le jeune homme avançait lui paraissait à la fois irréel et effrayant.

– Est-ce que tu connais leur identité?

– Oui…

– Si tu me dis qui c'est, je te promets de m'en occuper personnellement.

Dante sembla hésiter un moment.

– Non, je vais le faire. Je ne peux plus revenir en arrière. Plus maintenant.

Victor comprit tout de suite ce que son interlocuteur avait en tête. Il chercha en vain quoi dire pour le convaincre d'y renoncer. Au bout d'un moment, Dante ajouta :

– Peut-être que si je vous avais connu avant, j'aurais agi différemment.

Victor tenta de rassembler ses idées. Il fallait qu'il obtienne les noms des tueurs.

– Laisse tomber, Dante. Donne-moi les noms de ces trois personnes-là et profites-en pour disparaître avec Myriam.

Le jeune homme changea de sujet :

– Je n'ai pas tué monsieur Emerson. C'est Martineau qui l'a fait pour me forcer à réagir, pour m'atteindre.

– Je sais. J'ai lu tes aveux.

Dante marqua une pause. Victor l'entendit chuchoter et imagina que Myriam devait se trouver près de lui.

– Est-ce que j'avais le choix de faire ce que j'ai fait? Je veux dire… ils l'ont vendue et violée, monsieur Lessard. Parfois plus de vingt hommes à la fois. Je ne parle pas seulement de détraqués comme Samuel Martineau ou le père Noël. Je parle d'hommes d'affaires, de gens éduqués, qui ont beaucoup d'argent. J'espère que vous les retrouverez tous.

Victor répéta que des groupes d'enquête étaient déjà au travail. Dante continua :

– Dans les rues de Ciudad Juárez, où je suis né, des gangs de rue se défiaient à coups de graffitis. Je me suis assis et j'ai appris à taguer en les observant. Dans mon pays, des centaines de femmes disparaissent chaque mois. Elles sont violées et laissées pour mortes sur le bord des fossés. Je ne pouvais pas permettre ça ici. Vous comprenez?

Sans attendre de réponse, il enchaîna:

– Les femmes donnent la vie aux hommes. Comment peut-on accepter qu'ils les violent ensuite?

Victor secoua la tête. Sans le surprendre, le degré de violence et de cruauté des hommes envers les femmes l'accablait. Il eut alors une pensée pour la jeune femme, sans doute marquée à vie, à l'origine de toute cette histoire.

– Dis-moi, Dante… comment va Myriam?

Le jeune homme ignora la question, mais Victor sentit une profonde vulnérabilité dans sa voix lorsqu'il reprit.

– Il y a des monstres qui tuent par plaisir, d'autres qui violent, enfin il y a des monstres qui tuent les monstres. Nietzsche disait: «Celui qui combat des monstres doit prendre garde à ne pas devenir monstre lui-même.» J'ai pensé pouvoir y échapper, j'ai pensé être un rédempteur, mais je suis aussi devenu un monstre. J'avais décidé de tuer le père Noël dès le début parce que je croyais qu'il méritait un châtiment. Mais, à la fin, je l'ai tué par plaisir.

Aux yeux de Victor, rien ne justifiait le meurtre. Ce n'était toutefois ni le moment ni l'endroit pour se perdre en considérations morales sur le sujet. Aussi, il dit simplement:

– Parfois, on agit pour les bonnes raisons, mais on s'y prend de la mauvaise manière.

Dante gardait le silence. Victor ajouta:

– Vous étiez dans la chambre noire, Myriam et toi, quand je suis passé rendre visite à son père, non?

– Oui. Myriam a fait tomber quelque chose et vous avez entendu le bruit. On a eu peur d'être démasqués.

Victor hocha la tête. Il ne s'était pas trompé.

– Mais, dis-moi… pourquoi es-tu retourné chez Emerson par la suite?

– Quand j'ai appris que Samuel Martineau l'avait tué, je suis allé récupérer des photos de Myriam et de moi que monsieur Emerson avait prises. Le rouleau était encore dans l'appareil, mais j'avais peur que vous le trouviez et que vous puissiez m'identifier avant que je termine ce que j'avais à faire.

Une question continuait de chiffonner Victor. Pour satisfaire sa curiosité, il demanda :

– Et pourquoi avoir attendu dix jours avant de frapper Mardaev?

– C'était un homme dangereux. Il me fallait le bon prétexte pour l'attirer chez Faustin. J'ai épié ses allées et venues pendant plusieurs jours. Je ne voulais pas manquer mon coup.

De nouveau, Victor entendit murmurer en sourdine. Dante s'éclaircit la voix.

– En passant, je suis désolé pour votre visage, et pour la tête de votre collègue aussi. Mais je n'avais pas le choix. Il m'a surpris quand j'allais partir.

Victor posa les doigts sur l'ecchymose qui marquait le côté de sa figure. Quelques endroits demeuraient sensibles au toucher, mais la douleur avait considérablement diminué.

– Je voulais aussi vous remercier, monsieur Lessard.

– Me remercier pour quoi?

– De m'avoir laissé m'enfuir. Vous auriez pu m'abattre.

Depuis la nuit sur le mont Royal, Victor s'était demandé plusieurs fois pourquoi Dante avait peint le graffiti dans les égouts, de façon à ce qu'ils sachent précisément à quel endroit les trouver, le père Noël et lui. Il n'y avait qu'une seule conclusion logique à en tirer qui, à la lumière des événements subséquents, recelait un curieux paradoxe : alors que tout portait à croire que le jeune homme voulait qu'on l'arrête, le sergent-détective avait pour sa part pris la décision, consciente ou non, de le laisser filer.

– Ne me remercie pas, Dante, je suis un très mauvais tireur.

– Non, je vous remercie. Et si jamais quelqu'un me retrouve, j'espère que ce sera vous.

Victor décida de tenter le tout pour le tout.

– Donne-moi ces noms, Dante. Ensuite, partez le plus loin possible et ne revenez jamais.

– Je ne peux pas.

Il aurait voulu dire quelque chose de significatif, convaincre son interlocuteur de faire les bons choix, mais dut se rendre à l'évidence : il n'arriverait pas à lui faire entendre raison.

– Tu sais où me trouver, si tu changes d'idée.

– Je vais raccrocher, maintenant. Au revoir, monsieur Lessard.

– Prends soin de toi, Dante. Et prends soin de Myriam.

Longtemps après avoir coupé la communication, Victor se leva et contempla à la fenêtre le ciel fardé de nuages. Il songea que c'était tout et que, dans l'ordre relatif des choses, tout n'avait plus la moindre importance, qu'il n'y avait que les hommes pour croire qu'ils étaient quelque chose plutôt que rien. Il pensa aussi qu'il ne savait pas ce qu'il ferait du reste de sa vie, maintenant qu'il n'était plus policier, mais que le lendemain, à la première heure, il irait voir Ted à l'hôpital. Et qu'ensuite il passerait du temps avec Charlotte et téléphonerait à Martin pour prendre de ses nouvelles. Il se dit enfin que, dans les prochaines semaines, il s'investirait à fond pour terminer les travaux de rénovation de l'appartement. Et peut-être qu'il offrirait de nouveau à Yves Gagné de l'accompagner dans une réunion des AA.

Même si le fait de n'avoir aucune responsabilité dans la mort de ses hommes en 2003 le soulageait d'un poids immense, Victor se promit de retourner consulter la psychologue qu'il avait vue après le drame. On ne gomme pas d'un coup des années de conditionnement. On l'avait trahi, trompé, manipulé. Il devrait se déprogrammer, se purger de sa colère et de son amertume. Mais, surtout, il devrait apprendre à étouffer le sentiment de culpabilité qui, gravé dans ses neurones, l'avait habité chaque jour pendant tant d'années.

Il rejoignit Nadja dans leur chambre. Elle leva les yeux de son livre quand il entra dans la pièce et lui sourit, et il sut que ce sourire le rattachait au reste du monde. Non, il ne savait pas ce qu'il ferait du reste de sa vie, mais, demain, le soleil prendrait sa place dans le ciel. Et après, encore. Il sourit à son tour.

C'était tout.

POSTFACE, REMERCIEMENTS ET BLA BLA BLA

Ce roman marque la fin d'un cycle : plusieurs sous-intrigues laissées à dessein en suspens dans les premiers tomes de la série trouvent leur résolution dans *Violence à l'origine.* Et, d'une façon ou d'une autre, Victor Lessard continuera de cheminer... Par ailleurs, même si j'ai pris quelques libertés ici et là, ce roman s'appuie, dans une trop large mesure hélas, sur une réalité tangible. Le trafic humain est un fléau auquel même la ville de Montréal n'échappe pas.

Cela dit, *Violence à l'origine* a été une aventure parsemée de rencontres et de collaborations heureuses. Nombre de personnes m'ont été d'une aide précieuse, et j'aimerais prendre ici le temps de les remercier. Tout d'abord, merci à la formidable équipe des Éditions Goélette, Ingrid, mon éditrice hors pair, et Alain, le grand manitou de la boîte, sans oublier Marilou, Bérénice, Kevin et tous les autres que je ne peux nommer, faute d'espace. Merci de m'accompagner chaque fois jusqu'à la ligne d'arrivée. Je pourrais remercier Benoît Bouthillette en vantant son immense talent de directeur littéraire et sa générosité, mais ma reconnaissance va bien au-delà de ces mots. Merci de ton amitié et de m'aider à devenir meilleur, *bro.* Recevoir un appel de mon attachée de presse, Natalie Dion, est toujours un grand bonheur. Elle me fait rire, défend mes livres comme une mère couve ses enfants et sait composer avec mes innombrables angoisses. Coup de chapeau, miss. J'ai la chance, depuis mes débuts, de pouvoir m'appuyer sur l'épaule solide et loyale de Patricia Juste, dont le talent de réviseure n'a d'égal que son ardeur au travail et son dévouement. Un roman sans ton aide est au-dessus de mes forces, Patricia. S'est ajouté à l'équipe Martin Duclos, qui a su saisir la balle au bond et lancer une prise au marbre. Kudos, *dude*. Merci à Olivier Dionne, professeur de philosophie au Collège Brébeuf et coéquipier dans mon équipe de hockey, qui a bien voulu m'aider à bâtir les assises de la construction de la réalité du père Noël. Merci à mon grand ami Marc Bernard, qui, comme à l'habitude, m'a aidé à démêler les fils de cette histoire alors qu'elle n'était encore qu'à l'état d'ébauche dans ma tête. Merci aux libraires, journalistes, blogueurs et chroniqueurs qui font connaître mes livres. Et, par-dessus tout, merci à ma famille et aux miens, ma conjointe et mes enfants, qui m'accordent jour après jour, malgré mes horaires de fous, tout leur amour et leur soutien. Je vous aime sans limite.

Évidemment, toute erreur qui pourrait subsister dans le texte serait de mon fait.

Pour les mélomanes, les pièces suivantes sont parmi les plus marquantes à m'avoir accompagné pendant l'écriture et la révision de *Violence à l'origine*: *Victor* (Prinze George), *Prisoner* (The Jezabels), *Modern Jesus* (Portugal. The Man) *The Riverbed* (Owen Pallett), *Hamburg* (Random Recipe), *No Darkness* (Broken Twin), *I See My Mother* (Poliça), *Empty's Theme Park* (Matthew Good), *Turn Away* (Beck), *Night By Candlelight* (Afghan Whigs), *Comrade* (Volcano Choir), *Rejoins-moi* (Alexandre Désilets), *O* (Coldplay), *The Messenger* (Daniel Lanois), *Lose Yourself* (Eminem), *Dernier jour* (Hôtel Morphée), *Circles* (Incubus).

Enfin, quelques mots à votre intention, chers lecteurs, sans qui rien de tout cela ne serait possible. Aux nouveaux comme aux anciens : votre enthousiasme me touche, votre passion me nourrit et je me considère privilégié de pouvoir, à travers mes livres, vous rejoindre. N'hésitez surtout pas à m'écrire et à venir me retrouver sur ma page d'auteur Facebook. C'est un lieu d'échange et, souvent, de fous rires. Si, si !

Amitiés,

M

www.facebook/martinmichaudauteur
www.michaudmartin.com

À PROPOS DE *SOUS LA SURFACE*

Prix Tenebris 2014

Top 5 des polars de l'année 2013, *La Presse*

«Le meilleur suspense à avoir été écrit par un auteur québécois.»
Daniel Marois, Huffington Post

«Et nous voilà plongés dans un maelstrom d'apparences, de complots, de magouilles, de meurtres et de passions amoureuses, le tout savamment orchestré par ce nouveau chef de file du polar québécois, à la plume acérée et qui n'a plus rien à envier à ses modèles anglo-saxons! * * * * *»
Norbert Spehner, La Presse

«Il emprunte un style d'une limpidité exemplaire qui fait penser que son roman pourrait facilement être traduit dans une dizaine de langues et vendu sur toute la planète.»
Michel Bélair, Le Devoir

«Martin Michaud s'impose comme la figure de proue de l'âge d'or du roman policier québécois. *Sous la surface* est un thriller efficace au possible, limpide.»
Catherine Richer, Dutrizac - 98,5

«Du vrai bon suspense, très brillant dans sa construction.»
Danielle Laurin, Le Téléjournal, Radio-Canada

«Dans son quatrième roman, Martin Michaud laisse de côté son fameux enquêteur Victor Lessard pour un récit profond, fouillé et abouti.»
Anne Bourgoin, 7 jours

« Et franchement, c'est un bouquin qui se lit pour le meilleur seulement, Martin Michaud mariant à merveille suspense et jeux de coulisses. »
Karine Vilder, Journal de Montréal

À PROPOS DE *JE ME SOUVIENS*

Prix Saint-Pacôme
du roman policier 2013

Finaliste au Prix Tenebris 2013

Finaliste au Arthur Ellis Award 2013

Top 50 des livres de l'année 2012, *La Presse*

«Avec son rythme infernal, sa narration sans failles, son style fluide et familier, *Je me souviens* est le meilleur roman de Michaud. Un thriller… dont on se souviendra!»
Norbert Spehner, La Presse

«Pourquoi se contenter d'auteurs scandinaves quand on a sous la main celui qu'on qualifie à juste titre de nouveau maître du polar québécois?»
Martine Desjardins, L'actualité

«L'écrivain Martin Michaud propose un thriller solide, vif, intelligent, piqué de bonnes pointes d'humour et de références politiques.»
Marie-France Bornais, Journal de Québec

«Il ne fait aucun doute qu'on sera happé par l'imaginaire de ce polar finement construit et qui ne manque pas d'aplomb… Michaud montre, dans une langue assaisonnée de québécismes, qu'il sait manier la plume… et le suspense.»
Lisanne Rheault-Leblanc, 7 Jours

«Si vous le connaissez pas [Martin Michaud], vous allez le connaître aujourd'hui et vous en rappeler toute votre vie.»
Catherine Richer, Dutrizac - 98,5

À PROPOS DE *LA CHORALE DU DIABLE*

Prix Saint-Pacôme du roman policier 2011

Arthur Ellis Award 2012

Top 10 des meilleurs livres québécois 2011,
La Presse

«Le nouveau maître du thriller au Québec!»
Christine Michaud, Rythme FM, Les Midis de Véro

«Un roman policier qui est à la hauteur des
meilleurs romans policiers écrits par les
meilleurs auteurs à travers le monde…»
Anne Michaud, SRC, Première Chaîne Ottawa

«*La chorale du diable* est un polar "complet": une intrigue
très bien menée, des personnages captivants et crédibles,
un suspense impeccable. [A]vec ce polar, Michaud se taille
une place de choix dans l'élite de la filière québécoise.»
Norbert Spehner, La Presse

«Il a réussi à créer un véritable polar, bien écrit,
bien tricoté, où tout s'enchevêtre merveilleusement bien.
[Il] a vraiment une âme de scénariste.»
Franco Nuovo, Radio-Canada, Six dans la cité

«J'ai dévoré ce roman en moins de 24 heures!
Et je m'en veux terriblement de ne pas avoir lu le premier.»
Joanne Boivin, Rock Détente 107,5FM Québec, Tout l'monde debout

À PROPOS DE *IL NE FAUT PAS PARLER DANS L'ASCENSEUR*

Finaliste – Grands Prix littéraires Archambault – Prix de la relève

Découvertes littéraires de l'année 2010, Journal *La Presse*

Finaliste au Prix Saint-Pacôme du roman policier 2010

Prix Coup de cœur 2010 du Club du polar de Saint-Pacôme

Auteur vedette du mois de février 2010,
Club de lecture Archambault

Recrue du mois d'avril 2010 du site larecrue.net

«[…] un récit haletant, intéressant.
Il ne faut pas parler dans l'ascenseur
est un bon premier roman, bien écrit, captivant.»
Anne-Josée Cameron, Téléjournal, Radio-Canada

«[C]e premier roman tout à fait maîtrisé est l'un
des meilleurs polars québécois parus ces derniers mois.»
Norbert Spehner, Entre les lignes

«[Martin Michaud] a le plein contrôle sur nous.
Il tire les ficelles. Tu lis son roman et tu te
sens comme une marionnette.»
Christine Michaud, Salut Bonjour week-end, TVA

«L'histoire est racontée en tranches courtes, au style rapide
(le classique puzzle de 1000 morceaux), qui nous obligent
à tourner les pages jusque trop tard le soir.»
Benoît Aubin, Journal de Montréal

«Du grand art»
Culture Hebdo

Québec, Canada